COMPACT SETSWANA DICTIONARY

COMPACT SETSWANA DICTIONARY

ENGLISH — SETSWANA
SETSWANA — ENGLISH

COMPILED BY

G. R. DENT

Shuter & Shooter

PIETERMARITZBURG • CAPE TOWN • JOHANNESBURG

Acknowledgements:
Translated by F. T. Haasbroek and C. M. Haasbroek
Edited by C. L. S. Nyembezi

Shuter & Shooter (Pty) Ltd
Gray's Inn, 230 Church Street
Pietermaritzburg, South Africa 3201

First edition 1994

ISBN 0 7960 0639 3

Set in 8 on 8 pt Univers Medium
Printed by The Natal Witness
Printing and Publishing Company (Pty) Ltd
Pietermaritzburg
5003LH

CONTENTS

INTRODUCTION

This abridged dictionary is intended for those people who find the more comprehensive dictionaries too cumbersome or too detailed for their needs.

The following publications and dictionaries have been consulted during the compilation of this dictionary, and full acknowledgement is hereby made for all material which has been used:

Anonymous. 1986. *Learner's English-Setswana Dictionary*. Bedfordview: Librarius.

Anonymous. 1987. *Tswana key to English*. Book Studio.

Brown, J.T. 1985. *Setswana Dictionary*. Gaborone: Pula Press.

Cole, D.T. 1982. *An introduction to Tswana grammar*. Cape Town: Longman Penguin.

Department of Education and Training & Department of Education: Bophuthatswana. 1988. *Setswana Terminology and Orthography No. 4*. Pretoria: The Government Printer.

Haasbroek, F.T. & Haasbroek, C.M. 1989. *A polysemic computer dictionary for Setswana*. Pretoria.

Hartshorne, K.B., Swart J.H.A. & Rantao, B.J. 1985. *Dictionary of basic English Tswana*. Johannesburg: Educum.

Kgasa, M. 1976. *Thanodi ya Setswana ya Dikole*. Cape Town: Longman Penguin.

Nyembezi, C.L.S. 1987. *Compact Zulu Dictionary*. Pietermaritzburg: Shuter & Shooter.

Snyman, J.W., Shole, J.S. & Le Roux, J.C. 1990. *Dikišinare ya Setswana English Afrikaans*. Pretoria: Via Afrika.

Wookey, A.J. 1969. *Puisanyo ya Sekgowa le Setswana*. Gaborone: Botswana Book Centre.

In Setswana most nouns consist of a prefix and a stem. When forming plurals, singular prefixes are in most cases merely exchanged with their plural counterparts, for example: **Mo**tho 'Human' -> **Ba**tho 'Humans' (**Mo** being replaced by **Ba**). For the purpose of keeping this dictionary as practical as possible, it was decided to take up the different Setswana-nouns **as they appear**, in other words, singular as well as plural forms of words are included in the dictionary and may be looked up as such. Furthermore, the plural forms of singular nouns are supplied in each case, and vice versa, hereby attempting to keep the dictionary as user-friendly as possible.

Nouns in Setswana are devided into pairs (classes) of singular and plural forms, and according to the form their prefixes take. Compare the following table in this regard:

	1 2	
GROUP I:	(**mo** -> **ba**)	
	motho -> batho	(human — humans)
	moruti -> baruti	(minister — ministers)
	mosimane -> basimane	(boy — boys)

	1(a) 2(a)	
	(__ -> **bo**)	
	John -> boJohn	(John — John and company)
	rra -> borra	(father — fathers)
	mma -> bomma	(mother — mothers)

	3 4	
GROUP II:	(**mo** -> **me**)	
	molomo -> melomo	(mouth — mouths)
	more -> mere	(medicine — medicines)
	mosifa -> mesifa	(sinew — sinews)

	5 6	
GROUP III:	(**le** -> **ma**)	
	lekau -> makau	(young man — young men)
	leleme -> maleme	(tongue — tongues)
	lephoi -> maphoi	(dove — doves)

	7 8	
GROUP IV:	(**se** -> **di**)	
	sefofane -> difofane	(aeroplane — aeroplanes)
	sethwe -> dithwe	(member — members)
	senokwane -> dinokwane	(thief — thieves)

	9 10	
GROUP V:	(**[n]** -> **di[n]**)	
	nku -> dinku	(sheep — sheep)
	tholo -> ditholo	(kudu — kudus)
	kgabo -> dikgabo	(monkey — monkeys)
	nta -> dinta	(louse — lice)

	11 10/6	
GROUP VI:	(**lo** -> **di[n]/ma**)	
	losika -> ditshika	(vein — veins)
	losi -> dintshi	(beach — beaches)
	lobelo -> mabelo	(race — races)
	lotlhaa -> matlhaa, ditlhaa	(cheek — cheeks)

('Lo'-words take their plural either in class 10 [di(n)-], or in class 6 [ma-]).

(In other African languages classes 12 and 13 are still in existence, though not any longer in Setswana. For the sake of uniformity with the other languages, we skip these numbers and do not use them in Setswana).

GROUP VII: 14   6
    (**bo** -> **ma**)

bolao -> malao	(bed — beds)
bogobe -> magobe	(porridge — types of porridge)
bogogo -> magogo	(crust — crusts)
boiketlo -> ----	(ease)
boikgopolo -> ----	(selfishness)

(Many nouns in this group do not have a plural form).

GROUP VIII: 15
    (**go**)

go reka -> ----	(to buy, [the] buying)
go tsamaya -> ----	(to walk, walking)
go thusa -> ----	(to help, helping)

(No noun in this group has a plural form).

GROUP IX: 16, 17, 18
    (**fa, go, mo, [n], ga**)

fatshe -> ----	(down)
godimo -> ----	(on top)
morago -> ----	(behind)
pele -> ----	(front)
gaufi -> ----	(near)

PRONUNCIATION

In an abridged dictionary of this type pronunciation of English or Setswana words has not been indicated, either by using marks or phonetic script.

For those who attempt to learn Setswana, a brief indication of the pronunciation of Setswana vowels and consonants is given.

In English, as in Setswana, the best method of learning the pronunciation of exceptional or unusual words/sounds is to ask an English speaking or Setswana speaking person to pronounce the word, and then to imitate his pronunciation.

Most of the standard dictionaries also indicate pronunciation.

PRONUNCIATION: SETSWANA

In the standard orthography now in use, no additional letters beyond the normal twenty-six letters of the alphabet are used to represent the sounds of the Setswana language. The only exception is š, a letter representing a sound normally written in English by means of "sh", e.g. "shall".

There are a number of other sounds which are not adequately represented by these letters. In the interests of uniformity however it was decided to use only the twenty-six letters, and therefore a given letter may represent more than one sound, and it is necessary to use combinations of letters to represent other recognised sounds.

The vowel "e" for example is sometimes pronounced as in the English word "bed" and sometimes as in the English word "see". Although a circumflex may be used to indicate this difference in sound quality, we will not use circumflexes in this dictionary as most Setswana texts are written without circumflexes anyhow.

It is hardly possible to learn the correct pronunciation of Setswana sounds from a text book. The only really feasible method is to ask a Setswana-speaking person to pronounce the word, and then to imitate his pronunciation.

Setswana is a tonal language, the tone of the word frequently determining its meaning. This is a further urgent reason for learning to pronounce the more difficult Setswana words by listening to a Setswana speaking person saying them.

Generally speaking the penultimate syllable of phrases and sentences is lengthened.

Vowels

a   is pronounced as in the English word "father", e.g. **rata** (to love).

e   actually has four variants in Setswana speech, but only two of these variants will be treated here as two variants only occur in certain sound environments and do not affect the meaning of words: We have **e** in **reka** (to buy), being the equivalent of the **e** in the English word "bed". The other e sounds like the **e** in the English word "see", e.g. **leka** (to try).

o   also has four variants, as is the case with **e** above. The two basic variants are the **o** in **loma** (bite), which sounds like the o in English "look", and **o** in **bona** (see), which sounds like the **oa** in "board".

i   is pronounced as in the English word "feast", e.g. **bitsa** (to call).

u   is pronounced as in the English word "fool", e.g. **buka** (a book).

Semi-vowels

y   is pronounced as in the English word "yeast", e.g. **ya** (to go).

w   is pronounced as in the English word "well", e.g. **wena** (you).

Consonants

b   sounds like the "b" in the English word "bed". This is a bilabial explosive sound, e.g. **buisa** (read), **besa** (roast).

c   is a click sound, and is the sound sometimes made in English to express exasperation. The sound is formed through pressing the tip of the tongue against the forepart of the upper mouth, and then withdrawing it, e.g. **-nncenncane** (small). This is an unusual, rather than a basic sound, in Setswana.

d   is pronounced as in the English word "den", e.g. **dira** (do, work).

f   is pronounced as in the English word "fall", e.g. **fetsa** (finish).

g   is pronounced almost like the "ch" in the English word "loch", or the "g" in the Afrikaans word "gaan", e.g. **gana** (refuse).

h   is pronounced as in the English word "hat", e.g. **hutshe** (hat).

j   is pronounced as in the English word "John", e.g. **ja** (eat).

k   is pronounced like the "ch" in the English word "scheme", e.g. **kota** (a pole).

kh   is an aspirated sound (a sound pronounced with excessive breath). It is pronounced rather like the "c" in the English word "cat", e.g. **khumo** (riches).

kg   is pronounced like "c" in "act" and "ch" in "loch" put together to form one sound, e.g. **kgona** (be able).

l   is pronounced as in the English word "land", e.g. **lekau** (young man).

m   is pronounced as in the English word "man", e.g. **lesama** (cheek).

n   is pronounced as in the English word "nine", e.g. **morena** (sir).

ny is pronounced like "n" (night) and "y" (young) in English put together to form one sound, e.g. **senya** (to waste). (It resembles "ni" in "senior").

ng is pronounced as in the English word "long", e.g. **leng** (when).

p is pronounced as in the English word "speech", e.g. **poso** (post, mail).

ph is the aspirated form of the "p" above. It sounds very much like the "p" in "post", but is never pronounced like the "ph" in "phone", e.g. **phala** (impala).

q is a palatal click. In order to sound this press the front part of the tongue against the upper part of the mouth, and then release the tongue sharply, e.g. **qw-qw-qw-qw** — a sound used when calling chickens.

r sounds very much like the rolled "r" in English, e.g. "roll", or in Afrikaans words such as "rem". Setswana examples are for instance **rema** (chop), **reka** (buy).

s is pronounced as in the English word "silk". It never sounds like "z", as in "hose", e.g. **sala** (stay [behind]).

š is pronounced as the "sh" in the English word "shall", e.g. **šaga** (a saw).

t is pronounced as in the English word "tort", e.g. **tafole** (a table).

th is the aspirated form of the "t" above. It is never pronounced as in the English words "this" or "thong", but rather pronounced like the "t" in "Tom", e.g. **thusa** (help).

tl is pronounced more or less as in the English words "atlas" or "butler", where the "t" and "l" sounds are not pronounced separately, but rather as one sound, e.g. **tloga** (to leave).

tlh is the same sound as the above "tl", but in this case it is aspirated, e.g. **tlhaba** (pierce).

ts is pronounced as in the English word "lots", e.g. **itse** (know).

tsh is pronounced as "ts" above, the only difference being that "tsh" is aspirated, e.g. **tshaba** (flee, fear).

tš is pronounced as "tch" in the English word "notch", e.g. **botšarara** (bitterness).

tšh is pronounced like "tš" above, the only difference being that "tšh" is aspirated, e.g. **tšhoma** (speak English).

x is a lateral click, and resembles the sound sometimes made in English to urge on a horse, e.g. **nnxe!** (sorry!). This sound, like the other clicks in Setswana, is only heard occasionally.

z is pronounced as in the English word "zinc", e.g. **Sezulu** (the Zulu language).

The above sounds may also be used to form other combinations of sounds, e.g. "kw" in **kwanyana** (lamb), "tshw" in **tshwenya** (disturb), etc.

ABBREVIATIONS

The following abbreviations are in use in written Setswana:

ms.	(mosong)	a.m.
tp.	(thapama)	p.m.
jk.	(jaaka)	e.g.
k.g.r.	(ke go re)	i.e.
tt.	(tebiti)	dt. (debit)
kt.	(keretiti)	ct. (credit)
jj.	(jalojalo)	etc.
Mna.	(Morena)	Mr.
Moh.	(Mohumagadi/	
	Mohumagatsana)	Miss/Mrs.
Mor.	(Moruti)	Rev.
mg.	(mogalaledi)	St. (Saint)

Abbreviations used in this dictionary

(a)	—	adjective
(adv)	—	adverb
(conj)	—	conjunctive
(enum)	—	enumerative
(intj)	—	interjective
(intr)	—	interrogative
(n)	—	noun
(num)	—	numeral
(pos)	—	possessive / when appearing in possessive constructions
(prep)	—	preposition
(pron)	—	pronoun
(quan)	—	quantitative
(prt)	—	particle / formative
(rel)	—	relative / qualificative
(v)	—	verb

Note that these abbreviations are meant to be applicable only to the words they follow, therefore, they only apply to one language (example 1 below). They may though in many cases be applicable to both languages (example 2):

Eg: (1) brave (a), pelokgale. — The word "brave" in English is an adjective, whilst "pelokgale" in Setswana is not an adjective, but a relative.

(2) monna (banna) (n), man. — Both the words "monna" and "man" are nouns.

Other abbreviations used:

(theol)	—	Words used in theology.
(biol)	—	Words applicable to the field of biology.
(anat)	—	Words applicable to the study of anatomy.
(mech)	—	Mechanical terms.

THE DICTIONARY

ENGLISH–SETSWANA

A

abandon (v), tlogela; latlha (throw away).

abate (v), bepa (eg a storm), cool down (eg temper), decrease (eg hostilities).

abattoir (n), botlhabelo; botlhabelong (at the abattoir).

abbreviate (v), khutshwafatsa; fokotsa (decrease).

abdomen (n), mpa, dimpa.

abduct (v), phamola.

abet (v), tlhotlheletsa.

abhor (v), ila; tlhoa (to hate).

abhorrent (a), ilega, ferosa dibete.

abide (v), obamela (by rules, etc); nna (to stay).

ability (n), kgono, go kgona; bokgoni.

ablaze (adv), tukang.

able (a), nonofile (qualified, fully able).

ably (adv), ka nonofo.

abnormal (a), go sa tlwaelega.

abode (n), legae, magae (home); motse, metse (village, homestead).

abolish (v), khutlisa.

abolition (n), go khutlisa (ga).

abominable (a), sisimosang, makgapha.

aboriginal (a), melafa; (aboriginal race — lotso lwa bamelafa).

aborigines (n), baagi ba ntlha; basimolodi.

abort (v), photsa (human being); tshologa (animal).

abortion (n), go senya mpa, tshenyegelo, pholodiso.

abound (v), tlalatlala.

above (adv), godimo ga (above sea level — godimo ga tekanawatle).

abrasion (n), kgotlho, kgobogo, ngapo.

abreast (adv), bapa le; bapile le.

abridge (v), khutshwafatsa.

abscess (n), sesepedi, disepedi; sekaku, dikaku; tlhagala, ditlhagala.

abscond (v), ngwega.

absence (n), go tlhokega.

absent (a), se yong.

absent-minded (a), buang ka pelo.

absolutely (adv), gotlhelele.

absolve (v), golola, lokolola.

absorb (v), monela, monyela, mona (absorb moisture — mona mongola).

abstain (v), ila, tlogela.

absurd (a), se nang tlhaloganyo, mo go tshegisang, botlatla.

abundance (n), monono, ntletsentletse (food).

abundant (a), tlalatlala, tletsetletse.

abuse (n), tirisobotlhaswa, ditirisobotlhaswa; tirisompe, ditirisompe.

abuse (v), kgala; kgoba.

abut (v), amana le; tshwaragana le.

acacia (n), mmitlwa; mooka, meoka.

accede (v), dumela; dumalana.

accelerate (v), akofisa.

accept (v), amogela; dumela.

acceptable (a), natefela; amogelega.

acceptance (n), go amogelwa.

accident (n), kotsi, dikotsi.

accidentally (adv), ka tshoganyetso; e seng ka bomo.

acclaim (v), go nesa pula; boka; duduetsa.

accommodate (v), tshola (guests), amogela.

accommodation (n), bonno; kamogelo.

accompany (v), pata; buledisa; felegetsa.

accomplice (n), mogolagani, bagolagani; modumedi, badumedi; mosenyammogo, basenyammogo.

accomplish (v), kgona; diragatsa; fetsa (bring to an end).

accordion (n), akhodiane, diakhodiane.

accouchement (n), botsetse.

account (n), tshupamolato, ditshupamolato (statement); tshupatlotlo, ditshupatlotlo.

accumulate (v), koela; phutha (gather); kgobokanya.

accumulation (n), kokotlelo; kokoanyo.

accuracy (n), nepo; nepagalo, tsepamo.

accurate (a), maroka, nepagetseng.

accursed (a), hutsega; hutsegile.

accusation (n), tatofatso; pateletso (false accusation).

accuse (v), latofatsa; baya molato; pateletsa (accuse falsely).

accused (n), molatofadiwa, balatofadiwa; mosekisiwa, basekisiwa.

accustom (v), tlwaela.

ache (v), opa, opaopa, botlhoko.

achieve (v), atlanega, kgona, fetsa.

achievement (n), phitlhelo.

acid (n), asiti, diasiti.

acknowledge (v), dumela, amogela, ipolela.

acne (n), dikemola.

acquaint (v), tlwaela, tlwaetse, itsise (inform).

acquaintance (n), yo re itsanyeng nae, ba re itsanyeng nabo.

acquiesce (v), dumela; ineela.

acquiescence (n), tumelo; boineelo.

acquire (v), bona; bapala; huma (acquire riches).

acquisition (n), papadi, dipapadi; pono, dipono.

acquit (v), golola; atlholola.

acquittal (n), kgololo; katlhololo.

acre (n), akere, diakere.

across (adv), rapalala; kgabaganya (mosola wa lewatle — across the sea, overseas).

act (n), tiro, ditiro (deed); molao, melao (law).

active (a), matlhagatlhaga, tlhaga.

activity (n), botlhaga, motshameko (game).

actor (n), motshameki, batshameki; moetsi, baetsi.

actual (a), tota, sebele, nnete.

actually (adv), tota.

acute (a), bogale.

adage (n), seane, diane; leele, maele.

adamant (a), gwatalala, gwataletse; tatalala.

add (v), oketsa; okeletsa; tlhakanya.

adder (n), noga, dinoga.
addition (n), tlhakanyo; koketso.
address (n), aterese, diaterese.
address (v), bua (speak), kwala ate-
rese (letter), ateresa.
adept (n), sekgoni, dikgoni.
adequate (a), lekana; nna.
adhere (v), kgomarela, mamarela.
adhesive (a), kgomarelang,
mamarelang.
adjacent (a), gaufi, bapileng, maba-
pi.
adjective (n), letlhaodi, matlhaodi.
adjourn (v), thinya; thintsha.
adjudge (v), atlhola; sekisa.
adjudicator (n), motsereganyi, ba-
tsereganyi; moatlhodi,
baatlhodi.
adjust (v), siamisa, baakanya, leka-
nyetsa.
administrator (n), mmusakarolo,
babusakarolo (provincial);
mmusisi, babusisi.
admirable (a), kgatlhisang.
admire (v), kgatlhwa.
admission (n), botseno; kamogelo;
tumelelo; go tsena.
admit (v), dumela; dumelela (agree
to); letla, tsenya (allow to enter).
admonish (v), kgalema.
adolescence (n), bosima.
adolescent (a), bosima.
adopt (v), tshola; godisa.
adoption (n), tsholo.
adore (v), rata thata.
adorn (v), kgabisa (another); kgaba
(oneself).
adult (n), mogolo, bagolo;
motonna, batonna; mogodi,
bagodi.
adulterer (n), mogokagadi,
bagokagadi; seaka, diaka; sefefe,
difefe.
adultery (n), boaka, bofefe,
bogokagadi.
advance (v), tswelela pele.

advancement (n), tswelelopele.
advantage (n), mosola, mesola;
molemo, melemo; thuso.
advantageous (a), nang le mosola;
nang le molemo.
adverb (n), letlhalosi, matlhalosi.
adversary (n), moganetsi,
baganetsi; mmaba, baba.
adversity (n), bothata.
advertise (v), phasalatsa; itsise.
advertisement (n), phasalatso, di-
phasalatso; papatso, dipapatso.
advice (n), kgakololo, dikgakololo.
advise (v), tlhatlhelela, gakolola.
adviser (n), mogakolodi,
bagakolodi.
advisory (a), -kgakololo.
advocate (n), mmueledi,
babueledi; moatefokate,
baatefokate.
advocate (v), buelela.
aerodrome (n), botsuradifofi,
botsurafofane.
aeroplane (n), sefofane, difofane.
afar (adv), kgakala.
affair (n), morero, merero; kgang,
dikgang.
affectionate (a), lorato.
affidavit (n), pego e e ikanetsweng;
afidafiti, diafidafiti.
affirm (v), tlatsa.
affix (v), tlhomeletsa; mametlelela.
affliction (n), pogisego, dipogise-
go; moleko, meleko
(supernatural); bothata.
affluence (n), khumo, dikhumo;
letlotlo, matlotlo.
affray (n), pheretlho, dipheretlho;
khuduego, dikhuduego.
afoot (adv), ka dinao.
afraid (a), boifa, tshaba, sitega.
afresh (adv), sešwa.
Afrikaans (n), Seaferikanse.
Afrikaner (n), Moaferikanere,
Baaferikanere.
after (adv), morago (ga); sena.

afterbirth (n), motlhana, metlhana (animals).

afternoon (n), tshokologo (first part of -); thapama (middle part); maitsiboa (late -).

afterwards (adv), kgabagare; morago.

again (adv), gape; seshwa; boa.

against (prep), kgatlhanong le (facing somebody).

agape (adv), bulegile, atlhame.

age (n), bogolo; motlha, metlha (periods in time).

age (v), tsofala.

aged (a), tsofetseng, tsofetse.

agenda (n), lenanetema, mananetema.

agent (n), modiraboemong, badira-boemong; moemedi, baemedi.

aggressor (n), mogakatsi, bagakatsi.

aggrieved (a), go utlwa botlhoko, hutsafetse.

aghast (a), maketse.

agitate (v), fudua; kgobera, ruku-tlha.

agitator (n), motlhotlheletsi, batlhotlheletsi; morukutlhi, baru-kutlhi.

agony (n), tlalelo; botlhoko jo bogolo; botlhoko jo bo gamolang pelo.

agree (v), dumela; dumalana; utlwana le, tsamaelana.

agreeable (a), -ntle (pleasing), dumelang.

agreement (n), tumelano, ditumelano; kutlwano, dikutlwano.

agricultural (a), ya temothuo; ya temo.

agriculture (n), temo; temothuo.

agriculturist (n), molemi, balemi.

ague (n), letshoroma, matshoroma.

ahead (adv), pele.

aid (n), thuso.

ailment (n), phokolo, diphokolo; bolwetse, malwetse.

aim (v), nepa (a gun); kwaisa (at a target), fosa (to miss the aim).

aim (n), boikaelelo, maikaelelo.

air (n), mowa (air); leratadi (sky).

aircraft (n), sefofane, difofane.

air-mail (n), posofofane.

airport (n), botsuradifofi.

akin (a), losika longwe.

alarm (n), mokgosi, mekgosi; tshoso, ditshoso.

albino (n), leswafe, maswafe.

alcohol (n), tagi, ditagi; alekhoholo.

alcoholic (a), tagisang; setagi, ditagi (alcoholic drink).

alcoholic (n), motagwa, batagwa.

alert (a), tlhaga, thantseng, go ntsha matlho dinameng (to be on the alert).

alight (v), tlhosetsa (set alight), tshubang, fisang.

alike (a), tshwana(ng).

alimentary (canal) (n), tseladijo, ditseladijo.

alive (a), lebaleba; tshela; phela.

all (a), -tlhe.

alleviate (v), okobala; okobetse; fokotsa, okobatsa.

allocate (v), aba; abela; baya; tlhaola.

allot (v), aba; abela.

allotment (n), kabo, dikabo; kabelo, dikabelo.

allow (v), letla; dumelela; letlelela; rebola.

almanac (n), alemanaka, dialemanaka.

Almighty (n), Mothatiyotlhe.

almost (adv), batla go, batlile go, gaufi.

aloe (n), mokgopha, mekgopha; mokgala, mekgala; kgophane, dikgophane.

alone (a), -si; fela.

aloud (adv), godimo; thata (buela

godimo — speak aloud).

alphabet (n), alefabete, dialefabete.

also (adv), gape, e bile, le.

altar (n), aletare, dialetare; sebeso, dibeso.

alter (v), fetola.

alteration (n), phetolo; diphetolo.

alternate (v), refosana.

although (conj), le mororo; le fa; ntswa; le fa go le.

always (adv), ka gale; ka metlha yotlhe.

amass (v), koela; phutha; kgobokanya.

amaze (v), makatsa; makala (to be amazed).

amazement (n), kgakgamalo, dikgakgamalo; kgakgamatso, dikgakgamatso.

amazing (a), makatsang, gakgamatsang.

ambassador (n), motseta, batseta; moemedi, baemedi; moambasatara, baambasatara.

ambiguous (a), bokaopedi.

ambulance (n), emelense, diemelense.

ambush (v), lalela.

amendment (n), tlhabololo, ditlhabololo.

amiable (a), na le mafoko, kgatlhang.

amidst (prep), mo gare ga.

amplify (v), godisa.

amputate (v), kgaola (cut off).

amuse (v), tlhaletsa; tshegisa; itumedisa.

anaemia (n), anemia, tlhofamadi.

anaesthetic (n), kidibatsi, dikidibatsi.

analogy (n), tshwano, ditshwano.

analyse (v), lokolola.

analysis (n), molokololo, melokololo; tshetshereganyo, ditshetshereganyo.

anatomy (n), anatomi.

ancestor (n), mogologolo, bagologolo.

ancestral spirit (n), badimo.

ancient (a), bogologolo.

angel (n), morongwa, barongwa; moenggele, baenggele.

anger (n), bogale, kgalefo.

angle (n), khutlo, dikhutlo; sekhutlo, dikhutlo.

angry (a), ngadile; galefile.

anguish (n), tlalelo, ditlalelo; letshogo, matshogo.

animal (n), phologolo, diphologolo.

animosity (n), kilo, letlhoo.

ankle (n), lengenana, mangenana; legwejana, magwejana (ankle joint).

anklet (n), leseka, maseka.

annihilate (v), nyeletsa; gaila; lakaila.

annihilation (n), takailo, ditakailo.

announce (v), goeletsa (aloud); bolela; itsise.

announcement (n), kgoeletso, dikgoeletso (loud); kitsiso, dikitsiso.

annoy (v), tena; seleka; tshwenya; tlhobaetsa.

annoyance (n), letshwenyo, matshwenyo; tlhodiego, ditlhodiego.

annoying (a), tshwenyang; tenang; selekang; tlhobaetsang; serang sebete.

anoint (v), tlola, tlotsa, tshasa.

another (a), -ngwe.

answer (n), karabo, dikarabo; phetolo, diphetolo.

ant (n), tshoswane, ditshoswane; motlhwa, metlhwa (termite).

antagonism (n), kilo; kganetsanyo; kganelo.

antagonist (n), moidi, baidi; molwantshi, balwantshi; mokganatiro, bakganatiro.

ant-bear (n), thakadu, dithakadu.
antelope (n), phologolo, diphologolo.
antennae (n), nakana, dinakana; lenakana, manakana.
anterior (a), pele.
ant-heap (n), seolo, diolo.
anthem (n), sefela, difela.
anthrax (n), lebete.
antibody (n), twantshi, ditwantshi.
anticipate (v), solofela, solofetse.
antidote (n), tshitabotlhole, ditshitabotlhole.
antiseptic (n), tshitatutelo, ditshitatutelo.
antitoxin (n), twantshatwatsi, ditwantshatwatsi.
anus (n), anuse, dianuse; morago (polite conversation); sebono, dibono (vulgar).
anxiety (n), tlhobaelo, tshwenyego, tlalelo.
anxious (a), tlhobaelang; tshwenyegile(ng); rekisega (become anxious).
anybody (n), mang le mang.
anyhow (conj), ka gope.
anything (n), sengwe; sepe (in negative sentences); sengwe le sengwe (anything else).
anywhere (adv), gongwe le gongwe.
apace (adv), ka bonako, ka pele, ka bofefo.
ape (v), ekisa, etsa.
ape (n), kgabo, dikgabo; mofuta wa dikgabo; mefuta ya dikgabo.
aperture (n), molomo, melomo; phatlha, diphatlha.
apex (n), setlhoa, ditlhoa, ntlha, dintlha.
apologise (v), kopa boitshwarelo, ikotlhaya.
apology (n), tshwarelo, ditshwarelo; boikotlhao; go kopa tshwarelo.

apostle (n), moaposetolo, baaposetolo.
apparatus (n), aparata, diaparata; sediriso, didiriso; sediriswa, didiriswa.
apparel (n), diaparo.
appeal (v), ipiletsa; ikuela.
appeal court (n), lekgotla la boipiletso/boikuelo.
appear (v), bonala; bonagala; tlhaga, lebega e kete.
appearance (n), tebego, ditebego; ponalo, diponalo (coming into view).
appease (v), tlakisa, go reba bogale, itumedisa.
appendix (n), lelana, malana (anat.).
appetite (n), keletso ya dijo, dikeletso tsa dijo.
applaud (v), tshela lošalaba; rotloetsa.
apple (n), apole, diapole.
applicant (n), mokopi, bakopi; mokopatiro, bakopatiro (for work).
application (n), kopo, dikopo (to apply for) tiriso, ditiriso (use).
apply (v), kopa.
appoint (v), baya; tlhoma; thapa (to hire).
appreciate (v), anaanela; nakela; itumelela; leboga.
apprehend (v), tshwara (arrest); utlwisisa, lemoga (understand).
apprehension (n), tshwaro; temogo.
approach (v), itlhagisa; atamela; tsena; ratela (stealthily).
appropriate (a), lebaneng; tlhomameng.
approval (n), thebolo, dithebolo; tumelelo, ditumelelo.
approve (v), rebola; rata (to like); dumelela; amogela.
approximate (v), atametsa,

lekanyetsa.

apricot (n), apolekose, diapolekose (apolekosi).

April (n), Moranang; Aporele.

apron (n), khiba, dikhiba (eg used in kitchen).

arbiter (n), motsereganyi, batsereganyi.

arbitrary (a), ka boithatelo.

arbitrate (v), tsereganya; letlanya; lolamisa; atlhola (judge).

archbishop (n), bišopomogolo.

architect (n), moagiteke, baagiteke; ramaanokago, boramaanokago.

area (n), kgaolo, dikgaolo (region); lebala, mabala (open -); karolo, dikarolo.

arena (n), botlhabanelo, matlhabanelo; patlelo, dipatlelo (eg for rugby).

argue (v), nganga; ganetsana; ganetsanya; ganela.

argument (n), kganetsano, dikganetsano; kgang, dikgang; manganga.

arid (a), kgwatata; omeletseng; omelela.

arise (v), tlhaga, tsoga, bonala, nanoga.

arithmetic (n), thutapalo.

arm (n), letsogo, matsogo; lebogo, mabogo.

arm (v), tlhomela (oneself); tlhomedisa (others).

armlet (n), leseka, maseka.

armpit (n), legwafa, magwafa.

arms (weapons) (n), sebetsa, dibetsa; setlhabano, ditlhabano.

army (n), batlhabani, masole.

army worm (n), mogokonyane, megokonyane.

around (adv), go dikologa.

arouse (v), tsosa; tsibosa; tsiboga (become aroused).

arrange (v), rulaganya, siamisa.

arrest (v), tshwara; golega.

arrival (n), kgorogo; bogorogelo (place of arrival).

arrive (v), goroga; fitlha.

arrow (n), motsu, metsu.

arson (n), tshubo.

arterial blood (n), madi a diisamadi.

artery (n), seisamadi, diisamadi.

article (n), selo, dilo (something); athikele, diathikele (periodical).

artificial respiration (n), khemiso ya maitirelo.

artificial silk (n), silika ya maitirelo.

arum lily (n), mogaga, megaga.

ascend (v), tlhatloga; palama; namela; kuologa.

ascertain (v), botsa (to ask); tlhomamisa; netefatsa.

ash (n), molora, melora.

ashamed (a), tlhabiwa ke ditlhong; jewa ke tlhong.

ash-heap (n), thothobolo; thuthubudu.

aside (adv), sejaro, (kwa) thoko.

ask (v), botsa; kopa; lopa; rapela (plead).

asleep (adv), thulamela, robala (fall asleep); thulametse; robetse (is asleep).

asphyxia (n), khupelo; peto.

aspire (v), rata go nna (aspire to become).

ass (n), esele, diesele.

assail (v), tlhasela.

assault (v), teketa; takata (seriously).

assegai (n), rasegai, borasegai; lerumo, marumo.

assemble (v), kgobokana (come together); phutha (bring together).

assembly (n), kgobokano, dikgobokano; kokoano, dikokoano; phuthego, diphuthego.

assert (v), netefatsa.

assessor (n), molekanyetsi, balekanyetsi; moatlhodisi, baatlhodisi.

assist (v), thusa.

assistance (n), thuso, dithuso; thusego, dithusego.

assistant (n), mothusi, bathusi; letsogo, matsogo; moetsana, baetsana (trusted -).

assurance (n), tsholofetso, ditsholofetso.

asthma (n), asema.

astonish (v), gakgamatsa; gakgamala (to become astonished).

astound (v), gakgamatsa; tsietsa.

astray (v), timela (to go astray).

astride (adv), paralala (to stand astride).

astronomy (n), bolepanaledi.

astute (a), tlhalefileng; leferefere; botlhale.

asylum (n), bosielo; botshabelo.

ate (v), jele.

atlas (n), atlelase, diatlelase.

atmosphere (n), lefaufau, atemosefere.

atrocity (n), tiro e e boifisang/ tsitsibanyang, ditiro tse di boifisang.

attach (v), pataganya; tshwaraganya; gokela (pinning).

attack (v), tlhasela, garumela (to attack verbally).

attain (v), fitlhela; go fitlha.

attempt (v), leka, iteka.

attend (v), tsena; go nna teng.

attendance (n), tseno.

attest (v), tlhomamisa; supa.

attire (v), apesa (someone else); ikapesa (oneself).

attire (n), diaparo; dikhai.

attitude (n), boitshwaro; moono (literary attitude).

attorney (n), mmueledi, babueledi; ramolao, boramolao; agente, diagente.

attorney general (n), ratshekiso, boratshekiso.

attract (v), gogela, goga, kgatlhisa, ngoka.

attractive (a), bogega, kgatlhisang, -ntle, gogelang.

auction (n), fantisi, difantisi.

auctioneer (n), mofantisi, bafantisi.

audible (a), utlwala.

auditor (n), moruni, baruni.

augment (v), atolosa.

August (n), Phatwe; Agosete.

aunt (n), rakgadi, bo- (paternal); mmamogolo, bo-, mmangwane, bo(maternal).

author (n), mokwadi, bakwadi.

authorise (v), dumelela; letla.

authority (n), moitseanape, baitseanape; bolaodi; thata, dithata.

autumn (n), letlhafula; gwetla.

available (a), teng, ka bonwang.

avenge (v), busolotsa; ipusolotsa (oneself).

avert (v), thiba; fema; faposa.

avoid (v), fema; tila; kakologa.

await (v), leta, letile.

awake (v), tsoga; phaphama; tlhobaela.

awaken (v), tsosa; thantsha.

awe (n), poifo, dipoifo (fear); tlotlo (respect).

awl (n), thoko, dithoko; phunyo, diphunyo.

axe (n), selepe, dilepe; magagana.

axle (n), ase, diase.

B

babble (v), balabala.
baboon (n), tshwene, ditshwene.
baby (n), lesea, masea; nnana, bonnana.
bachelor (n), kgope, bokgope.
back (n), mokwatla, mekwatla; khularo, dikhularo.
back (adv), morago; kwa morago (ga).
backbite (v), seba, tshoma.
backbone (n), mokokotlo, mekokotlo.
background (n), maitshetlego (eg of child); lemorago, mamorago.
bacon (n), sepeke; nama ya kolobe.
bacteria (n), dibaketeria.
bad (a), maswe; bosula; -be; bodile (rotten).
badly (adv), molema.
baffle (v), tsietsa; tsietsega (to become baffled).
bag (n), kgetsi, dikgetsi; kgetse, dikgetse; mokotla, mekotla (handbag).
bagworm (n), mogotomoduane, megotomoduane; sebokokgetse, dibokokgetse.
bail (n), tokololo.
bake (v), besa; baka; gadika (roast); apaya (to cook).
baker (n), ralebaka, boralebaka; ralebeikhari, boralebeikhari.
bakery (n), lebaka, mabaka.
bald (a), lefatla, mafatla.
bald man (n), monna yo o lefatla.
ball (n), bolo, dibolo; talama, ditalama; kgwele, dikgwele.
balloon (n), sebudula, dibudula; balune, dibalune.
bamboo (n), bampuse, dibampuse.
banana (n), panana, dipanana.
band (n), bente, dibente; banta, dibanta; setlhopha, ditlhopha.

bandage (n), sefapo, difapo; sefapi, difapi; sebofo, dibofo.
bangle (n), leseka, maseka; mofiri, mefiri.
banish (v), tshedisa molelwane; leleka.
bank (n), banka, dibanka, polokelo, dipolokelo (money); lebopo, mabopo (wall).
bank-note (n), madi a pampiri.
baptise (v), kolobetsa.
baptism (n), kolobetso.
bar (n), bara, dibara.
barbarian (n), motala, batala.
barbed (a), mebitlwa.
barber (n), mmeodi, babeodi; mopomamoriri.
bard (n), mmoki, baboki.
bare (a), legwete.
bark (n), lekwati, makwati.
bark (v), bogola.
barrel (n), faki, difaki; llopo (rifle).
barren (a), moopa; boopa (in humans).
barrier (n), legora, magora; thibedi, dithibedi.
barrister (n), mmueledi, babueledi.
barrow (n), keriiba, dikeriiba.
barter (v), ananya.
basin (n), setlhapelo, ditlhapelo; sekotlele, dikotlele.
bask (v), ora; aramela (in the sun).
basket (n), seroto, diroto.
bat (n), mmamanthane, bommamanthane.
bath (n), bata, dibata.
bathe (v), thuma (swim); tlhapa.
battle (n), ntwa, dintwa.
battle-axe (n), magagana.
battlefield (n), botlhabanelo.
bay (n), kgogometso, dikgogometso; kgogomelo, dikgogomelo.

beach (n), losi lwa lewatle.
beacon (n), bakene, dibakene;
 tshupakotsi, ditshupakotsi.
bead / beads (n), sebaga, dibaga;
 talama, ditalama.
beak (n), molomo, melomo.
bean (n), nawa, dinawa.
bear (v), rwala (carry); belega (bear
 a child).
bear (n), senonnori, dinonnori;
 bera, dibera.
beard (n), ditedu.
beast (n), phologolo, diphologolo;
 sebata, dibata (animal of prey).
beat (v), otla; betsa; obolola (to
 beat out); bata.
beautiful (a), -ntle; pila; lebegang.
beauty (n), bontle; bopila;
 maratagolejwa (a beauty).
because (conj), ka gonne; ka ntlha
 ya; ka gobane; gobo; ka gobo.
beckon (v), gwetlha.
bed (n), molao, melao; bolao,
 malao; kalane, dikalane.
bedbug (n), tshitshiri, ditshitshiri.
bedclothes (n), diaparo tsa go
 robala.
bedroom (n), borobalo; kamore ya
 borobalo, dikamore tsa
 borobalo; phaposiborobalo.
bedtime (n), nako ya marobalo.
bee (n), notshe, dinotshe.
bee-bread (n), mmotu, mebotu.
beef (n), nama ya kgomo,
 namakgomo.
beer (n), bojalwa, majalwa (types
 of beer); biri, dibiri.
beer (n), bojalwa.
beer-strainer (n), motlhotlho,
 metlhotlho.
beeswax (n), bonota.
beetle (n), khukhwana,
 dikhukhwana; khukhu, dikhukhu.
beetroot (n), bete, dibete.
before (adv), pele; ise.
beg (v), kopa; lopa; rapela.

beggar (n), mokopi, bakopi.
begin (v), simolola, thobolola.
beginner (n), magogorwane,
 bomagogorwane; motho yo o
 simololang.
beginning (n), tshimologo,
 ditshimologo.
behave (v), itshola, itshwara.
behaviour (n), mokgwa, mekgwa;
 maitseo; boitshwaro.
behead (v), kgaola tlhogo.
behind (adv), morago; kwa
 morago.
belch (v), botla, kgobola.
belief (n), tumelo, ditumelo;
 tsholofelo, ditsholofelo;
 sedumedi, didumedi.
believe (v), dumela.
believer (n), modumedi, badumedi.
belittle (v), nyatsa; nyenya;
 nyefola.
bell (n), tshipi, ditshipi; tleloko,
 ditleloko; setsidima, ditsidima.
bellow (v), bokolela; bopa.
belly (n), mpa, dimpa.
beloved (a), ratega; ratwang.
below (adv), tlase ga; fa tlase.
belt (n), lebanta, mabanta;
 moikgatlho, meikgatlho.
bench (n), panka, dipanka; senno,
 dinno.
bend (v), oba, inama, kgopama
 (become bent).
beneath (adv), tlase; kwa tlase.
beneficial (a), mosola.
benefit (v), thusa, amoga.
beside (prep), thoko; fa thoko ga;
 go bapa le.
best (a), molemo; go ntsha ga
 tshwene (to do your best).
bet (v), betsha.
bet (n), go betsha.
betray (v), eka; tsietsa
better (a), botoka; kaone; go
 ikutlwa botoka (to feel better).
between (adv), magareng; fa gare

(ga).

beware (v), tlhokomela; ela tlhoko.

bewilder (v), akabatsa; tlhakatlhakanya (to -); tlhakatlhakana; akabala (become -ed).

bewitch (v), loa; kolopa; konopa; tshereanya.

beyond (prep), go feta.

Bible (n), Beibele, Dibeibele.

biceps (n), lerudi, marudi; potongwane, dipotongwane; dikgoka.

bicycle (n), baesekele, dibaesekele; peretshitswana, diperetshitswana.

big (a), -golo; -tona.

big-toe (n), kgonotšwe, dikgonotšwe.

bile (n), gaumakwe; seumakeng; santlhoko.

bilharzia (n), bilhazia; thotamadi.

biltong (n), segwapa, digwapa.

bind (v), tlama; golega (an animal); bofa; tshwaraganya.

binoculars (n), diferekekere.

bioscope (n), baesekopo, dibaesekopo.

bird (n), nonyane, dinonyane (small); nong, dinong.

bird's nest (n), sentlhaga (sa nonyane), dintlhaga.

birdlime (n), boletswa.

birth (n), pelegi, dipelegi (humans); tsalo, ditsalo (animals); botsalo.

birthday (n), letsatsi la botsalo; letsatsi la matsalo.

birthmark (n), sematla, dimatla; tshupababa, ditshupababa.

birthplace (n), botsalelo.

biscuit (n), bisikiti, dibisikiti.

bishop (n), bišopo, dibišopo.

bitch (n), ntšwa e namagadi, dintšwa tse dinamagadi.

bite (v), loma.

bitter (a), babang; botlha; baba.

black (a), -ntsho.

black-jack (plant) (n), mokolonyane, mekolonyane; moonyane, meonyane.

blacksmith (n), mothudi, bathudi.

bladder (n), setlha, ditlha; senya, dinya.

blade (n), legare, magare (of scissors); bogale, magale (of knife).

blame (v), nyatsa; go bona phoso; latofatsa.

blanket (n), kobo, dikobo; lepae, mapae.

bleed (v), lela (cry); tswa madi (blood).

bless (v), tshegofatsa.

blessing (n), tshegofatso, ditshegofatso.

blind (a), foufetse; sefofu.

blind (person) (n), sefofu, difofu.

blind (v), foufatsa.

blink (v), panya; bonya.

blinkers (n), diponyo.

blister (n), lerophi, marophi; lesophi, masophi.

block (n), thibelo, dithibelo.

blood (n), madi.

blood pressure (n), kgatelelo ya madi.

blood transfusion (n), go tsenya madi.

bloodvessel (n), tselamadi, ditselamadi.

bloom (v), thunya.

bloom (n), sethunya, dithunya; tšhese, ditšhese.

blot (n), kwaba, dikwaba.

blow (v), foka; bataola (to blow away).

blue (a), -tala; botala (blueness), bolousele (washing).

bluebottle (n), ntsi e tala, dintsi tse ditala (fly).

blunder (v), fosa; tlaila.

blunt (a), boi, borethe.

boar (n), kolobe ya poo, dikolobe tsa poo.

board (n), lekgotla, makgotla; patintsho, dipatintsho (blackboard), khateboto.

boast (v), ithorisa; ikgodisa; itlotla.

boastful (a), belafala (to become); belafetse (is, was).

boat (n), mokoro, mekoro (canoe); seketswana, diketswana.

body (n), mmele, mebele; setopo, ditopo (deceased).

Boer (n), Leburu, Maburu.

bog (n), matlepetlepe; matsopotsopo; ditsobotla.

boil (v), bela (eg water); bedisa.

boil (n), sebolai, dibolai; tlhagala, ditlhagala.

bold (a), pelokgale (person); mokwalo o mokima (writing).

bolt (n), boutu, diboutu; berebero, diberebero.

bondage (n), tlamo, ditlamo.

bone (n), lerapo, marapo; lesapo, masapo.

book (n), buka, dibuka.

boot (n), setlhako, ditlhako (shoe); butu, dibutu (car).

bootlast (n), sekoto, dikoto; lese, dilese.

border (n), molelwane, melelwane.

bore (v), bora; fetlha (into wood); lapisa (to tire).

borrow (v), adima.

both (a), -bedi, pedi (boobabedi, tsoopedi, etc).

bother (v), tshwenya.

bother (n), kgarakgatshego, dikgarakgatshego; tshwenyo, ditshwenyo; letshwenyo, matshwenyo.

bottle (n), botlolo, dibotlolo; lebotlolo, mabotlolo.

bottom (n), botlase; letlase; tlase; botengteng.

boulder (n), lefika, mafika; letlapa le legolo, matlapa a magolo.

bounce (v), tlolatlola (ball).

boundary (n), molelwane, melelwane.

boundless (a), sa khutleng.

bow (v), obama, inama.

bowels (n), mateng, teng.

box (n), lekase, makase; lebokoso, mabokoso; letlole, matlole.

box (v), betsa ka mabole; ratha.

boy (n), mosimane, basimane.

brackets (sign) () (n), masakana.

brag (v), koma; thetha; ithorisa.

brain (n), boboko, maboko; tlhaloganyo (wits).

bran (n), moroko, meroko; ditlhotlhori.

branch (n), kala, dikala; lephata, maphata.

brand (v), tshuba kgomo.

brass (n), borase; kgotlho; kopore.

brave (a), pelokgale; bogale.

bravery (n), bopelokgale; bogale.

bread (n), senkgwe, dinkgwe; borotho, marotho.

breadth (n), bophara; bomatla; bophaphathi.

break (v), roba (to break something); robega (to become broken); thuba.

breakfast (n), phitlholo; sefitlholo, difitlholo.

breast (n), sehuba, dihuba; letsele, matsele (teat).

breastbone (n), kgara, dikgara.

breath (n), mowa, mewa; khemo, dikhemo (breathing).

breathe (v), hema; ntsha mowa, busa mowa.

breathless (a), tlhokang mowa.

breeze (n), pheswana, dipheswana.

brew (v), titiela; apaya.

bribe (v), sinola; fepisa ka katso; reka.

brick (n), setena, ditena.

bride (n), monyadiwa, banyadiwa;

monyalwa, banyalwa.
bridegroom (n), monyadi, banyadi.
bridesmaid (n), moemisi, baemisi;
moetsana, baetsana; motshwari,
batshwari.
bridge (n), borogo, diborogo;
moratho, meratho;
motshelakgabo, metshelakgabo.
bridle (n), tomo, ditomo.
brief (a), -khutshwane.
briefly (adv), ka bokhutshwane.
brigand (n), senokwane,
dinokwane; lemenemene,
mamenemene.
bright (a), phatsimang (blink);
bothale (clever); galola.
bring (v), tlisa.
bristle (n), boditse.
Briton (n), Moesemane,
Baesemane; Leesemane,
Maesemane.
broad (a), -phaphathi; sephara.
broadcast (v), gasa.
broken (a), robegile(ng),
thubegile(ng).
brood (v), elama.
brook (n), molatswana,
melatswana.
broom (n), lefeelo, mafeelo;
lofeelo, dipheelo.
broomstick (n), mokgothi wa
lefeelo, mekgothi ya (ma)feelo.
brother (n), morwarra,
bomorwarra; nnake (younger);
aubuti (elder).
brother-in-law (n), sebare,
bosebare; mogwe, bagwe.
brow (n), dintshi; phatla, diphatla
(forehead); losi.
brown (a), phifadu; botlhaba;
botlhabana; -rokwa.
bruise (n), mateteo; marruso;
dikobese (internal).
brush (n), borosolo, diborosolo;
boraše, diboraše.
brush (v), sutlha (teeth); borosola

(clothes).
brutal (a), boitshega.
bubble (n), pudula, dipudula.
bubonic plague (n), bolwetse jwa
dipeba; buboniki.
buck (n), phologolo, diphologolo.
bucket (n), kgamelo, dikgamelo.
bud (n), lekukunya, makukunya;
letswela, matswela.
buffalo (n), nare, dinare.
bug (n), tshitshiri, ditshitshiri.
bugle (n), phala, diphala; lepatata,
mapatata; naka, dinaka.
build (v), aga.
builder (n), moagi, baagi.
building (n), kago, dikago; moago,
meago.
bulb (n), segwere, digwere (plant);
kgwere, dikgwere (thermometer,
etc).
bulge (v), kokorala; rothomala;
buduloga; ruruga.
bulge (n), pudulogo, dipudulogo;
popoma, dipopoma.
bull (n), poo, dipoo.
bulldog (n), phontši, diphontši.
bullet (n), kolo, dikolo; lerumo,
marumo.
bullock (n), powana, dipowana.
bullrush (n), motlhatlha,
metlhatlha.
bunch (n), ngata, dingata.
bundle (n), ngata, dingata; thabura,
dithabura; mokgobe, mekgobe.
bunion (n), nata, dinata.
burden (n), morwalo, merwalo;
mokgweleo, mekgweleo.
burglar (n), mothubi, bathubi;
legodu, magodu.
burgle (v), utswa; utswetsa.
burial (n), phitlho, diphitlho;
poloko, dipoloko.
burn (v), fisa (to burn something);
šwa (to be burning by itself).
burst (v), phatloga; phanyega;
thubega.

burweed (n), sepodisi, dipodisi;
   setlhabakolobe, ditlhabakolobe.
bury (v), fitlha; boloka; epela.
bus (n), bese, dibese.
bush (n), sethokgwa, dithokgwa;
   setlhatlha, ditlhatlha (shrub);
   sekgwa, dikgwa.
bush-baby (n), mogwele, megwele.
bushbuck (n), serolo, dirolo;
   serolebotlhoko, dirolebotlhoko.
Bushman (n), Morwa, Barwa;
   Lesarwa, Masarwa; Mosarwa,
   Basarwa.
bushveld (n), dikgweng;
   bosofolete.
but (conj), fela, jaana.
butcher (n), raselaga, boraselaga.
butcher-bird (n), tlhomedi,
   botlhomedi.

butchery (n), selaga.
butter (n), sereledi; botoro;
   serethe, direthe.
butterfly (n), serurubele,
   dirurubele.
buttermilk (n), mokaro; monteo.
buttock (n), lerago, marago
   (human); serope, dirope
   (animal).
button (n), konopo, dikonopo;
   talama, ditalama.
buy (v), reka.
buyer (n), moreki, bareki.
by (prep), ke, ka.
by-product (n), kungwana,
   dikungwana.
bystander (n), molebeledi,
   balebeledi.

C

cabbage (n), khabetshe,
   dikhabetshe.
cable (n), kabele, dikabele;
   kheibole, dikheibole.
cairn (n), sefikantswe, difikantswe;
   bakene, dibakene.
cake (n), kuku, dikuku.
calabash (n), phafana, diphafana;
   sego, digo; moduto, meduto.
calamity (n), tshenyo e e maswe,
   ditshenyo tse di maswe.
calculate (n), balela.
calendar (n), alemanaka,
   dialemanaka; kalentara,
   dikalentara.
calf (n), namane, dinamane (cattle);
   tlhafu, ditlhafu (leg).
call (v), bitsa.
caller (n), mmitsi, babitsi.
calm (a), ritibala; ritibetse;
   okobala; okobetse.
camel (n), kamela, dikamela.
camp (n), kampa, dikampa;

   mathibelelo.
can, may (v), ka.
canal (n), kanale, dikanale.
cancer (n), kankere, dikankere;
   kwatsi, dikwatsi.
candle (n), kerese, dikerese.
cane-rat (n), lebodi, mabodi.
canine (n), lebolai, mabolai;
   sebolai, dibolai.
cannibal (n), ledimo, madimo;
   Dimo (mythological figure).
cannon (n), kanono, dikanono;
   tlhobolo, ditlhobolo.
canvas (n), seile, diseile.
cap (n), kepisi, dikepisi; tlhoro,
   ditlhoro.
capillary (n), tshikana, ditshikana.
capitulate (v), ineela.
capsize (v), pitikologa.
captain (n), molaedi, balaedi;
   kapotene, dikapotene; molaodi,
   balaodi.
captivate (v), tshwara, golega.

captive (n), sebošwa, dibošwa; mogolegwa, bagolegwa; motshwarwa, batshwarwa.

capture (v), tshwara; thopa; golega.

car (n), sejanaga, dijanaga; mmotoro(kara), mebotoro(kara).

carcass (n), setoto, ditoto; sekgoropa, dikgoropa.

card (n), karata, dikarata; papetla, dipapetla.

cardboard (n), khateboto, dikhateboto; papetla, dipapetla.

care (n), tlhokomelo, ditlhokomelo; tebelelo, ditebelelo.

care (v), tlhokomela; lebelela.

careful (a), kelotlhoko.

carefully (adv), ka tlhokomelo; ka kelotlhoko.

careless (a), botlhaswa; bosutlha; boatla.

carelessly (adv), ka botlhaswa; ka bosutlha; ka boatla.

carpenter (n), mmetli, babetli.

carriage (n), serori, dirori; karaki, dikaraki.

carrot (n), segwete, digwete.

carry (v), tshola; tshotse; sikara (on the shoulders).

cart (n), karaki, dikaraki.

cartilage (n), lehihiri, mahihiri; lentshwatshwa, mantshwatshwa (of nose).

carve (v), seta; reta; setlha; betla.

cask (n), faki, difaki.

cast (v), latlha; latlhela.

castor oil (n), kasetereole.

castrate (v), fagola.

casualty (n), mogobadi, bagobadi; kgobalo, dikgobalo.

cat (n), katse, dikatse.

catalogue (n), kataloko, dikataloko.

catch (v), kapa (ball); tshwara.

caterpillar (n), seboko, diboko.

cattle (n), kgomo, dikgomo; bogadi, magadi (marriage-cattle).

cattle-dung (n), boloko, maloko (wet); sebi, dibi (dry).

cattle kraal (n), lesaka la dikgomo; masaka a dikgomo.

cause (n), lebaka, mabaka.

cause (v), baka.

caution (n), kgalemo, dikgalemo.

cave (n), legaga, magaga; logaga, dikgaga.

cease (v), khutla; fetsa.

celebrate (v), keteka.

celebration (n), keteko, diketeko; mokete, mekete; moletlo, meletlo.

cell (n), sele, disele (biol); phaposana, diphaposana.

cement (n), samente, disamente.

cemetery (n), mabitla, diphuphu.

census (n), sensase, disensase; palobatho, dipalobatho; palo ya batho.

cent (n), sente, disente.

centipede (n), mositlhaphala, mesitlhaphala.

centre (n), bogare (inside); lebenkele (shop).

ceremony (n), modiro, mediro; kgafela, dikgafela; moletlo, meletlo; ngwao, dingwao.

certificate (n), setifikeiti, ditifikeiti.

certify (v), paka, tiisa.

chafe (v), gotlha.

chaff (n), marabe; moko, meko; tlhotlhonkga, ditlhotlhonkga.

chain (n), ketane, diketane.

chair (n), setulo, ditulo; setilo, ditilo; senno, dinno; sedulo, didulo.

chairman (n), modulasetulo, badulasetulo.

chalk (n), tshoko, ditshoko.

challenge (v), gwetlha.

chameleon (n), lelobu, malobu; lebodu, mabodu; leobu, maobu.

champion (n), mmampodi,

bommampodi; tshimega,
ditshimega; modipa, badipa.
chance (n), lobaka, dipaka;
tshoganyetso, ditshoganyetso.
change (v), fetoga; fetola; fetosa.
change (n), phetogo, diphetogo;
phetolo, diphetolo.
chapter (n), kgaolo, dikgaolo.
character (n), mokgwa, mekgwa;
botho (of person).
characteristic (n), pharologantsho,
dipharologantsho.
charge (n), tatofatso, ditatofatso.
charge (v), latofatsa, tlatsa.
charity (n), lorato.
chart (n), papetla, dipapetla;
karata, dikarata.
chase (v), lelekisa; leleka; koba
(chase away).
chasm (n), malekeleke.
chatter (v), itlatlarietsa; balabala.
cheap (a), tlhotlhwatlase;
tlhotlhwana.
cheat (v), tsietsa; fora.
cheek (n), lerama, marama;
lesama, masama; bodipa
(insolence).
cheek-bone (n), lotlhaa, matlhaa.
cheerful (a), kgothatsang, thaba,
itumela.
cheese (n), tšhisi, ditšhisi; kase,
dikase.
cheque (n), tšheke, ditšheke.
chest (n), mafatlha; sehuba,
dihuba; kgara, dikgara; lebokoso
(box).
chew (v), tlhafuna.
chicken (n), kokwana, dikokwana;
kgogo, dikgogo.
chicken-pox (n), thutlwa.
chief (n), kgosi, dikgosi;
mookamedi, baokamedi;
morena, barena.
chieftainship (n), borena, bogosi.
child (n), ngwana, bana; lesea,
masea (baby).

childbirth (n), pelegi.
childhood (n), bongwana;
bonyana.
chill (n), botsididi; maruru.
chillies (n), thobega, dithobega.
chimney (n), sentshamosi,
dintshamosi; tšhemele,
ditšhemele.
chin (n), seledu, diledu.
chip (n), phatsa, diphatsa.
chip (v), ketlola.
choice (n), tlhopho, ditlhopho.
choir (n), khwaere, dikhwaere.
choke (v), beta; kgama; balela.
choose (v), kgetha; tlhopha.
chop (v), rema; fatsa; ratha.
Christ (n), Keresete; Jesu.
christen (v), taya (leina) (name);
kolobetsa (sacrament).
Christian (n), Mokeresete,
Bakeresete; Modumedi,
Badumedi.
Christmas (n), Keresemose.
chronological (a),
tlhatlhamanometlha.
chrysalis (n), mokone, mekone.
church (n), kereke, dikereke.
churn (v), fetlha.
cicada (n), sekokwalala,
dikokwalala.
cigarette (n), sekerete, disekerete.
cinder (n), molora, melora.
circle (n), sediko, didiko; mosako,
mesako.
circulate (v), dikolosa.
circumcise (v), rupisa.
circumcision (n), thupiso.
circumference (n), sedikiso;
modiko.
circus (n), sorokisi, disorokisi.
citizen (n), moagi, baagi; monni,
banni.
city (n), teropo, diteropo; motse,
metse; motsegadi, metsegadi.
civilian (n), moagi, baagi.
civilise (v), tlhabolola.

civilization (n), tlhabologo, ditlhabologo.
clamp (n), setshwari, ditshwari.
clarify (v), sinosa; sedifatsa.
clasp-knife (n), mokopelo, mekopelo; kopelwane, dikopelwane.
classify (v), tlhopha, arologanya.
clavicle (n), kgetlane, dikgetlane.
claw (n), monoto, menoto; lenala, manala.
clay (n), mmopa, mebopa.
clean (a), tlhwekileng; phepafetseng; phepa.
cleanliness (n), bophepa.
cleanse (v), tlhapa; tlhapisa.
clear (a), itshekile; bonalatsang; mo pepeneneng.
clear (table) (v), tekolola.
clergyman (n), moruti, baruti.
clerk (n), tlelereke; ditlelereke.
clever (a), botlhale; tlhalefileng.
client (n), modirelwa, badirelwa.
cliff (n), lekgotlho, makgotlho.
climate (n), tlelaemete, ditlelaemete; tlilemate, ditlilemate.
climb (v), pagama; palama; namela (up); fologa (down).
cling (v), ngaparela.
clinic (n), tleliniki, ditleliniki.
clock (n), tshupanako, ditshupanako; tleloko, ditleloko; watšhe, diwatšhe.
clod (n), lekwete, makwete; kgwethe, dikgwethe; lengote, mangote.
close (v), tswala, kitlanya.
closet (lavatory) (n), boithomelo; ntlwana, dintlwana.
clot (n), letlhole, matlhole (blood).
cloth (n), lesela, masela; khai, dikhai.
clothe (v), apesa, tswesa.
clothes (n), seaparo, diaparo; khai, dikhai; ditswalo.

cloud (n), leru, maru.
club (n), tlelapa, ditlelapa (place); mokgatlho, mekgatlho (social).
coal (n), malatlha (mineral); magala (ember).
coal-tar (n), sekontiri.
coast-line (n), losi lwa lewatle, dintshi tsa (ma)watle.
coat (n), jase, dijase; baki, dibaki.
cob (n), pidi, dipidi (maize).
cobra (n), kake, bokake.
cobweb (n), bobi.
cacao (n), khoukhou.
coccyx (n), lesapo-la-mogatla; masapo-a-mogatla; mokutu, mekutu.
cock (n), mokoko, mekoko.
cockroach (n), lefele, mafele.
cocoon (n), mokone, mekone; khokhune, dikhokhune.
coffee (n), kofi; mmutshwana, mebutshwana (black).
coffin (n), lekase la moswi, makase a baswi; kese, dikese.
coin (n), ledi, madi; papetlana, dipapetlana.
cold (a), tsididi.
collar (n), kholoro, dikholoro.
collar bone (n), kgetlana, dikgetlana.
collect (v), kgobokanya (gather); kokoanya; phutha.
college (n), kholetšhe, dikholetšhe.
collide (v), thulana; betsana.
collision (n), thulano, dithulano.
colon (n), khutlwana, dikhutlwana.
colour (n), mmala, mebala.
Coloured (person) (n), Lekhalate, Makhalate.
comb (n), kamo, dikamo; letlopo, matlopo (poultry).
comb (v), kama; fenekolola (search).
combine (v), kopanya; golaganya; tlhakanya.
come (v), tla, tlaya.

comedy (n), metlae; khomedi, dikhomedi.
comfort (n), boiketlo.
comic (a), tshegisang.
command (v), laela; laola; kgalema.
commandment (n), molao, melao; taolo, ditaolo.
commence (v), simolola.
commission (money) (n), tshwaiso, tlhatswadiatla.
commissioner of oaths (n), moikanisi, baikanisi.
committee (n), komiti, dikomiti; khuduthamaga, dikhuduthamaga (executive).
common (a), gale, tlwaelegile(ng); gotlhe; fela.
commonly (adv), ka tlwaelo.
commotion (n), tshikinyego, ditshikinyego; kgaruru, dikgaruru.
Communion (holy) (n), Selalelo.
companion (n), molekane, balekane; tsala, ditsala; monkane, bankane.
companionship (n), bolekane; bonkane.
compare (v), tshwantshanya; bapisa.
compass (n), tshupantlha, ditshupantlha; kompase, dikompase.
compel (v), gapeletsa; pateletsa.
compete (v), gaisana; phadisana.
competition (n), phadisano, diphadisano; kgaisano, dikgaisano.
complain (v), ngongorega.
complainant (n), mongongoregi; bangongoregi; moseki; baseki; mosekisi, basekisi.
complaint (n), ngongorego, dingongorego; lebote, mabote (health).
complete (v), fetsa.

compose (music) (v), tlhama; bopa.
composer (n), motlhami, batlhami.
composition (writing) (n), tlhamo, ditlhamo; esei, diesei.
compost (n), motshotelo; monontsha.
compound (n), tswako, ditswako, motswako, metswako.
compress (v), gatelela; panyeletsa.
compulsion (n), patelelo, dipatelelo; pateletso, dipateletso.
conceal (v), fitlha; kgafetsa.
conceited (a), mabela (rel).
conceive (v), ima; imisa; ithwala.
concert (musical) (n), khonserata, dikhonserata; konsarata, dikonsarata.
conclusion (n), bofelelo; phetso, diphetso; tshwetso, ditshwetso.
concrete (building) (n), konkereite, dikonkereite.
concur (v), dumalana.
condemn (v), garaswanya; atlhola; nyatsa; atlholwa.
condition (state) (n), boemo, maemo.
condole (v), utlwela botlhoko.
condone (v), tshwarela.
conduct (choir) (v), opedisa; tsamaisa; itshwara.
conductor (n), moopedisi, baopedisi.
confer (v), buisana; gakololana.
confess (v), ipobola; ipona molato.
confessor (n), moipobodi, baipobodi.
confide (v), ikana.
confidence (n), tshepiso, boikanyo.
confidential (a), ga e anangwe; khupamarama.
confiscate (v), gapa; gapela.
conflict (n), kgotlhang, dikgotlhang.
confuse (v), gakantsha; tlaletsa.
congeal (v), gatsela.

congratulate (v), akgola; lebogela.
congregate (v), phuthega; kokoana.
congregation (church) (n), phuthego, diphuthego.
congress (n), pitso, dipitso.
connect (v), gokaganya; tshwaraganya; lomaganya.
conquer (v), fenya; thopa.
conscience (n), segakolodi; letswalo, matswalo.
consecutive (a), latelana(ng).
consent (v), dumelela; letla.
consent (n), tumelelo; tetlelelo.
consequence (n), pheletso.
conserve (preserve) (v), somarela; babalela; boloka.
consider (v), akanya; sekaseka; nagana.
considerate (a), akanyetsa; gopolela.
console (v), gomotsa; namatsha; rotloetsa; tiisa moko.
consonant (n), tumammogo, ditumammogo.
conspicuous (a), itshupa.
conspiracy (n), borukutlhi; thero, dithero.
conspire (v), rera.
constable (n), lepodisa, mapodisa.
consternation (n), kgakgamalo, dikgakgamalo; kgakgamatso, dikgakgamatso.
constipation (n), pipelo; tshilwana, ditshilwana.
construct (v), aga.
consult (v), rerisana.
consume (v), ja.
contagious (a), fetela(ng).
contain (v), tshola.
contempt (n), lenyatso; lonyatso.
contend (v), lotlhana le; gwetlha.
content (a), kgotsofala; kgotsofetse; itumedisa.
contest (n), kgaisano, dikgaisano.
contest (v), gaisana; bapololana; ganetsa.

continent (n), kontinente, dikontinente.
continue (v), tswelela.
continuous (a), tswelelang.
contour (n), konturu, dikonturu.
contraception (n), kganelokimo; thibelokimo.
contract (n), tlamano, ditlamano; konteraka, dikonteraka; kgolagano, dikgolagano.
contract (v), fetetsa (disease); funega (muscles).
contraction (n), go fetetsa (disease), go funega (muscles).
contradict (v), ganetsa.
controversy (n), kganetsanyo, dikganetsanyo.
convalesce (v), thamogelwa.
convene (v), epa pitso.
conversation (n), kgang, dikgang; motlotlo, metlotlo.
converse (v), buisanya; tlotla; go tsaya dikgang.
conversion (n), tshokologo (theol.); phetolo (change).
convert (v), fetola; sokolola.
convert (n), mosokologi, basokologi.
convey (v), hudusa; isa.
convict (n), sebošwa, dibošwa; mogolegwa, bagolegwa.
convict (v), bona molato.
convince (v), fenya; go koloba (to be convinced).
convulsions (n), ditantanyane.
cook (v), apaya.
cool (a), tsiditsana.
co-operation (n), tirisano, ditirisano.
copper (n), koporo; kgotlho.
copulate (v), gwela; pagama; palama.
copy (v), kopolola (words).
cord (n), mogala, megala; th dithapo.

cork (n), khoko, dikhoko; poropo, diporopo; sethibo, dithibo.
corner (n), sekhutlo, dikhutlo; khona, dikhona.
coronation (n), peo, dipeo; tlhomo, ditlhomo.
corpse (n), setopo, ditopo; setoto, ditoto.
correct (a), nepagetse(ng).
corrode (v), ja; loma.
corrupt (a), senyega(ng); bola.
costly (a), ja tlhotlhwa e kgolo; thekogodimo; bitsa thata.
cotton (n), letseta, matseta; tlhale, ditlhale (thread).
cough (v), gotlhola.
council (n), lekgotla, makgotla; khansele, dikhansele.
councillor (n), molekgotla, balekgotla; mokhansele, bakhansele.
count (v), bala.
country (n), naga, dinaga; lefatshe, mafatshe.
courage (n), bobelokgale; kgothalo, boganka.
courageous (a), pelokgale.
court (v), etela.
court (n), kgotla, dikgotla; lebala, mabala (opening); kgotlatshekelo.
court-case (n), kgetsi, dikgetsi; tsheko, ditsheko.
cover (v), khurumela; bipa; phuthela.
covet (v), eletsa.
cow (n), leradu, maradu; kgomogadi, dikgomogadi.
coward (n), leboi, maboi; legatlapa, magatlapa; bodišaše.
cowardice (n), bogatlapa, boboi.
crab (n), lekakaie, makakaie; mmankarapa, bommankarapa.
crack (n), lenga, manga; thwanyo, dithwanyo.
cramp (n), tomanyi, ditomanyi;

tlelempe, ditlelempe; bogatsu (pain).
crawl (v), abula; gopa; gagaba.
cream (n), lebebe; lobebe; romo, diromo.
crease (n), lesoso, masoso; leotlo, maotlo; lengona, mangona.
create (v), bopa; tlhama; tlhola.
Creator (n), Mmopi; Motlhodi.
creature (n), sebopiwa, dibopiwa; setshedi, ditshedi.
creep (v), nanabela; sutlha; gogomela; gagaba; kukuna.
creeper (n), morara, merara; moithari, meithari.
cricket (n), senyetse, dinyetse; kerikete (game).
cripple (n), setlhotsa, ditlhotsa; segole, digole.
crocodile (n), kwena, dikwena.
crooked (a), kgopo, kgopame.
crop (n), kotulo, dikotulo; thobo, dithobo.
crop rotation (n), thefosano ya jalo, dithefosano tsa jalo.
cross (n), sefapaano, difapaano.
cross examine (v), botsolotsa.
crouch (v), batalala; kukuna; gagaba.
crow (n), legakabe, magakabe.
crowbar (n), koofute, dikoofute; kepu, dikepu; setsholetsi, ditsholetsi.
crowd (n), kokoano, dikokoano; matshwititshwiti; kgobokano, dikgobokano.
crowded (a), semphete-ke-go-fete.
crown (n), korone, dikorone; serwalo, dirwalo.
crucify (v), bapola.
cruel (a), pelompe; setlhogo (rel); swele.
cruelty (n), bopelompe; setlhogo, ditlhogo; boswele.
crumb (n), lefofora, mafofora; letlhotlhora, matlhotlhora.

crumble (v), kumagana; foforega; fafarega.

crust (n), legogo, magogo; bogogo.

crutch (n), seikokotlelo, diikokotlelo.

cry (v), lela, goa.

cub (n), sebatana, dibatana.

cucumber (n), komokomore, dikomokomore; phare, diphare (wild -).

culprit (n), mosenyi, basenyi; motobatobi, batobatobi.

cultivate (v), tlhagola (to weed); lema; jala (to plant).

cunning (a), leferefere, lemenemene.

cup (n), komiki, dikomiki; kopi, dikopi.

cupboard (n), kobotlo, dikobotlo; khaboto, dikhaboto; raka, diraka.

curb (v), thiba.

curdle (v), rema; tlhanya.

cure (v), alafa; fodisa.

curl (n), letshophetshophe, matshophetshophe; kgaro, dikgaro; mogaro, megaro.

curriculum (n), thulaganyo ya marutwa; kharikhulomo, dikharikhulomo.

curse (v), roga; hutsa.

curse (n), thogo, dithogo; khutso, dikhutso.

curtain (n), garetene, digaretene; sesiro, disiro; gatene, digatene.

custody of children (n), tiso; pabalelo.

custom (n), tlwaelo, ditlwaelo; ngwao, dingwao; mokgwa, mekgwa (habit).

cut (v), ripa; sega; kgaola; poma.

cutting (n), moseto, meseto; bogale (edge).

cut-worm (n), sebokosegi, dibokosegi; sesegi, disegi.

D

dagga (n), motokwane, metokwane.

daily (adv), letsatsi lengwe le lengwe.

dam (n), letamo, matamo; tamo, ditamo.

damage (n), tshenyo, ditshenyo; tshenyegelo, ditshenyegelo.

damp (v), nona; kgatsha; ngodisa.

dampness (n), bosodi, bokgola.

dance (v), bina; tantsha.

dandruff (n), sekgamatha, dikgamatha; sekelefere, dikelefere.

danger (n), kotsi, dikotsi.

dangerous (a), kotsi.

dark (a), fifetse; -fitshwa; lefifi.

darkness (n), lefifi; bofitshwa.

date (n), letlha; motlha.

daughter (n), morwadi, barwadi.

daughter-in-law (n), ngwetsi, betsi.

dawn (v), sa; tlhaba.

dawn (n), bosa; masa; mahube.

day (n), letsatsi, matsatsi; lelatsi, malatsi.

daybreak (n), pudusetso ya letsatsi; mahube; bosa.

daytime (n), motshegare.

daze (v), tseanya; ritibatsa.

dazzle (v), fatlha, kalola matlho.

dead (a), sule(ng).

deaf (person) (n), mosusu, basusu.

dear (a), rategang.

death (n), loso, dintsho; leso, maso; tlhokafalo.

debar (v), itsa, thibela; kganela.

debt (n), molato, melato; sekoloto, dikoloto.

decay (v), bola; senyega.

deceased (a), tlhokafetse(ng); sule(ng).

deceased (n), moswi, baswi.

deceit (n), tsietso, ditsietso; boferefere; bonoga.

deceive (v), ferekanya; fora; tsietsa.

December (n), Sedimonthole, Desemere.

deception (n), boferefere.

decide (v), fetsa, swetsa.

deciduous (a), tlhotlhoregang.

decision (n), phetso, diphetso; tshwetso, ditshwetso.

declare (v), bolotsa (war); bolela (mo pepeneneng).

decline (v), sokologa; gana (refuse).

decompose (v), tlhamolola; bola (to rot).

decorate (v), kgabisa.

decoration (n), kgabiso, dikgabiso; lekgabisa, makgabisa.

decrease (v), fokotsa; ngotla.

decree (n), molao, melao.

deed (n), dikano; kheiti, dikheiti; tiro, ditiro.

deep (a), boteng (rel); tebileng.

defamation (n), kgobololo; tshenyoleina.

defeat (v), fenya.

defence (n), phemelo.

defend (v), femela; sireletsa.

defendant (n), mosekisiwa, basekisiwa; moiphemedi, baiphemedi.

defer (v), diegisa.

defile (v), kgotlela.

define (v), ranola; tlhalosa.

deflower (v), ithwadisa.

defy (v), nyatsa.

delay (v), diega; dia; diegisa.

delegate (n), thomeletso; thomelo

(ya dithata); moemedi, baemedi.

delete (v), phimola.

deliberate (v), tlotla, akanya.

deliberately (adv), ka bomo.

delight (v), itumedisa; thabisa.

delirium (n), seidi; maibi; bogorogoro.

delude (v), tsietsa; fora.

demand (v), lopa.

demolish (v), thuba.

demon (n), motimone; satane.

demonstrate (v), supetsa; supa.

dense (a), kitlane(ng); lesuthu; sesuthu.

dent (n), khutinyana, dikhutinyana; khwiti, dikhwiti.

dentist (n), rameno, borameno.

denudation (n), kgothego, dikgothego.

deny (v), ganela; latola; ganetsa.

deodorant (n), twantshamonkgo, ditwantshamonkgo.

depart (v), tloga; hulara; tsamaya.

dependable (a), ikanyega(ng).

deposit (n), peeletso; dipeeletso; depositi, didepositi.

deprive (v), tseela; amoga; sola.

depth (n), boteng.

deputy (n), letsogo, matsogo; motlatsi, batlatsi; mothusi, bathusi.

deride (v), tlaopa, kuelela.

derrick (n), phesodi, diphesodi.

descend (v), fologa; fologela.

describe (v), tlhalosa; thadisa.

description (n), tlhaloso, ditlhaloso; thadiso, dithadiso.

desert (n), sekaka, dikaka.

desert (v), ngwega; ngaloga.

deserter (n), mongwegi, bangwegi; legatlapa, magatlapa.

desire (v), eletsa; fisega.

desk (n), banka, dibanka; teseke, diteseke.

despair (v), tlhoboga; solofologa.

despise (v), nyatsa.

destroy (v), senya; senyetsa; thuba.
detach (v), patologanya.
detain (v), diega; thiba; kgoreletsa.
detective (n), letseka, matseka.
deter (v), thiba; thibela.
determination (n), boikemisetso, maikemisetso; maikaelelo.
detest (v), tlhoa; ila.
detestable (a), ilega(ng).
detribalise (v), kurukurega.
devastate (v), senya; thuba.
deviate (v), fapoga.
devil (n), mowa o o busula; mewa e e bosula; tiabolose; satane.
devour (v), kgera; ja; metsa; tsuputsa (destroy).
dew (n), monyo; phoka.
dewlap (n), lebelo, mabelo.
diagram (n), setshwantsho, ditshwantsho.
dialect (n), teme, diteme; loleme, diteme; puo, dipuo; tengwana, ditengwana.
diamond (n), taemane, ditaemane; teemane, diteemane; kgaraga, dikgaraga.
diaphragm (n), letswalo, matswalo.
diarrhoea (n), letshololo, taerea.
dicotyledon (n), khotopedi, dikhotopedi; daekhotoletone, didaekhotoletone.
dictate (v), biletsa.
dictionary (n), bukantswe, dibukantswe; dikišinare, didikišinare.
die (v), swa; tlhokafala.
differ (v), fapaana; farologana.
difference (n), phapaano, diphapaano; pharologano; dipharologano.
different (a), farologane(ng), -sele.
difficult (a), thata; boima.
difficulty (n), bothata, mathata; bokete, makete.
dig (v), epa.

dignified (a), seriti.
dignity (n), seriti.
diligence (n), maikatlapelo; bonatla; manontlhotlho.
diligent (a), manontlhotlho; tlhoafala; tlhoafetse; matlhagatlhaga.
dilute (v), tlhaphola; tlhaposa.
dim (a), lerothwane; letobo.
diminish (v), fokotsa, nyenyefatsa.
dimple (n), setshegabaeng, ditshegabaeng; pobe, dipobe.
dine (v), ja (dijo tsa motshegare).
dinner (n), tinara, ditinara; dijo tsa motshegare.
dip (v), ina; tipa (cattle); tabuetsa.
diphtheria (n), dipitheria; mometsomosweu.
dipping-tank (n), tipelo, ditipelo; tipi, ditipi.
direct (v), kaela; laola; supetsa; bontsha.
dirt (n), leswe, maswe; lerito.
dirty (a), leswe, maswe.
disabled (a), golafetseng; segole.
disagree (v), fapaana; ganetsana.
disappear (v), nyelela, anoga; simela; timela.
disappoint (v), swabisa.
disarm (v), amoga dibetsa.
disaster (n), matlhotlhapelo; leralalo, maralalo; tatlhegelo; ditatlhegelo.
disciple (n), morutiwa, barutiwa; molatedi, balatedi.
discipline (n), boitiso; thupiso.
disclose (v), bolela, senola.
discomfort (n), pipelo; matshwenyego.
discontent (n), dingongorego.
discontinue (v), fetsa; tlogela.
discord (n), tlailo, ditlailo; kgotlhang, dikgotlhang.
discount (n), phokoletso; theoso.
discourage (v), swabisa; nyemisa.
discover (v), ribolola; lemoga.

discriminate (v), tlhotlholola; kgetholola.

discuss (v), buisana, sekaseka, rerisana.

discussion (n), puisano, dipuisano; therisano, ditherisano; kgang, dikgang.

disease (n), botlhoko, matlhoko; bolwetse, malwetse.

disease germ (n), twatsi ya bolwetse, ditwatsi tsa bolwetse.

disgrace (n), go tlontlolola.

disgust (v), tenega; tena.

dish (n), sejana, dijana (dishes); sejo (food); setsholwa (food).

dishonest (a), se ikanyege; sa ikanyegang.

dishonesty (n), go se ikanyege.

disinfect (v), upa; bolaya ditwatsi.

disinfectant (n), sebolayaditwatsi, dibolayaditwatsi.

dislocate (v), lokologana; lomolola.

dislocation (n), tokologano; tomololo.

disloyalty (n), go tlhoka boikanyego.

dismiss (v), koba, leleka.

dismissal (n), kemiso; teleko.

disobedience (n), go tlhoka kutlo; botlhokaditsebe; boganana.

disobey (v), tlola taolo, gana.

disparage (v), kgobotla; nyenyefatsa.

disperse (v), falala; falatsa; phatlalala; phatlalatsa.

dispute (v), ganetsana.

disregard (v), tlhokomologa.

dissatisfaction (n), dingongora; dingongorego.

dissolve (v), tlhaologa; thuba; tlhamolola (parliament).

distance (n), bokgakala, sekgala, dikgala; bogole.

distinct (a), bonala, farologane(ng); rileng.

distinguish (v), farologanya.

distinguished (a), tumileng.

distribute (v), aba; rathabolola.

district (n), kgaolo, dikgaolo; setereke, ditereke; tikologo, ditikologo.

district surgeon (n), ngaka ya tikologo/setereke/kgaolo.

distrust (v), sa tshepe.

disturb (v), feretlha; kgoreletsa; tshwenya.

ditch (n), kgatampi, dikgatampi; mosele, mesele; lemena, mamena.

divide (v), arola; kgaoganya.

divide (sign) (n), letshwao la karolo.

divorce (n), tlhalo, ditlhalo.

divulge (v), bola; itsise.

dizziness (n), sedidi; madiopo.

do (v), dira.

doctor (n), ngaka, dingaka; moalafi, baalafi.

document (n), lekwalo, makwalo; setlankana, ditlankana.

dog (n), ntšwa, dintšwa.

domestic (a), legae; (tsa) gae.

donation (n), sehuba, dihuba; kabo, dikabo.

donga (n), lengope, mangope; kgatampi, dikgatampi.

donkey (n), tumuga, ditumuga; tonki, ditonki.

door (n), setswalo, ditswalo; lebati, mabati.

dose (n), tekanyetsomolemo, ditekanyetsomolemo.

dot (n), khutlo, dikhutlo; kwaba, dikwaba; lerontho, marontho.

doubt (n), kakabalo, dikakabalo; pelaelo, dipelaelo.

doubt (v), belaela.

dough (n), tlhama, tege.

dove (n), leeba, maeba; lephoi, maphoi.

down (n), diphofaleta.

down (adv), fatshe, kwa tlase.

downcast (a), hutsafetse.

doze (v), otsela; othuma; ponkela.
dozen (n), tosene, ditosene; bosomepedi.
drag (v), gogoba; gogagoga; tswatswaila.
dragon-fly (n), kgokelo, dikgokelo.
drainpipe (n), mosele, mesele.
Drakensberg (n), Derakenseberege.
draw (v), thala (a line); lekalekana (a game); rala, tshwantsha (a scetch).
dread (n), poifo, dipoifo.
dream (v), lora.
dream (n), toro, ditoro.
dregs (n), magorogoro; magweregwere.
dress (v), apara, apesa.
dress (n), mosese, mesese; roko, diroko; dikhai.
dressing (wound) (n), sefaphi, difaphi.
drink (v), nwa.
drip (v), rotha.
drive (v), kgweetsa (car); tsamaisa (company).
driver (n), mokgweetsi, bakgweetsi.
drizzle (v), komakoma.
drone (n), lelelakoma, malelakoma.
droop (v), lepelela.
drop (n), lerothodi, marothodi; thothi, dithothi.
drop (v), usa, diga, wa.
dropsy (n), bophogophogo.
drought (n), komelelo, dikomelelo; lešekere; leuba, mauba.
drown (v), betwa; nwela.
drowse (v), otsela.
drum (n), moropa, meropa (music).

drunk (a), tagilwe; tlhapetswe.
drunkard (n), letagwa, matagwa; letlhapelwa, matlhapelwa.
dry (a), omile(ng).
duck (v), boba, batalala.
due (n), lekgetho, makgetho.
duiker (n), photi, diphoti.
dumb (person) (n), semumu, dimumu.
dummy file (n), faelepotlana, difaelepotlana.
dune (n), lekhubu, makhubu; setotomana, ditotomana; popoma, dipopoma.
dung (n), boloko, mosutele.
duodenum (n), kutu ya tšorwane, dikutu tsa tšorwane.
duplicate (n), kwala ka sebedi.
dusk (n), lotlatlana; lefitshwana; maabanyane.
dust (n), lorole, dithole; lerole, marole.
duster (n), setšhwimodi, ditšhwimodi; sephimodi, diphimodi.
duty (n), tshwanelo, ditshwanelo; tiro, ditiro; lekgetho (tax).
dwarf (n), lemponempone, mamponempone; lemponyemponye, mamponyemponye.
dwelling (n), legae, magae; ntlo; dintlo; bonno.
dynamite (n), taenamaete, ditaenamaete; talameite, ditalameite.
dysentry (n), letshololo; phogwana; malamahibidu; disenteri.

E

each (prn), nngwe le nngwe.
eager (a), tlhoafala; tlhoafetse;

fisega.
eagle (n), ntsu, dintsu; ntswi,

dintswi; kgoadira, bokgoadira
(fish eagle).
ear (n), tsebe, ditsebe.
earn (v), amogela, direla.
ear-ring (n), lenyena, manyena;
lelengana, malengana.
earth (n), mmu, mebu; lebu, mabu;
lefatshe, mafatshe.
earthenware (n), ditsopa.
earthquake (n), thoromo ya
lefatshe, dithoromo tsa lefatshe.
earthworm (n), monopi, menopi;
nogametsana, dinogametsana.
east (n), botlhabatsatsi; botlhaba.
easy (a), bonolo; boswaswa;
botlhofo.
eat (v), ja.
echo (n), karabo; mareetsane;
tumaikgati.
eclipse (n), phifalo.
economise (v), papana; sonaga.
eczema (n), ekesima.
edge (n), losi, dintshi, letshitshi,
matshitshi.
edible (a), jega.
edit (v), tseleganya; rulaganya.
editor (n), motseleganyi,
batseleganyi; morulaganyi,
barulaganyi.
educate (v), ruta, fatlhosa.
education (n), thuto, dithuto;
borutegi; kgodiso (of child).
eel (n), tlhapi e e tshwanang le
noga; palang, dipalang.
efface (v), phimola, tlosa.
effort (n), boiteko, maiteko;
matsapa.
effortless (a), ka ntle le bothata.
egg (n), lee, mae; letsae, matsae.
eggshell (n), kgapetla, dikgapetla;
kgapa, dikgapa.
eight (num), robedi, borobedi.
eighteen (num), somerobedi.
eighty (num), somarobedi.
either (conj), kgotsa, le fa e le
(gore).

eject (v), latlhela kwa ntle.
eland (n), phofu, diphofu.
elastic (n), setaologane,
ditaologane; rekere, direkere.
elbow (n), sekgono, dikgono;
sejabana, dijabana.
eldest (a), yo mogolo.
elect (v), kgetha, tlhopha.
election (n), kgetho, dikgetho;
tlhopho, ditlhopho.
electrician (n), moitsemotlakase,
baitsemotlakase; ramotlakase,
boramotlakase.
electricity (n), motlakase,
metlakase.
element (n), elemente, dielemente.
elephant (n), tlou, ditlou.
elevate (v), nompolosa, tsholetsa.
elevator (lift) (n), phesodi,
diphesodi; lifiti, dilifiti.
eleven (num), somenngwe.
eligible (a), tlhaolesega.
eliminate (v), tlosa.
elongate (v), lelefatsa, golola.
elope (v), ngwega, sia, thoba.
eloquence (n), botswerere mo
puong.
elsewhere (adv), gosele, gongwe.
elucidate (v), phutholola.
emaciated (a), malololo.
emancipation (n), kgololo.
embarrass (v), tsietsa, tlhabisa
ditlhong.
ember (n), legala, magala.
embrace (v), kamatlela, tlamparela.
embryo (n), pelwana, dipelwana;
emborio, diemborio.
emerge (v), inoga, tswa, tlhaga,
bonala.
emetic (n), motlhatsiso,
metlhatsiso.
emigrate (v), falala.
eminent (a), itsege.
emphasis (n), kgatelelo, tiiso.
emphasize (v), gatelela.
employ (v), thapa; dirisa (use).

employee (n), mothapiwa, bathapiwa; modiredi, badiredi; mmereki, babereki.

employer (n), mothapi, bathapi; mohiri, bahiri.

empty (a), lolea; lelea; lephaka, maphaka.

encircle (v), thekeletsa.

enclose (v), kopanyetsa; dikaganyetsa; tsenya; thekeletsa.

encourage (v), kgothatsa; tlhotlheletsa; rotloetsa.

encyclopaedia (n), saetlopedia, disaetlopedia.

end (n), bokhutlo; bofelo.

endanger (v), tsenya mo kotsing.

endeavour (v), leka.

enema (administer) (v), naya mothulego, peita.

enema (n), mothulego, methulego; enema, dienema.

enemy (n), mmaba, baba; sera, dira.

energy (n), maikatlapelo, maatla; thata.

enforce (v), pateletsa, gagapa.

engaged (a), beelela (betrothal).

engine (n), enjene, dienjene.

English (n), Seesemane.

Englishman (n), Leesemane, Maesemane.

engrave (v), gaba (stone); gwaya; seta (wood).

enjoy (v), itumelela; ja monate.

enlarge (v), godisa, oketsa; katolosa.

enlighten (v), fatlhosa; sedimosa.

enmity (n), bobaba.

enough (a), lekane(ng); ntse.

enquire (v), botsa.

enrich (v), humisa; nontsha.

enrol (v), kwadisa.

enter (v), tsena.

enthusiasm (n), phisego; mafolofolo.

entice (v), ngoka; okisa; gogela.

entire (a), gotlhe; -tlhe.

entrails (n), mateng; mala.

enumerate (v), bala.

envelope (n), enfelopo, dienfelopo.

envious (a), lefufa (rel).

envy (n), lefufa; keletso, dikeletso.

epidemic (n), leroborobo, maroborobo; semagamaga.

epidermis (n), nnerefe, dinnerefe.

epilepsy (n), leebana; seebana; mokaralalo; mototwane.

epsom salts (n), engelesesouta.

equal (a), lekana(ng); lekalekane.

equal (sign) (=) (n), letshwao la tekano.

equator (n), ekhweita; mogarafatshe.

erase (v), tšhwimola; phimola.

erect (v), tlhoma; agelela; aga.

erosion (n), kgogolego.

err (v), fosa; tlaila; atlafa.

error (n), phoso, diphoso.

erupt (v), phatloga; phanyega.

escape (v), sia; sutlha; falola.

escort (n), motlhwatlhwaetsi, batlhwatlhwaetsi; modisi, badisi.

essence (n), palodisi, dipalodisi (flavouring); boleng (eg religion).

essential (a), tlhokega(ng).

establish (v), tlhoma; setlela.

esteem (v), tlotla.

estuary (n), kgwelo, dikgwelo.

et cetera, jalojalo.

etc. (et cetera), jj. (jalojalo).

eternal (a), sa khutleng.

etiquette (n), etikete, dietikete; maitseo.

euphorbia (n), monkgopho, menkgopho.

evangelist (n), moefanggele, baefanggele.

evaporate (v), mowafala; kgala.

even (a), borethe; lekalekane.

evening (n), maitseboa; maabanyane; maitsiboa.

event (n), tiragalo, ditiragalo; ntlha, dintlha (item).
ever (adv), ka metlha; ruri.
evergreen (a), talafaletseng ruri.
everlasting (a), bosakhutleng, la leruri.
every (a), -tlhe.
evidence (n), bopaki; bosupi.
evil (n), boleo; bosula; botobi.
exaggerate (v), feteletsa; gobeletsa.
exalt (v), tlotlomatsa.
examination (n), tlhatlhobo, ditlhatlhobo.
examine (v), tlhatlhoba; sekaseka.
example (n), sekao, dikao; sekai; dikai; motlhala, metlhala.
excavate (v), epa.
exceed (v), gaisa; feta; fetelela.
excel (v), phala.
except (prep), fa e se, kwa ntle ga.
excite (v), tsikitla; gakatsa; tlhagafatsa.
exclaim (v), tsibosa.
exclude (v), tlogela; tlhotlholola.
excommunicate (v), kgaola.
excreta (n), lesepa, masepa; mantle.
excuse (v), tshwarela; golola; itshwarela.
excuse (n), seipato, diipato; tshwarelo.
execute (v), diragatsa; bolaya (death).
exercise (n), katiso, dikatiso; thutiso, dithutiso.
exhibit (v), bontsha; supetsa.
exhibition (n), pontsho, dipontsho; tshupetso, ditshupetso.
exile (n), tshedisomelelwane (banishment); motshediswamelelwane (person).

exile (v), tshedisa melelwane.
existence (n), boleyo, boteng.
expand (v), katologa; ngangabolola.
expect (v), solofela; lebelela.
expectorate (v), kgwa.
expedient (a), tshwanetse(ng); tlhomame(ng).
expel (v), belesetsa; koba; leleka; ntsha.
expenses (n), tshenyegelo, ditshenyegelo.
expensive (a), tura(ng); theko e e godimo.
expert (n), moitseanape; baitseanape; setswerere, ditswerere.
explain (v), tlhalosa; ranola.
explanation (n), tlhaloso, ditlhaloso; thanolo, dithanolo.
explode (v), thunya.
explore (v), utulola; tlhotlhomisa.
exports (n), seyantle, diyantle; kisontle, dikisontle; seromelwantle, diromelwantle.
expose (v), senola; senoga; tlhagisa; bontsha.
extend (v), atolosa; oketsa; katolosa; lelefatsa.
exterior (n), bokwantle; bokantle.
exterminate (v), fedisa; nyeletsa.
extinguish (v), tima.
extravagance (n), bofafalele.
extravagant (a), bofafalele.
exude (v), nya; nyele.
eye (n), leitlho, matlho.
eyebrow (n), losi, dintshi; letshitshi, matshitshi; pupu, dipupu.
eyelash (n), ntshi, dintshi.
eyelid (n), losi, dintshi.
eye-witness (n), paki, dipaki; mmoni, baboni.

F

fable (n), naane, dinaane; leinane, mainane.
face (n), sefatlhego, difatlhego.
face (v), leba; lebagana.
fact (n), lebaka, mabaka; nnete; ntlha, dintlha.
factory (n), faboriki, difaboriki; feketori, difeketori.
fade (v), thunya, tswapoga.
faeces (n), lentle, mantle.
fail (v), palelwa; retelelwa.
failure (n), go palelwa; tlholo, ditlholo.
faint (v), idibala.
fainting-fit (n), kidibalo; maibi.
fair (a), iteka, itekanetse(ng); -ntle; lebega; tolamo (justice).
faith (n), tumelo, ditumelo; boikanyo.
faithful (a), ikanyega(ng); tshepega(ng).
fake (v), tsietsa.
fall (v), wa; wela fatshe (fall down).
false (a), tsietsa(ng); seng nnete; (ya) kako.
falsehood (n), maaka; tsietso, ditsietso.
fame (n), tumo; tlotlo.
family (n), lelapa, malapa; balelapa; losika.
famine (n), leuba; tlala; lešekere.
famous (a), itsege(ng); tumile(ng).
fang (n), lebolai, mabolai; leino, meno.
far (adv), kgakala; kgole; gole.
farewell , tsamaya sentle.
farm (n), polasa, dipolasa.
farmer (n), molemirui, balemirui; morui, barui; rapolasa, borapolasa.
fast (a), bonako; lebelo, mabelo (lobelo).
fast (v), itima dijo.
fasten (v), bofa; golega; bofelela.

fat (n), mafura.
fat (a), nonne(ng); akotseng.
fate (n), tlholelo.
father (n), ntate, bontate; rra, borra.
father-in-law (n), rats(w)ale, borats(w)ale.
fatigue (n), tapo, letsapa, matsapa; tapisego, ditapisego.
fault (n), phoso, diphoso; tlhaelo, ditlhaelo; molato, melato.
fauna (n), ditshedi.
favour (n), molemo, melemo; tumelano; ditumelano.
favourite (n), seratwa, diratwa.
fear (v), poifo, dipoifo; letshogo, matshogo.
feast (n), moletlo, meletlo; mokete, mekete; modiro, mediro.
feather (n), lefofa, mafofa; lofofa, diphofa.
February (n), Tlhakole.
feeble (a), bogatlapa.
feed (v), jesa; fepa; otla (animals).
feel (v), utlwa, ama; eletsa (feel like doing something).
feint (v), gomisa; oma.
female (n), mosadi, basadi; -namagadi; tshegadi.
fence (n), legora, magora; terata, diterata; logora, dikgora.
ferment (v), bela, bedisa.
fern (n), patadikgagane, dipatadikgagane; phogwana, diphogwana.
fertile (a), nonne(ng).
fertilisation (n), nontsho; dinontsho.
fertilise (v), nontsha, ungwisa; gwela.
fertiliser (n), monontsha, menontsha; motshotelo, metshotelo.
fester (v), phera; tutela.

festival (n), moletlo, meletlo;
mokete, mekete.
fetch (v), tsaya; lata; tlisa.
fever (n), letshoroma; mogote.
few (a), -nnye; se kae; mmalwa.
fibre (n), tlhale, ditlhale; togwa,
ditogwa.
fidelity (n), boikanyego.
fierce (a), bogale; tshabega(ng);
boitshegang.
fifteen (num), sometlhano.
fifty (num), somamatlhano,
somaamatlhano.
fig (n), feie, difeie.
fig (tree) (n), mofeie, mefeie.
fight (v), lwa, tlhabana.
fight (n), ntwa, dintwa.
figure (n), tlhakapalo, ditlhakapalo
(number).
file (v), faela (ledger); feila
(mechanic).
file (n), faele, difaele (ledger); feile,
difeile (tool).
fill (v), tlatsa; tshela.
filter (v), tlhotlha; minya.
filter (n), motlhotlho, metlhotlho.
fin (n), lefafa, mafafa.
find (v), bona; fitlhela.
fine (v), otlhaya; lefisa; duedisa.
finger (smallest) (n), monnyennye,
mennyennye; potsana,
dipotsana.
finger (n), monwana, menwana;
mono, meno.
finger (index) (n), tshupabaloi,
ditshupabaloi.
finger-nail (n), lonala, dinala.
finger-print (n), kgatisomono,
dikgatisomono.
finish (v), fetsa.
fire (n), molelo, melelo.
fire (v), gotsa; gotetsa; tshuba.
firefly (n), tshikanokana,
ditshikanokana.
fireplace (n), leiso, maiso; sebeso,
dibeso.

firewood (n), kgong, dikgong;
legong, magong.
firm (a), tsetsepetse(ng);
tlhomame(ng).
firm (n), feme, difeme.
firmament (n), leapi, loapi;
legodimo, magodimo.
first (a), ntlha; pele.
first-born (n), leitibolo, maitibolo;
motsalwapele, batsalwapele.
fish (n), tlhapi, ditlhapi.
fish (v), tshwara ditlhapi.
fish-hook (n), huku, dihuku.
fishmoth (n), motoutwane.
fist (n), lebole, mabole; letswele,
matswele.
fit (v), lekanya.
five (num), -tlhano.
fizz (v), šašanyega.
flag (n), folaga, difolaga.
flake (n), lekakaba, makakaba.
flame (n), kgabo, dikgabo.
flamingo (n), tlhotlhomenyo,
ditlhotlhomenyo.
flannel (n), folene.
flash (v), tsekedima; benya.
flat (a), -phaphathi; sematla;
bopapi; papetla.
flatter (v), foraforetsa; latswa ka
leleme.
flavour (v), tswaisa.
flea (n), letsetse, matsetse.
fledgling (n), lemphorwana,
mamphorwana.
flee (v), sia, tshaba.
flesh (n), bojeo, nama.
flicker (v), nyedima; tsabakela.
flimsy (a), -sesane; botsatsa.
float (v), kokobala.
floating rib (n), thupa, dithupa.
flock (n), motlhape, metlhape;
letsomane, matsomane.
flog (v), betsa; setla; gotlha.
flood (n), morwalela, merwalela.
flora (n), dimedi.
flour (n), bupi (jwa borotho); boupe

(jwa borotho); folouru.

flow (v), elela.

flower (v), thunya.

flower (n), sethunya, dithunya; tšhese, ditšhese.

flu (n), mofitlhwane; mokgotlhwane.

fluent (a), bokgeleke; thelelo.

fluffy (a), maboanyana; botsatsa.

fluid (n), seela, diela; seedi, diedi.

flute (n), fulutu, difulutu; phala, diphala.

flutter (n), go phaphasela.

fly (v), fofa, fofisa.

fly (n), ntsi, dintsi.

flying-ant (n), kokobele, dikokobele.

foal (n), petsana, dipetsana.

foe (n), mmaba, baba.

foetus (n), namane, dinamane; motswateng, metswateng (dead animal).

fog (n), mouwane, meuwane.

fold (v), mena.

folklore (n), ditso.

follow (v), latela; sala morago.

follower (n), molatedi, balatedi.

folly (n), bosilo; boelele; bomatla.

foment (v), thoba.

food (n), sejo, dijo; dikapeo; dijewa.

fool (n), seelele, dielele; lesilo, masilo.

foolishness (n), bosilo.

foot (n), lonao, dinao (human); futu, kgato (measure), difutu, dikgato.

football (n), kgwele ya maoto/ dinao.

footstep (n), kgato, dikgato.

forbid (v), iletsa, itsa.

force (n), thata, dithata.

force (v), pateletsa; gapeletsa.

ford (n), letsibogo; ledibogo, madibogo.

forearm (n), mokgono, mekgono.

forehead (n), phatla, diphatla.

foreman (n), foromane, diforomane.

forest (n), sekgwa, dikgwa.

foretell (v), bolelela pele.

forever (adv), go ya go ile.

forge (v), thula (metal); utswa ka leina.

forget (v), lebala.

forgive (v), tshwarela; intshwarela.

forgiveness (n), boitshwarelo.

fork (n), foroko, diforoko.

form (n), sebopego, dibopego (shape); foromo, diforomo (schedule).

fornication (n), bootswa, boaka.

forsake (v), tlogela.

fort (n), ntlophemelo, dintlophemelo; kagophemelo, dikagophemelo.

fortitude (n), bonatla.

fortnight (n), bekepedi.

fortunate (a), !esego; sego.

fortune (n), lesego, masego; letlotlo, matlotlo; letlhogonolo, matlhogonolo.

forty (num), somamane; somaamane.

forward (adv), pele, kwa pele.

fountain (n), sediba, didiba; motswedi, metswedi.

four (num), -ne.

fourteen (num), somenne.

fowl (n), kgogo, dikgogo; koko, dikoko.

fraction (n), palophatlo (arith); karolwana (part), dikarolwana.

fracture (v), robega.

fragment (n), kabetla, dikabetla; kapetla, dikapetla.

fragrance (n), monko; lenko.

fraud (n), tsietso.

free (v), golola; lokolola.

free (a), gololesegile(ng).

freedom (n), kgololesego.

freeze (v), gatsela.

freezing point (n), boswakgapetla.
fret (v), tshwenyega.
Friday (n), Labotlhano.
friend (n), tsala, ditsala;
  mokaulengwe, bakaulengwe.
friendship (n), botsalano.
frighten (v), tshosa, boifisa.
frog (n), segwagwa, digwagwa;
  segogwane, digogwane.
frog-spawn (n), botsae jwa
  segwagwa.
front (a), pele.
frost (n), segagane; serame.
frostbite (n), tlhabilwe ke phefo.
froth (n), phophoma.
froth (n), lefulo, mafulo; lephoko,
  maphoko.
frown (v), sosobanya sefatlhego.
fruit (n), leungo, maungo; kungwa,
  dikungwa.

frustrate (v), bolaisa pelo.
fry (v), gadika.
fuel (n), dituki; dibeso; mafura.
full (a), tletse(ng).
full stop (n), khutlo, dikhutlo.
fumble (v), pholetha.
fumigate (v), kubetsa.
funeral (n), poloko, dipoloko;
  phitlho, diphitlho.
fungus (n), kuamesi, bokuamesi;
  mothuthuntshwane,
  methuthuntshwane.
funnel (n), fanele, difanele;
  setshedi, ditshedi.
fur (n), bowa.
furniture (n), fenitšhara.
furrow (n), foro, diforo; mosele,
  mesele.
fury (n), kgalefo; kgakalo.
future (n), isago; isagwe.

G

gadfly (n), seboba, diboba.
gag (v), didimatsa.
gain (n), poelo, dipoelo.
gain (v), boelwa.
gale (n), ledimo, madimo; dintelo.
gall (n), santlhoko; gaumakwe;
  seumakeng; gala.
gall bladder (n), santlhoko.
gallon (n), gelone, digelone.
gallop (v), potokela;
  pharatlhatlhanya.
gamble (v), leka lesego;
  itekolesego; kempola.
gambol (v), paraganya.
game (n), motshameko,
  metshameko.
gamete (n), kamete, dikamete.
gaol (n), kgolegelo, dikgolegelo;
  toronko, ditoronko.
gap (n), lesoba, masoba; phatlha,
  diphatlha; sebakana; dibakana

(in time).
gape (v), aboga.
garage (n), karatšhe, dikaratšhe.
garden (n), tshingwana,
  ditshingwana; segotlo, digotlo;
  tone, ditone.
gargle (v), itshukula; gagasetsa;
  kgorotlha.
garnishee order (n), taolo ya
  kgapelo; ditaolo tsa kgapelo.
gas (n), gase, digase.
gasp (v), fegelwa; felelwa ke
  mowa.
gastric juice (n), matute a mogodu.
gate (n), setswalo, ditswalo; heke,
  diheke.
gather (v), kgobokanya.
gathering (n), phuthego;
  kgobokano; kopano.
gaze (v), leba; kala; leba kwa ntle
  ga go bonyabonya.

gem (n), sebenya; dibenya.
gender (n), bong.
generous (a), pelo, pelotshweu; batho.
gentleman (n), ntate, bontate; rra, borra.
germ (n), lemedi, mamedi; twatsi, ditwatsi; mogare, megare.
germination (n), go mela; go tlhoga.
get (v), bona.
ghastly (a), boifisa(ng); tshosa(ng).
ghost (n), sepoko, dipoko; sedimo, didimo; sethotsela, dithotsela.
giddiness (n), sedidi; modikologo.
giddy (a), tsewa ke sedidi.
gift (n), mpho, dimpho (party); neo, dineo (talent).
gifted (a), nang le ditalente.
giggle (v), tshega.
gill (n), kgwafotlhapi, dikgwafotlhapi.
gimlet (n), boroseatla, diboroseatla.
ginger (n), gemere.
giraffe (n), thutlwa, dithutlwa.
girdle (n), lebanta la letheka, mabanta a letheka; moikgatlho, meikgatlho; seikgatlho, diikgatlho.
girl (n), lekgarebe, makgarebe; morweetsana, barweetsana; mosetsana, basetsana; ngwanyana, banyana.
give (v), fa; naya.
gizzard (n), jelo, dijelo.
glad (a), itumetse; thabile; ipela.
gladiolus (n), ledi sekasabele.
glance (v), okomela; gebenya.
gland (n), kgeleswa, dikgeleswa.
glass (n), galase, digalase.
gleam (v), phatsima; galalela.
glide (v), phaphalala; phaphamala; rakalala.
glitter (v), phatsima.
globe (earth) (n), kgolokwe ya lefatshe.
glow (v), galalela; phatsima.
glue (n), sekgomaretsi, dikgomaretsi; tleluu; ditleluu.
glue (v), kgomaretsa; mamaretsa.
gnash (v), phuranya meno; huranya.
gnaw (v), gabura; ngena; keketa; konota.
go (v), ya; tsamaya.
goat (n), podi, dipodi (domestic).
god (n), modimo, medimo.
God (n), Modimo.
goitre (n), bohutaboswa; koitere, dikoitere.
gold (n), gouta, digouta.
gone (v), tsamaile.
good (a), -ntle; siame; molemo.
good bye, sala sentle; tsamaya sentle.
goods (n), dithoto; dilo; diphatlo.
goose (n), leganse, maganse; ganse, diganse.
gooseberry (n), kusuberi, dikusuberi; thamme.
gossip (v), seba.
govern (v), busa; laola.
government (n), mmuso, mebuso; puso, dipuso.
gradually (adv), ka boiketlo.
graft (v), enta; tsetlela.
graft (n), kento, dikento; tsetlelo, ditsetlelo.
grammar (n), thutapuo; kerama.
granadilla (n), keranadila; dikeranadila.
granary (n), sefala, difala.
grandchild (n), setlogolo, ditlogolo.
grandfather (n), ntatemogolo, bontatemogolo; rremogolo, borremogolo.
grape (n), terebe, diterebe; morara, merara.
grasp (v), phamola; tlamparela (physically); tlhaloganya (mentally).

grass (n), bojang, majang; tlhaga, ditlhaga.
grasshopper (n), tsie, ditsie.
grate (v), gotlha.
gratitude (n), tebogo, ditebogo.
grave (n), lebitla, mabitla; phuphu, diphuphu.
gravel (n), lekgwara; kerabole; kgwarapana; lesala, masala.
gravy (n), moro.
grease (n), kirisi, dikirisi; mafura.
great (a), -golo.
greedy (a), megagaru; pelotshetlha; bogaladi.
green (a), -tala.
greet (v), dumedisa.
grey (a), -webu; -kotswana; -butswa; -bududu.
grief (n), khutsafalo, dikhutsafalo; kutlobotlhoko, dikutlobotlhoko.
grievance (n), ngongorego, dingongorego; tshele, ditshele.
grime (n), maswe.
grin (v), šena meno.
grind (v), sila.
Griqua (n), Lesetedi, Masetedi.
groan (v), duma; ona.
groin (n), lengamu, mangamu; lengami, mangami.
groove (n), mosetlho, mesetlho; moseto.
grope (v), fophola.
ground (n), fatshe (on the ground); lebala (open ground); mmu (substance).
ground (grind) (a), sitswe(ng).
group (n), setlhopha, ditlhopha;

lesomo, masomo.
grove (trees) (n), sekgwana, dikgwana.
grow (v), mela, gola.
growl (v), bobora; kurutla.
grudge (n), kilo, dikilo; tshele, ditshele.
gruff (a), makgakga; magwagwa; bogale.
grumble (v), ngongorega; ngunanguna; khutsa.
guard (v), tlhokomela; disa.
guard (n), modisa, badisa; molebeledi, balebeledi.
guardian (n), motlamedi, batlamedi; motlhokomedi, batlhokomedi.
guess (n), abelela; fopholetsa.
guest (n), moeti, baeti; moeng, baeng; molalediwa, balalediwa.
guide (v), kaela.
guilt (n), molato, melato.
guilty (found) (v), molato.
guilty (found not) (v), se na(ng) molato.
guilty (plead) (v), ipona molato.
guilty (plead not) (v), se na molato.
guinea fowl (n), kgaka, dikgaka.
guitar (n), katara, dikatara.
gullet (n), mometso, memetso.
gum (n), lerinini, marinini.
gun (n), tlhobolo, ditlhobolo.
gunpowder (n), mosidi wa tlhobolo.
gut (n), terata, diterata.
gutter (n), mokoro, mekoro; mosele, mesele.

H

habit (n), temalo, ditemalo; tlwaelo, ditlwaelo; mokgwa, mekgwa.
habitually (adv), ka temalo, ka

tlwaelo.
haemoglobin (n), sehibitsi; himotlelobini.
haemorrhage (n), go dutla madi;

himoreje.
hail (n), sefako; letlhaku.
hailstone (n), sefako, difako.
hailstorm (n), sefefo sa sefako; difefo tsa sefako.
hair (n), moriri, meriri (human); bobowa, mabowa (animal).
hairbrush (n), borosolo ya moriri, diborosolo tsa moriri.
haircut (n), mopomo, mmeolo.
hairy (a), marukhwi; boboa.
half (n), halofo, dihalofo; sephatlo, diphatlo.
half an hour (n), halofo ya ura.
hall (n), holo, diholo; ntlolehalahala, dintlolehalahala.
halt (v), ema; emisa.
halve (v), halofa; fokotsa ka bogare.
hamerkop (n), mmamasiloanoka, bommamasiloanoka.
hammer (n), noto, dinoto; hamore, dihamore.
hand (n), seatla, diatla; left hand seatla sa molema; right hand — seatla sa moja.
handcuff (n), hakaboi, dihakaboi.
handkerchief (n), sebeko, dibeko; sakatuku, disakatuku.
handle (v), tshwara, tshola.
handle (n), mofinyana, mefinyana; molepo, melepo.
handsome (a), -ntle, lebegang.
handwork (n), tiro ya diatla, ditiro tsa diatla.
handwriting (n), monwana, menwana; mokwalo, mekwalo.
hang (v), pega; kaletsa; lepeletsa.
happen (v), diragala; direga; dirafala.
happening (n), tiragalo, ditiragalo.
happiness (n), boitumelo; lesego.
happy (a), itumetse; thabile.
harbour (n), boemakepe, maemakepe.
hard (a), thata; popota.

hardship (n), mathata; matlhoko.
hardware (n), letshipi, matshipi.
hare (n), mmutla, mebutla.
hare-lip (n), poummutla, dipoummutla.
hark (v), utlwa, reetsa.
harlot (n), seaka, diaka; seotswa, diotswa.
harm (n), tshenyo, go senya.
harm (v), senya.
harmful (a), kotsi; senya(ng).
harmless (a), seng kotsi.
harmony (n), kutlwano.
harness (n), ditweega.
harness (v), golega; pana.
harrow (v), ega.
harrow (n), ege, diege.
harshly (adv), pelothata, bogale.
harvest (v), kotula; roba; sega.
harvest (n), kotulo, dikotulo; thobo, dithobo.
hasten (v), akofa, potlaka; itlhaganela.
hasty (a), potlakile(ng).
hat (n), hutshe, dihutshe; tlhoro, ditlhoro; kuane, dikuane.
hate (v), tlhoa; ila.
hateful (a), ilegang, bosula.
hatred (n), letlhoo; kilo.
haughty (a), boikgodiso.
hawk (n), segodi, digodi; phakalane, diphakalane; phakwe, diphakwe.
haze (n), mouwane.
he (prn), o; ena; ene.
head (n), tlhogo, ditlhogo; moeteledipele, baeteledipele (leader).
headache (n), opiwa ke tlhogo; go otšwa ke tlhogo.
heading (n), setlhogo, ditlhogo.
headman (n), kgosana, dikgosana.
headquarters (n), mošate, mešate.
heal (v), fodisa; fola; alafa.
health (n), boitekanelo.
healthy (a), itekanetse(ng);

nonofile(ng).
heap (n), mokgobu, mekgobu;
thothobolo, dithothobolo.
heap (v), kgobela; koloanya.
hear (v), utlwa; reetsa.
hearsay (n), magatwe.
heart (n), pelo, dipelo.
heart-beat (n), go uba ga pelo.
heartburn (n), lesokolela.
hearth (n), leiso, maiso.
heart-shaped (a), sepelo; jaaka
pelo.
heat (n), mogote; bollo.
heathen (n), moheitene, baheitene.
heaven (n), legodimo.
heavy (a), boima; bokete (rel).
hedge (n), legora, magora; logora,
dikgora.
heed (v), reetsa.
heel (n), serethe, direthe; mokobe,
mekobe.
heifer (n), moroba, meroba.
height (n), bogodimo.
heir (n), mojaboswa; bajaboswa.
hell (n), dihele; bobipo.
help (v), thusa.
helpful (a), thusa(ng).
hem (n), lemeno, mameno;
momeno, memeno.
hen (n), kgogo/koko (e tshegadi),
dikgogo/dikoko (tse ditshegadi).
her (prn), ena; ene; gagwe.
herb (n), setlama, ditlama;
setlhatshana, ditlhatshana.
herbalist (n), raditlama,
boraditlama; ngaka, dingaka.
herd (n), motlhape, metlhape.
herd (v), disa.
herd-boy (n), modisa, badisa.
here (adv), fa; kwano.
hereafter (adv), morago ga foo.
heredity (n), kgotso, dikgotso.
heritage (n), boswa.
hernia (n), letlere, matlere.
hero (n), mogale, bagale; mogaka,
bagaka; seganka, diganka.

heron (n), mogolodi, megolodi;
kokolohutwe, bokokolohutwe.
hesitate (v), okaoka; dikadika;
diega; kabakanya.
hiccup (n), kgodisa, dikgodisa.
hidden (a), sujwa(ng).
hide (n), letlalo, matlalo.
hide (v), fitlha; iphitlha.
high (a), godimo; kwa godimo.
highveld (n), nagadimo.
highway (n), tselakgolo,
ditselakgolo.
hill (n), lekgabana, makgabana;
thabana, dithabana.
hillside (n), mfapha, mefapha;
mhapa, mefapa.
hinder (v), kgoreletsa; fera;
tshweka.
hindrance (n), kgoreletso,
dikgoreletso.
hinge (n), sekaniri, dikaniri.
hip (n), noka, dinoka; mankopa.
hip-bone (n), lerapo la noka,
marapo a noka.
hippopotamus (n), kubu, dikubu.
hire (v), hira; thapa.
hiss (v), suma; tšhirimela.
history (n), hisetori; ditiragalo.
hit (v), kitla; betsa; thula; itaya.
hoarse (a), magogoša;
magweregwere.
hobble (v), kobela; tlhotsa.
hoe (n), mogoma, megoma;
petlwana, dipetlwana.
hoist (v), tsholetsa.
hold (v), tshwara.
hole (n), mosima, mesima; khuti,
dikhuti; phatlha, diphatlha.
holiday (n), boikhutso.
hollow (n), khuti, sehuti, dikhuti.
holy (a), boitshepo; itshepileng.
home (n), legae, magae; lelapa,
malapa.
hone (v), lootsa.
honest (a), ikanyegang; boikanyo.
honesty (n), boikanyo; boikanyego.

honey (n), tswina; tswine; dinotshe.
honeycomb (n), lemepe, mamepe.
honour (n), tlotlo; tlotlego.
hoof (n), tlhako, ditlhako.
hook (v), kgwagetsa; kgogetsa.
hook (n), sekgwage, dikgwage.
hooliganism (n), borukutlhi.
hop (v), tlolatlola; pharuma; kopa.
hope (n), tsholofelo, ditsholofelo.
horizon (n), khutlopono (fa kgaleng); dikhutlopono.
horn (n), lonaka, dinaka; lenaka, manaka; phala, diphala (bugle).
hornet (n), moruthwane, meruthwane; mofu, mefu.
horse (n), pitse, dipitse.
horseshoe (n), sesiratlhako, disiratlhako; tlhakoyapitse, ditlhakotsapitse.
hose (n), lethopo, mathopo; lethompo, mathompo.
hospital (n), sepetlele, dipetlele; bookelo, maokelo; kokelo, dikokelo.
host (n), mong-gae, beng-gae.
hostel (n), hosetele, dihosetele.
hot (a), bolelo.
hotel (n), hotele, dihotele.
Hottentot (n), Mokgothu, Bakgothu.
hour (n), ura, diura; iri, diiri.
house (n), ntlo, dintlo, matlo.
housebreaker (n), mothubi, bathubi.
housewife (n), mmalapa, bommalapa.
hovel (n), motlhatlhana, metlhatlhana; mokhukhu, mekhukhu.
how? (adv), jang?
howl (v), goa; kua; bokolela.
human (n), motho, batho.
humane (a), setho; botho.
humble (a), bonolo; boikokobetso.
humid (a), bongola.
humiliate (v), nyatsa.
humility (n), boikokobetso.
humus (n), humase.
hunchback (n), thotane, dithotane.
hundred (num), lekgolo.
hunger (n), tlala; lelese; lolese.
hungry (a), tshwerwe(ng) ke tlala; gabagabega.
hunt (v), tsoma.
hunter (n), motsomi, batsomi.
hurricane (n), dintelo; ledimo, madimo; kgwanyape, bokgwanyape.
hurry (v), potlaka.
hurt (v), gobatsa; khutla; bolaya.
husband (n), mogatsa, bomogatsa.
husk (n), kokola, dikokola; photla, diphotla.
hyaena (n), phiri, diphiri.
hygiene (n), boitekanelo.
hymn (n), sefela, difela; kopelo, dikopelo.
hypnotize (v), tlwaetsa; tshwara.
hypocrite (n), moitimokanyi, baitimokanyi.
hysterics (n), mafofonyane.

I

ice (n), dikgapetla.
ice-cream (n), bebetsididi, dibebetsididi; aesekerime, diaesekerime.
idea (n), kgopolo, dikgopolo.
ideal (n), maikaelelo.
identity (n), tlhaolo.
idiom (n), leele, maele.
idiot (n), eyethe, boeyethe; semaumau, dimaumau.

idle (a), sa direng.
idol (n), modingwana; seseto, diseto.
if (conj), fa; ga.
ignite (v), gotetsa, gotsa.
ignorance (n), botlhokakitso.
ignore (v), tlhokomologa; kgathologa; go tlhodisa matlho.
ill (a), fokola, lwala.
illegal (a), seng ka fa molaong.
illegitimate child (n), ngwana wa dikgora, bana ba dikgora.
illiterate (a), sa itseng go buisa; tlhogotala.
illness (n), bolwetse, malwetse; botlhoko.
ill-treat (v), kgokgontsha.
illuminate (v), sedifatsa.
illustrate (v), tsenya tshwantsho; kaya; tlhalosa ka dikao; tshwantsha.
image (n), setshwantsho, ditshwantsho.
imagine (v), itlhoma; gopola; akanya.
imbecile (n), semaumau, dimaumau; setlaela, ditlaela.
imitate (v), etsa.
imitation (n), ketso, diketso.
immerse (v), ina, nwetsa.
immoral (a), bosenabotho; bosaboleng.
immune (a), sontile; soutile.
immunise (v), tlhabela; soutisa; sontisa.
impatient (a), fela(ng) pelo; tlhwaatlhwaega.
impeccable (a), se nang phoso/ bokoa.
impede (v), kgoreletsa.
imperfect (a), sa phepafalang/ tlalang/phethagalang.
impertinence (n), bodipa; matepe; boikgogomoso.
implement (v), diragatsa.
impolite (a), se nang maitseo.

important (a), botlhokwa; tlhokegang.
imports (n), seraopo, diraopo.
impoverish (v), didisa.
improper (a), molema.
improve (v), tokafatsa; tlhabolola.
in (prep), ka; mo.
inaccurate (a), mafosi.
inanimate (a), sa tsheleng.
inaudible (a), sa utlwagalang.
inborn (a), neilweng ka tsalo.
inch (n), intshe; diintshe; noko, dinoko.
incise (v), phatsa; tshekgenya.
income (n), lotseno.
incomplete (a), sa fediwang.
incorrect (a), sa nepagalang; phoso.
increase (n), koketso, dikoketso; kokeletso, dikokeletso.
increase (v), oketsega; oketsa; okeletsa.
increment (n), kokeletso, dikokeletso.
incubate (v), elama; thuthusa.
incurable (a), seemera, diemera.
indeed (adv), tota; ka matota; ammaaruri.
independent (a), ipusa(ng); ikemetse(ng); kemonosi.
indestructible (a), se nang go senyega/thubega.
Indian (n), Moagi wa Intia, Baagi ba Intia; Mointia, Baintia.
indigenous (a), tlholegileng (mo).
indigestion (n), pipelo; mogošane.
indolent (a), botshwakga; bokaka.
industrious (a), dirang thata; senatla, dinatla (rel); mafolofolo.
infancy (n), bongwana.
infant (n), ngwanyana, banyana; lesea, masea.
infect (v), tshela; fetetsa; tshelana.
infection (n), tshelo; kgotelo.
infectious (a), tshelwang; fetelang.
inflamed (a), gotetse(ng).

inflate (v), budulela, pompa.
influence (n), tlhotlheletso, ditlhotlheletso; phokelelo, diphokelelo.
influenza (n), letshoroma.
influx control (n), taolo ya thologelo.
informer (n), molomatsebe, balomatsebe; mmegi, babegi.
infuriate (v), galetsha, šakgatsha.
ingratitude (n), go tlhoka tebogo.
inhale (v), ngaba (smoke); hema (to inhale).
inherit (v), ja boswa; gotsa.
inheritance (n), boswa.
inject (v), tlhaba (ka lemao).
injection (n), lemao, mamao; lomao, dimao.
injure (v), khutla; gobatsa; bolaya.
injury (n), kgobalo, dikgobalo; khutlego, dikhutlego; ntho, dintho.
ink (n), enke, dienke.
inland (n), nagagare.
innocent (a), se nang molato.
inoculate (v), enta, kenta.
inoculation (n), moento, meento, kento, dikento.
inquire (v), botsa.
inquiry (n), potso, dipotso.
inquisitive (a), šwegašwega(ng).
insane (a), tsenwa; sematla.
insanity (n), botseno, botsenwa.
insect (n), tshenekegi, ditshenekegi.
inside (adv), teng, ka fa teng, mo teng.
insist (v), kgotlhelela; gatelela; tswetelela.
insolence (n), makgakga.
insomnia (n), tlhobaelo, ditlhobaelo.
inspan (v), golega; pana.
inspect (v), tlhatlhoba.
inspector (n), motlhatlhobi, batlhatlhobi.

instantly (adv), ka bonako; ka pong/ponyo ya leitlho.
instinct (n), setlhago, ditlhago.
institute (n), setheo, ditheo; mokgatlho, mekgatlho.
instruct (v), laela; kaela.
insubordination (n), lenyatso.
insult (v), tlhapatsa; tlhapa; roga.
integrity (n), thokgamo.
intelligent (a), botlhale; tlhogo.
intend (v), ikaelela.
intention (n), maikaelelo; boikemisetso, maikemisetso.
interchange (v), fapaanya.
interest (n), kgatlhego, dikgatlhego; tsalo, ditsalo; namane, dinamane (finance).
interior (n), bogare; leteng.
internal (a), selegae; mo gare; teng.
international (a), ditšhabatšhaba.
interpret (v), toloka, tlhalosa; tšhomolola.
interpreter (n), motoloki, batoloki; motšhomolodi, batšhomolodi.
interrogate (v), botsolotsa; kolotisa.
interrupt (v), tsena gare/ganong; kgomodisa; kgaolela.
interval (n), kgaotso, dikgaotso; sekgala, dikgala; ikhutso.
intestine (n), mala; mateng.
intoxicate (v), taga; tlhapela.
introduce (v), itsise; tlhagisa.
invade (v), tlhasela; tsenelela.
invalid (n), sekoa; segole, digole.
invent (v), tlhama; ribolola.
investigate (v), batlisisa; tlhotlhomisa.
invisible (a), sa bonaleng.
invitation (n), taletso, ditaletso.
invite (v), laletsa; mema.
iris (n), irisi, diirisi.
iron (n), tshipi, ditshipi (metal & appliance).
iron (v), sidila; aena.

iron ore (n), lerala; manyatshipi.
irony (n), kobiso.
irrigate (v), nosetsa.
island (n), setlhake, ditlhake;
  setlhaketlhake, ditlhaketlhake.

issue (v), tlhagisa; kologanya.
it (pron), ona, bona; tsone (etc) (see
  appendix II).
itch (v), baba; tlhotlhona.

J

jackal (n), phokojwe, bophokojwe.
jacket (n), baki, dibaki.
jail (n), teronko, diteronko;
  kgolego, dikgolego.
jam (n), jeme, dijeme.
January (n), Ferikgong; Janawari.
jaw (n), motlhagare; metlhagare;
  letlhaa, matlhaa.
jealous (a), lefufa; pelotshetlha;
  boulela(ng).
jealousy (n), lefufa; bopelotshetlha.
jeer (v), sotlha; nyatsa; tshega.
jelly (n), jeli.
jeopardise (v), pitlaganya;
  kgoreletsa.
jerk (v), thufula; kgotha; thankgola.
jersey (n), jesi; dijesi; jeresi,
  dijeresi.
Jesus (n), Jesu.
jewel (n), lebenya, mabenya.
jigger-flea (n), letsetse, matsetse.
jingle (v), tsirimana.
jingle (n), tsirimanya, ditsirimanya.

join (v), lomaganya; rokaganya
  clothes); momaganya.
joint (n), makopanelo; tokololo,
  ditokololo (anat).
joke (n), motlae, metlae.
joke (v), dira metlae; tlaela.
journey (n), leeto, maeto;
  mosepele, mesepele.
joy (n), boitumelo, boipelo.
judge (v), atlhola.
judge (n), moatlhodi, baatlhodi;
  mosekisi, basekisi.
judgment (n), katlholo, dikatlholo.
jug (n), jeke, dijeke.
jugular vein (n), setlisamadi sa
  molala.
July (n), Phukwi; Julae.
jump (v), tlola.
June (n), Seetebosigo; June.
jungle (n), sekgwa, dikgwa.
jury (n), juri, dijuri.
just (a), siame(ng).
justice (n), bosiamisi.

K

Kalahari (n), Kgalagadi.
karakul (n), karakule, dikarakule.
keep (v), tshola; rua.
kennel (n), ntlo ya ntšwa, dintlo tsa
  dintšwa.
kettle (n), ketlele, diketlele.
key (n), senotlolo, dinotlolo; khii,
  dikhii.
khakibos (n), galerale.

kick (v), raga.
kid (n), potsane, dipotsane.
kidnap (v), phamola.
kidney (n), philo, diphilo.
kill (v), bolaya.
kin (n), losika, lesika.
kind (a), pelonomi; molemo;
  pelontle.
kindle (v), tshuba; gotetsa.

kindness (n), bopelonomi; molemo; bopelontle.
king (n), kgosi, dikgosi; magosi.
kingdom (n), bogosi; mmuso.
kingfisher (n), seinodi, diinodi.
kinsman (n), wa losika, balosika.
kiss (v), atla, suna.
kitchen (n), boapeelo, maapeelo; khitshi, dikhitshi.
kitten (n), katsana, dikatsana.
kloof (n), kgophu, dikgophu; mogorogoro, megorogoro.
knead (v), duba.
knee (n), lengole, mangole.
kneecap (n), theledi, ditheledi.

knee-halter (n), kina.
kneel (v), khubama.
knife (n), thipa, dithipa.
knit (v), loga (ka mamao).
knock (v), kokota; kwanyakwanya; konyakonya.
knot (n), lehuto, mahuto; lefunelo, mafunelo.
know (v), itse.
knowledge (n), kitso.
knuckle (n), noko, dinoko.
kopje (n), thabana, dithabana; lekgabana, makgabana.
kraal (n), lesaka, masaka.
kudu (n), tholo, ditholo.

L

labour (n), tiro, ditiro.
labour (v), dira.
labourer (n), modiri, badiri.
lacerate (v), sega.
lachrymal gland (n), kgeleswakeledi, dikgeleswakeledi.
lack (v), tlhoka.
lactation (n), kamuso, dikamuso.
lactose (n), sukiri ya maswi.
ladder (n), llere, dillere.
laden (a), tletse.
lady (n), mohumagadi, bahumagadi; mma, bomma.
ladybird (n), podilenkgwana, bopodilenkgwana.
lag (v), salela.
lagoon (n), letshanatswai, matshanatswai.
lair (n), leobo, maobo; kutla, dikutla; tao, ditao.
lake (n), letsha, matsha.
lamb (n), kwanyana, dikwanyana.
lame (a), bogole, segole.
lament (n), dikhutsafalo.
lamp (n), lebone, mabone; lobone,

dipone.
land (v), kotama; tsurama.
land (n), lefatshe, mafatshe.
landdrost (n), magiseterata, bomagiseterata.
language (n), puo, dipuo; leleme, maleme; loleme, diteme.
lantern (n), lantere, dilantere.
lard (n), mafura a kolobe.
large (a), -golo.
larva (n), seboko, diboko.
larynx (n), kodu, dikodu.
lash (v), šapa; seola; thathaula.
lasting (a), tshwarelela(ng).
late (a), mosu (dead); morago ga nako (in time); thari.
latex (n), lebese, mašwi.
laugh (v), tshega.
laughter (n), setshego, ditshego.
lavatory (n), ntlwana, dintlwana; tleloso, ditleloso; boithomelo.
law (n), molao, melao.
lawful (a), semolao, ka molao.
lawn (n), llono, dillono.
lawyer (n), agente, diagente; mmueledi, babueledi.

laxative (n), mothubiso, methubiso.

lay (v), ala, deka (table); baya (eggs).

laziness (n), botswa; bobodu; botshwakga.

lazy (a), botswa; sebodu; dibodu.

lead (v), etelela pele; kaela.

lead (n), lloto; lerumo, marumo (metal).

leader (n), moeteledipele, baeteledipele; motshwarateu, batshwarateu.

leaf (n), letlhare, matlhare.

leaf stalk (n), lenono, manono.

leak (v), dutla; porotla.

lean (v), sekama.

leap (v), tloga, pharuma.

leap year (n), ngwagamoleele, dingwagamoleele.

learn (v), ithuta.

lease (v), hirisa, hira.

leather (n), letlalo.

leave (v), tloga; bolola; tlogela.

ledger (n), kwalelakgolo, dikwalelakgolo.

left (a), molema.

leg (n), leoto, maoto.

legally (adv), molaong, ka fa molaong.

lemon (n), ratsuru, boratsuru; suru, disuru.

lend (v), adima.

length (n), boleele.

leopard (n), nkwe, dinkwe.

leper (n), molepera, balepera.

leprosy (n), lepera.

less (a), -nnye.

lessen (v), fokotsa.

lesson (n), thuto, dithuto.

let (v), letlelela.

letter (n), lekwalo, makwalo; lokwalo, dikwalo; tlhaka, ditlhaka.

level (a), lekalekaneng.

level (n), baterepasa, dibaterepasa.

levy (v), kgethisa.

liar (n), moaki, baaki.

liberty (n), tokologo; kgololesego.

library (n), mabuka; laeborari, dilaeborari.

licence (n), laesense, dilaesense; lekwalotetla, makwalotetla.

licensee (n), motsholalaesense, batsholalaesense.

lick (v), latswa; lakaila.

lid (n), sekhurumelo, dikhurumelo; moritshana, meritshana.

lie (v), aka; aketsa (to tell); lala (lie down).

lie (n), kako, maaka.

life (n), botshelo, bophelo.

life history (n), hisetori ya botshelo.

lift (v), tsholetsa; kuka; tlhatlosa.

ligament (n), ntha, dintha; mosifa, mesifa.

light (v), bonesa.

light (n), lesedi, masedi; lebone, mabone.

lighthouse (n), ntlosedi, dintlosedi.

lightning (n), legadima, magadima; tladi, ditladi.

like (v), rata.

likeable (a), ratega(ng).

lily (n), mogaga, megaga; diledi.

limb (n), tokololo, ditokololo; mokgono, mekgono.

lime (n), kalaka; taka.

limestone (n), lentswe la taka.

limp (v), tlhotsa; kotsopetsa.

line (n), thapo, dithapo (rope); mothaladi, methaladi; mola, mela.

lion (n), tau, ditau.

lip (n), pounama, dipounama.

liquid (n), seedi, diedi; seela, diela.

liquor (n), tagi, ditagi; nno, dino.

list (n), lenane, manane.

listen (v), reetsa; obamela; utlwelela.

literature (n), dikwalwa.

little (a), -nnye.

live (v), tshela, phela.
liver (n), sebete, dibete.
lizard (n), mokgatitswane, mekgatitswane; mokgantsutswane, mekgantsutswane.
load (v), laisa; pega; belesa.
load (n), foraga, diforaga; morwalo, merwalo; mokgweleo, mekgweleo.
loaf (n), lofo, dilofo.
loathe (v), tlhoa, ila.
location (n), lefelo, mafelo (place).
lock (v), lotlela.
locust (n), tsie, ditsie.
locust bird (n), mogolodi, megolodi.
lodge appeal (v), dira boipiletso.
lodger (n), mokopaborobalo, bakopaborobalo; mohiri.
log (n), kota, dikota.
loin-cloth (n), motseto, metseto; seope, diope.
loins (n), letheka, matheka.
loiter (v), sasanka, ebaeba.
loneliness (n), bodutu.
long (v), tlhologelelwa; nyorelwa; tlhoafala.
long (a), -leele.
look (v), leba; lebega.
loop (v), gonela; okama.

loosen (v), repisa; funologa; bofologa; bofolola.
loot (n), dikgapo.
lose (v), latlhegelwa; fenngwa.
loud (a), kwa godimo.
louse (n), nta, dinta.
lovable (a), ratega(ng).
love (v), rata.
love (n), lorato.
lover (n), morati, barati.
low (a), tlase.
lower (v), isa tlase; korotla.
Lowveld (n), Nagatlase.
loyal (a), ikanyega(ng).
luck (n), lesego, masego; letlhogonolo, matlhogonolo.
lucky (a), nna le lesego; sego; lesego.
lukewarm (a), bothitho; boitseme; motlha.
lull (v), phophothela.
lullaby (n), kuruetso, dikuruetso.
lumbar region (n), boremamereng.
lump (n), lengothe, mangothe; lekote, makote; letlhole, matlhole.
lunatic (n), setlatla, ditlatla.
lung (n), lekgwafo, makgwafo.
lure (v), okisa.
lute (n), llute, dillute.

M

machine (n), motšhini, metšhini.
mad (a), tsenwa(ng).
madness (n), botsenwa; botseno.
maggot (n), seboko, diboko; bonyeunyeu.
magic (n), boloi.
magistrate (n), magiseterata, bomagiseterata.
magnet (n), makenete, dimakenete; segogedi, digogedi; kgogedi, dikgogedi.
magnetism (n), kgogedi; bomakenete.
maiden (n), morweetsana, barweetsana.
maim (v), golafatsa.
maintenance (n), tlhokomelo; tlamelo.
maize (n), mmopo, mmidi.
majority (n), bontsi.

make (v), dira.
malaria (n), malaria, letshoroma,
matshoroma; letadi, matadi.
male (a), monna; -tonanyana.
malt (n), momela.
mammal (n), seamusi, diamusi;
mmamala, bommamala.
man (n), monna, banna; monona,
banona.
mane (n), moetse; mariri.
manger (n), mokoro, mekoro;
bojelo.
mango (n), menku, dimenku.
manhood (n), bonna; bokau.
manly (a), bonna; boganka.
mantis (n), raseletswana,
boraseletswana.
manure (n), mosutele; motshotelo.
many (a), -ntsi.
map (n), mmapa, dimmapa.
March (n), Mopitlwe.
March (n), Mopitlwe; Matšhe.
mare (n), pitse e tshegadi, dipitse
tse ditshegadi; mmeri, dimmeri.
margin (n), morathothoko,
merathothoko.
mark (v), tshwaya.
mark (n), letshwao, matshwao;
maduo (marks).
market (n), mmaraka, mebaraka.
marriage (n), ler   'o, manyalo;
nyalo, dinyalo.
marrow (n), moko, meko.
marry (v), nyala; tsaya.
marsh (n), ditsobotla; motsitlana,
metsitlana.
marvellous (a), gakgamatsa(ng).
masculine (a), bongtona.
mason (n), rammeselane,
borammeselane.
massacre (v), ripitla; ganyaola;
gaila.
massage (v), sidila.
master (n), mothapi, bathapi;
mothati, bathati; mong, beng.
masticate (v), tlhafuna.

mat (n), legogo, magogo;
moseme, meseme.
match (n), kgaisano, dikgaisano.
match (v), tshwanalanya;
tshwantshanya; nyalanya.
matches (n), matlhokwa;
makgwaro.
matter (n), sere, dire (material);
kgang, dikgang (discussion).
mattress (n), materase,
dimaterase.
mature (a), godile; budule.
maximum (n), makesimamo;
botlalogolo.
May (n), Motsheganong; Mei.
maybe (adv), gongwe;
motlhamongwe.
mayor (n), meiyare, ramotse;
bomeiyare, boramotse.
me (pron), nna.
meal (n), dijo; bupe, boupe.
mean (v), kaya; raya.
meaning (n), bokao; tlhaloso,
ditlhaloso.
measles (n), mmoko; mmokwana.
measure (v), lekanya.
measure (n), selekanyo, dilekanyo;
tekanyo, ditekanyo.
meat (n), nama, dinama.
mechanic (n), makheneke,
bomakheneke; mothudi,
bathudi.
medal (n), metlele, dimetlele.
medical certificate (n), setifikeiti sa
bongaka.
medicine (n), molemo, melemo;
setlhare, ditlhare.
meek (a), boikokobetso; boingotlo.
meercat (n), mošwe, mešwe;
ramošwe, boramošwe.
meet (v), kopana le.
meeting (n), kopano, dikopano.
melody (n), molodi, melodi.
melt (v), gakologa, gakolosa.
member (n), tokololo, ditokololo;
sethwe, dithwe.

membrane (n), letha, matha; lera, mara.

memorial (n), segopotso, digopotso.

memory (n), kgakologelo; kgopolo; dikgopolo.

mend (v), baakanya.

merciful (a), kutlwelobotlhoko.

mercury (n), mekhuri.

mercy (n), bopelotlhomogi; boutlwelobotlhoko.

merit (n), tshwanelo, ditshwanelo.

mess (n), tlhakatlhakano; mmese dining-hall).

message (n), molaetsa, melaetsa.

messenger (n), morongwa, barongwa.

metal (n), metale; tshipi, ditshipi.

metamorphosis (n), phetaphetogo; metamofose.

method (n), mokgwa, mekgwa; tsela, ditsela.

microscope (n), maekorosekopo, dimaekorosekopo.

midday (n), sethoboloko (12 o' clock); motshegare.

midnight (n), bosigogare.

midwife (n), mmelegisi, babelegisi.

migrate (v), huduga, falala.

migration (n), khudugo.

migratory (a), fuduga(ng).

mild (a), bonolo.

mildew (n), mouta; mokobo, mekobo.

mile (n), mmaele, dimmaele.

milk (n), mašwi, lebese.

milk-pail (n), kgamelo ya mašwi, dikgamelo tsa mašwi; setlabane, ditlabane.

million (num), mileone, dimileone; sedikadikwe, didikadikwe.

millipede (n), sebokolodi, dibokolodi.

mimic (v), etsa.

mimosa (n), mookana, meokana.

mind (n), mogopolo, megopolo.

mine (n), moepo, meepo; morafo, merafo.

mine (pron), me; ka.

minimum (n), minimamo; palotlase; bobotlana.

minister (n), moruti, baruti (church); tona, ditona (cabinet).

minus (sign) (-) (n), letshwao la tloso.

minute (n), motsotso, metsotso.

minute (a), -nnye.

miracle (n), motlholo, metlholo; kgakgamatso, dikgakgamatso.

mirror (n), seipone, diipone.

misbehave (v), itshola bobe.

miscellaneous (a), tsele le tsele.

mischievous (a), bosenyi; tshwaratshwara.

misery (n), bohutsana; tshotlego, ditshotlego.

misfortune (n), madimabe.

mislead (v), faposa; tsietsa.

miss (v), fosa.

missionary (n), moruti, baruti; morongwa, barongwa.

mist (n), mouwane.

mistake (v), fosa, dira phoso.

mistake (n), phoso, diphoso.

misunderstand (v), utlwela.

mix (v), tlhakanya; tswaka.

mixture (n), tlhakanyo, ditlhakanyo; motswako, metswako.

moan (v), ona.

mock (v), sotla; tlaopa.

modest (a), boingotlo.

mohair (n), matshiri.

moist (a), bokgola; bongola; ngodile.

moisten (v), ngodisa; kolobetsa; kgolafatsa.

moisture (n), bokgola; bongola.

molar (n), leino la motlhagare, meno a motlhagare.

mole (n), serunya, dirunya.

moment (n), nakwana, dinakwana.

Monday (n), Mosupologo; Mmantaga.
money (n), madi; tšhelete.
monkey (n), kgabo, dikgabo.
monkey-nuts (n), matonkomane.
monocotyledon (n), khotolengwe, dikhotolengwe.
month (n), kgwedi, dikgwedi.
monument (n), sefikantswe, difikantswe; segopotso, digopotso.
moon (n), ngwedi, bongwedi.
moonlight (n), matlhasedi a ngwedi.
more (a), go feta.
morgen (n), mmorogo, meborogo.
morning (n), moso, meso; phakela.
morning star (n), mphatlalatsane.
morrow (n), moso, meso.
Moslem (n), Moselamose, Bomoselamose.
mosquito (n), monang, menang; montsana, mentsana.
moth (n), serurubele, dirurubele; mmoto, leruru.
mother (n), mme, bomme.
mother-in-law (n), mogwagadi, mogwegadi, matsale.
motive (n), boitlhomo, maitlhomo.
motor (n), mmotoro, mebotoro; sejanaga, dijanaga.
motor-way (n), tsela ya dipalangwa; ditsela tsa dipalangwa.
mould (v), bopa.
mould (n), mouta, meuta; mokobo, mekobo (botanical).
moult (v), sola; tlhofega.
mount (v), momaganya (machinery); pagama (horse).
mountain (n), thaba, dithaba; lentswe, mantswe.

mourn (v), lelela; roula.
mouse (n), peba, dipeba.
mouse-bird (n), letsiababa, matsiababa.
moustache (n), masetatšhe, dimasetatšhe; tedu, ditedu.
mouth (n), molomo, melomo.
mouthful (n), mothama, methama.
move (v), suta; sutisa.
mucus (n), lemina, mamina; kgankgala, dikgankgala.
mud (n), seretse, diretse; matsopotsopo.
mule (n), mmoulo, dimmoulo.
multiply (v), atisa; ntsifatsa.
multiply (sign) (x) (n), letshwao la katiso.
multitude (n), bodiidi; bontsi.
mumps (n), makidiane; mauwe.
murder (v), bolaya.
murder (n), polao, dipolao.
murderer (n), mmolai, babolai.
muscle (n), mosifa, mesifa; digwe.
muscle cramp (n), botlhoko jwa mosifa.
mushroom (n), leboa, maboa; thuntshwane, dithuntshwane.
musician (n), rammino, borammino.
mute (a), phokotsasegalo.
mute (n), phokotsasegalo, diphokotsasegalo.
mutton (n), nama ya nku.
muzzle (n), llopo ya tlhobolo; dillopo tsa ditlhobolo.
my (pron), me; ka.
myself (pron), nna.
mysterious (a), bosaitseweng, masaitseweng.
mystery (n), bosaitseweng, masaitseweng.

N

naartjie (n), nariki, dinariki.
nagana (n), nakana.
nail (n), sepekere, dipekere; lemapo, mamapo; nala, dinala (human).
naive (a), sengwana.
naked (a), lepono; bogwete; bogonoko.
name (v), taya leina.
name (n), leina, maina.
narcotic (n), segatsufatsi.
narrate (v), anela.
narrow (a), tshesane.
nasal (a), nko.
nasty (a), maswe; bosula.
Natal (n), Natala.
nation (n), morafe, merafe.
nationality (n), bosetšhaba.
natural (a), tlhago.
nature (n), tlhago; tlholego.
naughty (a), thibaneng ditsebe; seleka(ng).
nausea (n), go ferosa sebete.
nauseate (v), tlhatsisa; ferosa sebete.
navel (n), khubu, dikhubu; mohubu, mehubu.
near (adv), gaufi, fa gaufi.
nearly (adv), batlile go; batla.
neat (a), sethakga, phepa.
necessary (a), tlhokega(ng).
necessity (n), tlhokego, ditlhokego.
neck (n), molala, melala; thamo, dithamo.
necklace (n), sebaga, dibaga; ditalama.
necktie (n), thai, dithai.
nectar (n), botshe.
need (n), setlhokwa, ditlhokwa; tlhokego, ditlhokego.
needle (n), nnelete, dinnelete.
neglect (n), tlhokomologo.

negligent (a), botlhaswa.
neighbour (n), moagisani, baagisani.
nephew (n), setlogolo.
nerve (n), mothapo, methapo; lesika, masika.
nervousness (n), mafafa.
nest (n), sentlhaga, dintlhaga; kutla, dikutla.
nettle (n), motshwarakgano, metshwarakgano.
never (adv), le goka; e seng, ka gope.
new (a), bošwa; -šwa.
newly (adv), sešwa.
news (n), dikgang.
newspaper (n), kuranta, dikuranta.
New Testament (n), Kgolagano e Ntšwa
next (a), latela(ng); go bapa le.
nice (a), monate; siame(ng).
nonsense (n), matlakala.
noon (n), sethoboloko; thapama; motshegare.
noose (n), segole, digole.
nor (conj), le e seng.
north (n), leboa; bokone; botsheka.
nose (n), nko, dinko.
nose bleeding (n), tswa mokola.
nostril (n), lerobananko, marobananko.
nothing (n), sepe; -pe.
notice (n), kitsiso, dikitsiso.
notify (v), bega.
notoriety (n), tumo.
noun (n), leina, maina.
November (n), Ngwanatsele; Nofemere.
now (adv), jaanong.
nude (a), lepono.
nuisance (n), letshwenyo, matshwenyo.

numb (a), sule bogatsu.
number (n), palo, dipalo; nomoro, dinomoro.

nun (n), moitlami, baitlami.
nurse (n), mooki, baoki.
nursemaid (n), mmelegi, babelegi.

O

oar (n), serapo, dirapo.
oath (n), maikano.
oats (n), outshe; habore.
obedience (n), boikobo, kutlo.
obedient (a), boikobo.
obey (v), ikoba; ikobela.
object (v), ganela.
objection (n), dikemokgatlhanong, ngongorego, dingongorego.
obligation (n), pateletsego, dipateletsego; tlamego, ditlamego; tshwanelo, ditshwanelo.
obliterate (v), phimola; tlosa; nyeletsa.
obscene (a), thogano; roganang.
obscure (a), bofitlha.
observant (a), elang tlhoko; go nna tlhoko.
observe (v), ela tlhoko; lemoga.
obstacle (n), sekgoreletsi, dikgoreletsi; kganelo, dikganelo; kgoparetso, dikgoparetso.
obstinacy (n), bogagapa; bokgopo.
obstruct (v), kgoreletsa; kganela.
obtain (v), bona; amogela; tsaya.
obvious (a), bonala; itlhalosa; mo pepeneneng.
occiput (n), phogo-ya-morago, diphogo-tsa-morago.
occur (v), tlhomagana; diragala; direga.
ocean (n), lewatle, mawatle.
October (n), Diphalane; Oktobere.
odd (a), sa tlwaelegang; se nang molekane.
odour (n), monko, menko.
oesophagus (n), mometso,

memetso.
of (prep), ga; ya; ba; etc.
offence (n), tlolomolao, ditlolomolao; sekgopi, dikgopi.
offend (v), kgopisa, tlola molao.
offering (n), setlhabelo, ditlhabelo; kabelo, dikabelo.
office (n), kantoro, dikantoro; ofisi, diofisi.
off-load (v), laisologa; folosa.
often (adv), gangwe le gape.
oil (n), ole, diole; leokwane; oli.
old (a), godile(ng); tsofetse(ng).
omen (n), sekai se se laolang isagwe.
omission (n), tlogelo, ditlogelo.
omit (v), tlogela.
once (adv), gangwe.
one (num), -ngwe; bongwe.
onion (n), eie, dieie.
only (a), fela.
onward (adv), pele.
ooze (v), tswenatswena; nya.
open (v), bula, simolola; bofolola.
open (a), atlhame(ng); bulegile(ng).
openly (adv), mpaananeng, mo mpaananeng.
operate (v), ara.
operation (n), karo, dikaro.
opinion (n), mogopolo, megopolo; kakanyo, dikakanyo.
opportunity (n), sebaka, dibaka; tshono, ditshono.
oppose (v), ganetsa, lwantsha.
oppress (v), gatelela.
opulence (n), letlepu, matlepu.
orange (n), namune, dinamune.

order (v), romelela, laela.
ordinary (a), tlwaelegile(ng).
organ (n), okene, diokene (music); serwe, dirwe (biol).
organise (v), rulaganya.
origin (n), botso, tshimologo.
ornament (n), kgabiso, dikgabiso.
orphan (n), khutsana, dikhutsana; lesiela, masiela.
orphanage (n), dikhutsaneng.
ostracism (n), tlhotlhololo, ditlhotlhololo.
ostrich (n), ntšhwe, dintšhwe.
other (a), -ngwe; -sele.
otherwise (adv), e seng jalo; go seng jalo.
ounce (n), ontshe, diontshe; onse, dionse.
our (pron), rona.
ourselves (pron), rona.
out (adv), ntle.
outbreak (n), tsogo.
outcome (n), bofelelo, mafelelo.
outcry (n), mokgosi, mekgosi; mogoo, megoo.
outfit (n), seaparo, diaparo.
outside (adv), ntle, kwa ntle.
outspan (n), bolapolosetsa-

digolegwa; bogololelo, magololelo.
outspan (v), golola.
ovary (n), popelo, dipopelo.
oven (n), onto, dionto; bobesetso.
overcast (a), maru.
overcoat (n), jase, dijase.
overcome (v), fenya.
overcrowd (v), betagana.
overflow (v), tshologa; penologa; rwalelela.
overhead (a), godimo.
overpower (v), fekeetsa.
over-protective (a), pepetletsa(ng).
overseas (adv), moseja; moseja ga mawatle.
overseer (n), mookamedi, baokamedi.
overtake (v), feta.
overthrow (v), menola; diga.
owe (v), kolota.
owl (n), morubisi, merubisi; lerubisi, marubisi.
own (v), na le; rua.
owner (n), mong, beng.
ox (n), pholo, dipholo.
oxygen (n), okosijene.
oyster (n), kgetla, dikgetla.

P

pacify (v), ritibatsa; reba.
pack (v), paka.
pack (n), morwalo, merwalo.
paddock (n), kampa, dikampa.
padlock (n), seloto, diloto; selotokaledi, dilotokaledi.
pagan (n), modidi, badidi.
page (n), tsebe, ditsebe.
pail (n), kgamelo, dikgamelo.
pain (n), botlhoko, matlhoko; setlhabi, ditlhabi.
paint (v), ferefa, penta (a house); taka, tshwantsha (art).

paint (n), pente, dipente; ferefe, diferefe.
palace (n), mošate, mešate.
palate (n), magalapa.
pale (a), timpetse(ng); setlhefetse(ng).
palm (of hand) (n), legofi, magofi.
palsy (n), go swa mfama.
pamphlet (n), pamfolete, dipamfolete; lokwalo, dikwalo.
pan (n), pane, dipane (utensil); letsha, matsha (dam).
pancreas (n), marakanamantsi;

pankerisi, dipankerisi.
panel (n), lekoko, makoko (people);
  panele, dipanele (material).
panic (n), letshogo; tlalelo.
pant (v), hupela; fegelwa.
pantry (n), polokelo ya dijo,
  dipolokelo tsa dijo.
paper (n), pampiri, dipampiri;
  kuranta, dikuranta (newspaper).
parable (n), setshwantsho,
  ditshwantsho.
paraffin (n), parafene.
parallel (a), bapile(ng).
paralysis (n), go swa/repetlana
  ditokololo.
paramount chief (n), kgosikgolo,
  dikgosikgolo.
paramour (n), nyatsi, dinyatsi.
parcade (n), kagophakelo,
  dikagophakelo.
parcel (n), sephuthelwana,
  diphuthelwana; phasele,
  diphasele.
pardon (v), lebalela; itshwarela.
pardon (n), boitshwarelo;
  bolebalelo.
parent (n), motsadi, batsadi.
park (n), phaka, diphaka.
park (v), phaka, emisa.
parliament (n), palamente,
  dipalamente.
part (n), karolo, dikarolo.
participate (v), tsaya karolo, nna le
  seabe.
particular (a), kgethegile(ng); yona-
  yona.
particulars (n), dintlha.
party (n), moletlo, meletlo; phathi,
  diphathi (political).
pass (v), falola (a subject); neeletsa
  (a ball).
pass (n), pata, dipata (mountain);
  setlankana-tetlelelo; pasa,
  dipasa (document).
past (a), fetile(ng); pakapheto.
paste (v), kgomaretsa; ngaparetsa.

pasture (n), phulo, diphulo;
  mafulo.
pat (v), phophotha; opaopa.
patch (v), bitia, llapa.
patch (n), setsiba, ditsiba; llapa,
  dillapa; sebata, dibata.
path (n), tsela, ditsela; mmila;
  mebila.
patience (n), bopelotelele;
  boitshoko.
patient (a), pelotelele; boitshoko.
patient (n), mmobodi, babobodi;
  molwetse, balwetse.
patron (n), mosireletsi, basireletsi;
  moemanokeng, baemanokeng.
pattern (n), sekaelo, dikaelo;
  paterone, dipaterone.
pauper (n), mohumanegi,
  bahumanegi.
peak (n), setlhoa, ditlhoa; tlhora,
  ditlhora.
peck (v), kopa; kobonya.
peculiar (a), itlhophile(ng); sa
  tlwaelega(ng).
pedestrian (n),
  motsamayakadinao,
  batsamayakadinao.
pedigree (n), buka ya losika.
peel (v), ebola; obola.
peep (v), okomela.
peg (n), lomapo, dimapo; lemapo,
  mamapo.
pelvis (n), setlhana, ditlhana;
  tolwane, ditolwane.
pen (n), pene, dipene.
penalty (n), kotlhao, dikotlhao.
pencil (n), potloloto, dipotloloto;
  phensele, diphensele.
penetrate (v), nanganela, totomela.
penicillin (n), peniselene.
peninsula (n), sekasetlhake.
penis (n), tshuko, ditshuko; polo,
  dipolo.
penitence (n), boikotlhao,
  maikotlhao.
penknife (n), kopelwane.

penny (n), peni, dipeni.
pension (n), phenšene, diphenšene.
people (n), batho.
pepper (n), pherefere, dipherefere.
percent (%) (n), phesente; bolekgolong.
perch (n), bopalamo, mapalamo.
percolate (v), nwelela.
perennial (a), ngwaga-ngwaga; dingwaga.
perforate (v), phunya marobana.
perform (v), diragatsa.
perfume (n), monko, menko.
perhaps (adv), motlhamongwe; ka gongwe.
peril (n), kotsi, dikotsi.
perimeter (n), modiko, mediko; perimeta; diperimeta.
perish (v), nyelela; senyega.
perishable (a), nyelela(ng); senyega(ng).
perjury (n), kanokako; maikano a maaka.
permanganate of potash (n), pemakenate ya potase.
permission (n), tumelelo, ditumelelo; tetla, ditetla; tetlelelo, ditetlelelo.
permit (v), letla; dumelela.
permit (n), tumelelo, ditumelelo; tetla, ditetla; tetlelelo, ditetlelelo.
perpetual (a), tswelelang; sa kgaotse(ng).
persevere (v), itshoka.
person (n), motho, batho.
personal hygiene (n), itlhokomelo.
perspiration (n), mofufutso.
perspire (v), fufutsa, fufula.
persuade (v), sokasoka, tlhotlheletsa.
perturb (v), ferekanya.
pester (v), kgokgontsha.
pestilence (n), leroborobo, maroborobo.
petal (n), petale, dipetale;

letlharethunya, matlharethunya.
petrol (n), peterolo.
petticoat (n), onoroko, dionoroko; mosese wa ka fa teng.
petty cash (n), sekgwamana, dikgwamana.
phenomenon (n), ponagalo, diponagalo.
phlegm (n), sehuba, dihuba; bolepo.
photograph (n), foto, difoto; setshwantsho, ditshwantsho.
phrase (n), tsetla, ditsetla; sekapolelo, dikapolelo.
physique (n), mmele, mebele.
piano (n), piano, dipiano.
pick (n), peke, dipeke.
pick (v), kga; kgetla; sela.
pickpocket (n), ramenwana, boramenwana.
picture (n), setshwantsho, ditshwantsho.
piece (n), lenathwana, manathwana; karolwana, dikarolwana; seripa, diripa.
pierce (v), tlhaba; phunya.
pig (n), kolobe, dikolobe.
pigeon (n), lephoi, maphoi; leeba, maeba.
pile (v), kgobokanya, kokoanya.
pile (n), mokgobo, mekgobo.
pill (n), pilisi, dipilisi.
pillow (n), mosamo, mesamo.
pillow-case (n), selopo, dilopo.
pimple (n), kuruga, dikuruga; peisi, dipeisi.
pin (n), sepelete, dipelete.
pinafore (n), khiba, dikhiba.
pinch (v), nota; tloba; phitsa.
pineapple (n), peinapole, dipeinapole.
pint (n), paente, dipaente.
pip (n), thapo, dithapo; thotse, dithotse.
pipe (n), phaephe, diphaephe (water) kakana, dikakana

(smoking).

pit (n), letsatsa, matsatsa; khuti, dikhuti.

pitchfork (n), foroko ya bojang.

pith (n), pelo, dipelo.

pity (n), tlhomogelopelo.

place (n), lefelo, mafelo; tulo, ditulo.

place (v), baya.

plague (n), leroborobo, maroborobo; dikotlo (Biblical).

plaintiff (n), mongongoregi, bangongoregi; moikuedi, baikuedi.

plait (v), loga.

plan (n), leano, maano; polane, dipolane.

plank (n), polanka, dipolanka; lebatsana, mabatsana.

plant (n), semela, dimela.

plant (v), jala; tlhoma.

plantation (n), polantasi, dipolantasi.

plate (n), boroto, diboroto; poleiti, dipoleiti; sejana, dijana.

play (v), tshameka (around); letsa (an instrument).

play (n), motshameko, metshameko.

plead (v), rapela.

pleasant (a), itumedisa(ng).

please (v), thabisa; itumedisa; kgatlha.

pleasure (n), thabo, dithabo; boitumelo; monate.

plentiful (a), -ntsi; tlalatlala.

pleurisy (n), kgotelo ya letha la makgwafo.

pliers (n), tang, ditang.

plot (n), poloto, dipoloto (literary); setsha, ditsha (piece of land).

plough (n), mogoma, megoma.

plough (v), lema.

plug (v), thiba.

plumage (n), mafofa.

plus (sign) (+) (n), letshwao la

tlhakanyo.

pneumonia (n), nyumonia.

pocket (n), kgwatla, dikgwatla (bag) potla, dipotla (in garments).

pock-mark (n), marobana a sekonkonyane.

pod (n), sephotlwa, diphotlwa.

poem (n), leboko, maboko.

point (n), ntlha, dintlha; motsu, metsu (sharp).

point (v), supa.

pointed (a), molodi.

poison (n), botlhole, tšhefu, ditšhefu; more, mere.

poison glands (n), kgeleswa ya botlhole, dikgeleswa tsa botlhole.

pole (n), sesana, disana; kota, dikota.

policeman (n), lephodisa, maphodisa; leotlana, maotlana.

polish (v), poletšha.

polite (a), maitseo.

political (a), sepolitiki.

politician (n), rapolitiki, borapolitiki; mopolitiki, bapolitiki.

politics (n), dipolitiki.

pollen (n), mmudula; modula.

pollinate (v), dulafatsa.

poll-tax (n), opogafa; lekgethopateletso.

pond (n), mogojwana, megojwana.

ponder (v), nagana.

pool (n), lekadiba, makadiba; seratadiba, diratadiba.

poor (a), humanegile(ng); dila(ng).

Pope (n), Mopapa.

poplar (n), populiri, dipopuliri.

population (n), baagi.

porcupine (n), noko, dinoko.

pork (n), nama ya kolobe.

porridge (n), bogobe, magobe; phaletšhe, diphaletšhe.

potato (n), tapole, ditapole.

potter (n), mmopi, babopi.
poultry (n), dinong.
pound (n), ponto, diponto.
pour (v), tshela.
pout (v), susumoga.
poverty (n), bodidi; bohumanegi.
power (n), maatla, thata, dithata.
praise (v), boka.
praise-name (n), leina la mareto, maina a mareto.
praiseworthy (a), bakwa(ng).
pray (v), rapela.
prayer (n), thapelo, dithapelo.
preach (v), rera.
precede (v), etelela.
precipice (n), maaka; malekeleke; selomo.
precis (n), kakaretso, dikakaretso; khutshwafatso, dikhutshwafatso.
predict (v), bolelela pele.
preface (n), keteletsopele, diketeletsopele.
prefer (v), itlhophela; rata.
pregnant (a), merwalo, ithwadisa.
premonition (n), kung, dikung.
prepare (v), baakanya; etleeletsa.
prescribe (v), baya; supetsa; kaela.
prescribed (a), beilwe(ng); kaetswé(ng).
present (v), abela; naya.
preservation (n), tshomarelo.
preserve (v), boloka.
preside (v), tshwara marapo.
president (n), tautona, ditautona; poresitente, boporesitente.
press (v), gatelela; gatisa.
pressure (n), kgatelelo.
presume (v), nagana, gopola (gore).
pretend (v), itshema, itira.
prettiness (n), bontle, mantle.
pretty (a), -ntle.
prevent (v), kganna; kganela; thibela.
price (n), tlhotlhwa, ditlhotlhwa; poreisi, diporeisi.

prick (v), tlhaba.
prickly-pear (n), toro, ditoro.
pride (n), boipelo, maipelo.
priest (n), moperesiti, baperesiti.
primitive (a), segologolo.
primus stove (n), poraemasetofo, diporaemasetofo.
prince (n), morwakgosi, barwakgosi.
princess (n), morwadiakgosi, barwadiakgosi.
principal (n), mogokgo, megokgo; tlhogo, ditlhogo.
principle (n), theo, ditheo.
print (v), gatisa.
prison (n), kgolegelo, dikgolegelo; toronko, ditoronko.
prisoner (n), mogolegwa, bagolegwa.
privately (adv), ka sephiri.
prize (n), sekgele, dikgele; moputso, meputso.
probable (a), ka nna; kgonagala.
problem (n), bothata, mathata; leraraane, mararaane.
procedure (n), tsamaiso; ditsamaiso.
proceed (v), tswelela pele.
prod (v), kgotla.
profit (n), poelo, dipoelo.
profitable (a), busetsa(ng).
profit and loss (n), poelo le tatlhegelo.
programme (n), lenane, manane; lenaneo, mananeo.
progress (n), tswelelopele.
progress (v), tswelela pele.
prohibit (v), itsa; iletsa.
prolong (v), golola.
prominent (a), bonala(ng).
promise (v), solofetsa.
promise (n), tsholofetso, ditsholofetso.
promote (v), tlhatlosa.
promotion (n), tlhatloso, ditlhatloso.

pronoun (n), leemedi, maemedi.
pronounce (v), kapodisa; utlwatsa.
pronunciation (n), kapodiso, dikapodiso; kutlwatso.
proof (n), sesupo, disupo.
properly (adv), ka tshwanelo.
property (n), thoto, dithoto.
prophecy (n), polelelopele, dipolelelopele.
prophet (n), moporofiti, baporofiti.
proposal (n), tlhagiso, ditlhagiso; tshikinyo, ditshikinyo.
propose (v), tshikinya; tlhagisa.
prose (n), porosa.
prosecute (v), sekisa.
prosecutor (n), mosekisi, basekisi.
prosperity (n), letlhogonolo, matlhogonolo.
prostitute (n), mosadi-wa-dikgora, basadi-ba-dikgora.
protect (v), sireletsa; babalela; femela.
proud (a), mabela.
punch (instrument) (n), sephunyi, diphunyi.
puncture (v), phunya.
puncture (n), tutlo, ditutlo; tlhabo, ditlhabo.
punish (v), otlhaya; betsa.
pup (n), ntšwanyana, dintšwanyana.
pupil (n), morutwana, barutwana.
purchase (v), reka.
pure-bred (a), ya madi; ya losika.
purgative (n), mothubiso, methubiso.
purge (v), phukutsa.
purify (v), itshekisa, phepafatsa.
purpose (n), tebo; ikemisetso; ikaelelo.
purse (n), sekgwama, dikgwama; kgwatlha, dikgwatlha.
pursue (v), latela, leleka.
pus (n), boladu; maladu.
push (v), kgarametsa; kgorometsa.
put (v), baya.
putty (n), poti, dipoti.
puzzle (n), malepa.
puzzle (v), tlhakanya tlhogo.
pygmy (n), lemponempone, mamponempone.
pyjamas (n), dipejama.
python (n), tlhware, ditlhware.

Q

quadrangle (n), khutlonne, dikhutlonne.
quail (n), phurrwane, diphurrwane.
quake (v), roroma; tetesela.
qualified (a), nonofile.
qualify (v), tlhalosa.
quality (n), boleng; noꞧofo.
quantify (v), lekanya.
quarrel (n), gotlhana; fapaana.
quarrelsome (a), bogakgale.
quart (n), kwarata, dikwarata.
quarter (n), kwarata, nngwenneng.
quartz (n), kwaretshe.
queen (n), mohumagadi, bahumagadi; kgosigadi, dikgosigadi.
queen-ant (n), kgosi ya motlhwa.
queer (a), gakgamatsa(ng).
quench (v), nyorolola; kgalolola.
question (n), potso, dipotso.
question mark (n), letshwao la potso.
quick (a), bonako; bobebe; bofefo.
quickly (adv), ka bonako.
quiet (a), didimetse(ng).
quietly (adv), ka tidimalo.
quill (n), lofofa, diphofa; lofafa.
quince (n), kopere, dikopere.
quit (v), tlogela.
quote (v), nopola.

R

rabbit (n), mmutla wa sekgoa;
mebutla ya sekgoa; tlholwe,
botlholwe.
race (n), lobelo, mabelo; peiso,
dipeiso.
race (v), beisa.
race-horse (n), pitse ya lebelo,
dipitse tsa lebelo.
radiator (n), radietara, diradietara.
radicle (n), motswana, metswana;
modinyana, medinyana.
radio (n), radio, diradio;
seyalemowa, diyalemowa.
radish (n), radise, diradise.
raft (n), moratho, meratho.
rafter (n), kapa, dikapa; tlhomeso,
ditlhomeso.
rag (n), sekgakgarua, dikgakgarua;
kgaswa, dikgaswa.
rage (n), kgalefo.
ragged (a), makgasa.
raid (v), tlhasela.
railway (n), seporo, diporo.
rain (n), pula, dipula.
rain (v), na.
rainbow (n), motshewabadimo,
mola wa godimo.
raindrop (n), lerothodi la pula,
marothodi a pula.
rain-gauge (n), selepapula,
dilepapula; selekanyapula,
dilekanyapula.
raise (v), tsholetsa; tlhatlosa.
raised (a), tsholeditswe(ng);
tlhatlositswe(ng).
raisin (n), rasenkisi, dirasenkisi.
rake (n), haraka, diharaka.
rake (v), haraka.
ram (n), phelefu, diphelefu.
ram (v), kgotla.
rancour (n), kilo, dikilo; tshele,
ditshele.
rand (n), ranta, diranta.
ransom money (n), thekololo.

rape (v), betelela.
rapid (a), bonako, bofefo.
rash (n), bogwata; boswata.
rashness (n), mafega.
rasp (n), mmamagwai,
bommamagwai; feilegwata,
difeilegwata.
rat (n), legotlo, magotlo; lebodi,
mabodi (cane rat).
ration (n), kabelo, dikabelo.
rave (v), tlhakalatsa.
raven (n), legakabe, magakabe.
ravine (n), molatswana,
melatswana.
raw (a), sa apewang; -tala.
razor (n), reisara, direisara; legare,
magare.
reach (v), fitlhelela.
read (v), buisa.
ready (a), ipaakantse, siame.
really (adv), ka nnete; tota.
reap (v), kotula.
rear (n), morago.
rearrange (v), rulaganya sešwa.
reason (n), lebaka, mabaka.
rebel (n), morukutlhi, barukutlhi.
rebel (v), rukutlha; tsuolola.
rebellion (n), borukutlhi.
rebuke (v), kgalema.
recall (v), gopola.
receipt (n), rasiti, dirasiti;
tshupatefo, ditshupatefo.
receive (v), amogela.
Receiver (n), Ralotseno.
recite (v), boka.
recline (v), rapama.
recognise (v), lemoga; itse.
recollect (v), gakologelwa, gopola.
recommend (v), atlanegisa.
record (v), kwala.
records (n), direkoto tsa tiro.
recount (v), anega.
recovery (n), pholo; go fola.
rectangle (n), khutlonnetsepa,

dikhutlonnetsepa.
rectum (n), molatelo, melatelo;
lela-la-sebi, mala-a-dibi.
recuperate (v), fola.
red (a), -hibidu.
redeem (v), golola, rekolola.
redemption (n), tuelelo, kgololo.
reduce (v), ngotla; fokotsa.
redwater (n), bolwetse jwa
borotamadi.
reed (n), letlhaka, matlhaka;
lotlhaka, ditlhaka.
reef (n), lekekema, makekema; rifi,
dirifi.
reek (n), monkgo, menkgo; monko,
menko.
referendum (n), referentamo,
direferentamo.
refine (v), phepafatsa.
refrigeration (n), tsidifatso.
refrigerator (n), setsidifatsi,
ditsidifatsi.
refuge (n), boitshubelo;
botshabelo.
refund (v), busetsa, busa (madi).
refuse (v), gana.
refuse (n), matlakala; malele.
refute (v), ganetsa.
regiment (n), mophato, mephato.
region (n), kgaolo, dikgaolo.
regional authority (a), puso ya
kgaolo, pusokarolo.
register (v), kwadisa.
register (n), rejisetara, direjisetara.
regret (v), ikotlhaya.
regulation (n), molawana,
melawana.
reign (v), busa; rena.
rein (n), tomo, ditomo.
reject (v), gana; ganwa.
rejoice (v), itumela, ipela.
relate (v), anela.
release (v), golola; ntsha.
reliable (a), boikanyego;
ikanyega(ng).
relieve (v), okobatsa; thusa.

religion (n), bodumedi.
reluctant (a), itsemeleditse(ng).
rely (v), ikanya.
remain (v), sala.
remainder (n), lesalela, masalela;
sesala, disala.
remember (v), gakologelwa.
remind (v), gopotsa; gakolola.
reminder (n), kgakololo,
dikgakololo.
remote (a), kgakala, gole.
remove (v), tlosa, thibosa.
renown (a), itsege(ng).
rent (v), hira; rentisa.
rent (n), rente; khiro.
renunciation (n), boitatolo,
maitatolo.
repair (v), baakanya; thula;
tlhamaganya.
repeat (v), boeletsa; boelela.
repent (v), sokologa; ikotlhaya.
reply (v), araba, fetola.
reply (n), karabo, dikarabo;
phetolo, diphetolo.
report (n), pego, dipego; raporoto,
diraporoto.
report (v), bega, bolela.
reporter (n), mmegakgang,
babegakgang; mmegi, babegi.
reproach (v), kgalema.
reptile (n), segagabi, digagabi.
request (v), kopa; lopa.
request (n), kopo, dikopo; topo,
ditopo.
rescue (v), namola; golola; falotsa.
resemble (v), tshwana (le).
residence (n), bonno, manno;
bodulo, madulo.
residue (n), masalela; masaledi.
resist (v), lwantsha; ema
kgatlhanong.
resolution (n), setlamo, ditlamo.
respect (v), tlotla; tlhompha.
respiration (n), khemo.
respond (v), araba; tsiboga.
rest (n), boikhutso, maikhutso;

boitapoloso, maitapoloso.

restitution of conjugal rights (n), puseletso ya ditshwanelo tsa lenyalo.

restless (a), etsaetsega.

restore (v), busetsa; letlanya.

restrain (v), kganna; kganela.

result (n), searolo, diarolo; sephetho, diphetho; dipholo.

retaliate (v), ipusolosetsa; busolosa.

retard (v), diega; dia.

retire (v), rola marapo, rola tiro.

retreat (v), boela morago; kata ka morago.

return (v), boa, boela.

reveal (v), senola; tlhagisa; bontsha.

revenge (v), ipusolosetsa.

revile (v), gobolola; rogaka.

revise (v), boelela; boeletsa.

revive (v), tsoseletsa; tsosolosa.

revolt (v), tsuolola; tsogela.

revolutionary (n), motsuolodi, batsuolodi.

revolver (n), raborolo, diraborolo.

reward (n), tuelo; dituelo; moputso, meputso.

rhetoric (n), bokgeleke; kgelekiso.

rheumatism (n), ramatiki; bonyelele; segatsetsa.

rhinoceros (n), tshukudu, ditshukudu.

rhyme (n), morumo, merumo.

rib (n), legopo, logopo, dikgopo.

rice (n), reisi, direisi.

rich (a), kgora; huma; humile(ng).

riches (n), bohumi; lehumo, mahumo; lohumo; dikhumo.

riddle (n), thamalakane, dithamalakane.

ride (v), pagama; palama.

ridge (n), mokokotlo, mekokotlo.

ridicule (n), losotlo, tshotlo; ditshotlo.

rifle (n), tlhobolo, ditlhobolo;

sethunya, dithunya.

right (a), moja (side); nepagetse (correct; on target).

right hand (n), seatla sa moja; diatla tsa moja.

rinderpest (n), bolawane; ronopese.

ring (v), letsa; tsirinya.

ring (n), palamonwana, dipalamonwana.

ringworm (n), podi, dipodi.

rinkhals (n), kake, bokake.

rinse (v), tsokotsa.

riot (n), khuduego, dikhuduego; moferefere, meferefere.

ripe (a), budule(ng).

rise (v), tlhaba (sun); tlhatloga.

risk (n), tekeletso, ditekeletso.

rival (n), mophegisani, baphegisani.

river (n), noka, dinoka; molapo, melapo.

rivet (n), ribete, diribete.

road (n), tsela, ditsela; mmila; mebila.

road safety (n), ipabalelotseleng.

roar (v), duma; rora; bopa; kurutla.

roast (v), besa; gadika.

rob (v), kgothosa; thukhutha; utswetsa.

robber (n), legodu, magodu.

robbery (n), bogodu.

rock (n), lefika, mafika; lentswe, mantswe.

roll (v), pitika, bidikana.

roof (n), borulelo, marulelo; thulelo, dithulelo.

room (n), phaposi, diphaposi; rumu, dirumu; kamore, dikamore.

root (n), modi, medi.

rope (n), thapo, dithapo; mogala, megala.

rot (v), bola.

rotten (a), bodile.

rough (a), magotsane; magwata.

roughage (n), ditlhotlhori; digwata.
round (a), -potokwe; kgolokwe.
row (n), mola, mela.
row (v), kgweetsa mokoro.
rub (v), gotlha; fogotlha; figitlha.
rubber (n), rabara, dirabara; rekere, direkere.
rubbish (n), malele; matlakala.
rubbish-heap (n), thothobolo, dithothobolo.
rude (a), mafega.
ruffian (n), sesenyi, disenyi; molotsana, balotsana.
rule (n), molao, melao; taolo, ditaolo; mola (line).
ruler (n), rula, dirula; rulara,

dirulara.
ruminant (n), seotli, diotli; kotlane, dikotlane.
ruminate (v), otla.
rumour (n), kutlwedi, dikutlwedi; magatwegatwe.
runway (n), lebalakotamelo, mabalakotamelo; botetelo.
rural (a), dipolaseng; nageng; segae.
rural area (n), lenaga.
rush (n), potlako.
rust (v), rusa.
rustle (v), kgwasa.
rusty (a), rusa(ng).

S

sack (n), kgetsi, dikgetsi.
sacred (a), boitshepo.
sacrifice (n), setlhabelo, ditlhabelo.
sad (a), hutsafetse(ng); utlwa(ng) botlhoko.
saddle (n), sale, disale.
sadness (n), bohutsana, khutsafalo.
safe (a), bolokegile(ng).
safe (n), letlole, matlole; polokelo, dipolokelo.
safety (n), polokesego; polokego.
sail (n), seile, diseile.
saint (n), moitshepi, baitshepi.
salary (n), tuelo, dituelo.
sale (n), thekiso, dithekiso.
saliva (n), mathe.
salt (n), letswai, matswai.
salutation (n), tumediso, ditumediso.
salute (v), dumedisa.
salvation (n), poloko.
same (a), tshwana(ng); lekana(ng).
samp (n), setampa; mosutlhwane, mesutlhwane.
sample (n), sesupo, disupo;

sampole, disampole.
sand (n), motlhaba, metlhaba; mošawa.
sandstone (n), lešawa, mašawa; lešaba, mašaba.
sane (a), nang le tlhaloganyo.
sap (n), matute.
sapling (n), letlhogela, matlhogela.
sarcasm (n), tshotlo; ditshotlo.
Satan (n), Satene.
satisfy (v), kgotsofatsa.
Saturday (n), Laborataro; Lamatlhatso; Matlhatso.
saucepan (n), kaseterolo, dikaseterolo.
sausage (n), boroso, diboroso.
save (v), pholosa (soul); boloka (money).
Saviour (n), Mopholosi; Mmoloki.
saw (n), šaga; saga, disaga
say (v), re.
scab (n), sekgwakgwa, dikgwakgwa.
scald (v), babola.
scale (n), sekale, dikale

(instrument); lekwapa, makwapa (eg on a snake).

scalp (n), letlalo la tlhogo, matlalo a tlhogo.

scandal (n), ditshebo; matlhabisaditlhong.

scapula (n), legetla, magetla.

scar (n), lebadi, mabadi; lobadi, dipadi.

scarce (a), tlhokega(ng); tlhokafala(ng).

scare (v), tshosa; tshabisa.

scarlet (a), bohibidu jo bo mokgona; bohibidu jo bo tseneletseng.

scatter (v), gasanya; phatlalatsa; phatlalala.

scene (n), felo, mafelo.

scent (v), dupelela.

scent (n), sente; monkgo.

scheme (n), thulaganyo, dithulaganyo; morero, merero.

school (n), sekolo, dikolo.

schoolmaster (n), morutabana, barutabana.

schoolmistress (n), morutabana, barutabana; miseterese, bomiseterese.

scissors (n), sekere, dikere.

scold (v), omanya; tšhobola.

scoop (v), ga; gaba; tlhwaya.

scorch (v), babola.

scorn (n), lenyatso; lonyatso; losotlo; ditshotlo.

scorpion (n), phepheng, diphepheng.

scoundrel (n), legwaragwara; magwaragwara.

scour (v), koropa; gotlha.

scout (n), lesupatsela, masupatsela; setlhodi, ditlhodi.

scowl (v), dilola; sosobanya sefatlhego.

scramble (v), fudua.

scrape (v), fala; gotlha.

scratch (v), ngapa; ngwaya.

scream (v), goa; kua.

screen (n), sesiro, disiro.

screw (n), sekurufu, dikurufu.

scribble (v), kgwarakgwara; kgwaratisa.

scrub (v), koropa.

scrub cattle (n), mekgarane.

scrutinize (v), sekaseka.

sculptor (n), mmetli, babetli; moseti, baseti.

scum (n), lefulo, mafulo.

sea (n), lewatle, mawatle.

sea breeze (n), pheswana ya lewatle, dipheswana tsa lewatle.

seam (n), moroko, meroko.

seaman (n), modirawatleng; badirawatleng.

search (v), batla; senka.

season (n), setlha, ditlha.

seat (n), bonno, manno; setilo, ditilo; senno, dinno.

second (v), tlatsa.

second (a), bobedi.

second (n), motsotswana, metsotswana.

secrecy (n), bosaitseweng, masaitseweng; sephiri, diphiri.

secret (a), sephiri, diphiri.

secret (n), khupamarama, dikhupamarama; sephiri, diphiri.

secretary (n), mokwaledi, bakwaledi.

secretary bird (n), ramolangwana, boramolangwana; tlhangwe, botlhangwe.

section (n), lephata, maphata; karolo, dikarolo.

secure (v), tlhomamisa.

sediment (n), sedimente; leraga, maraga.

sedition (n), tsuololo, ditsuololo.

see (v), bona.

seed (n), peo, dipeo; tlhaka, ditlhaka; thotse, dithotse.

seek (v), opotsa; senka; batla.

segment (n), karolwana,

dikarolwana; ketla, diketla; seripa, diripa.
segregate (v), kgetholola.
seize (v), tshwara; tsaya.
seldom (adv), mokabagangwe.
select (v), tlhopha.
self (n), sebele.
self-confidence (n), boitshepo.
self-defence (n), boitshireletso.
selfish (a), pelotshetlha, boikgopolo.
sell (v), rekisa.
senate (n), senate.
senator (n), mosenate, basenate; mosenatoro, basenatoro.
send (v), roma, romela.
senior (a), -golwane; -golo.
sense (n), kutlo, dikutlo; temosi, ditemosi.
sensitive (a), amegang.
sentence (n), polelo, dipolelo (grammatical); katlholo, dikatlholo (judicial).
sepal (n), sepale, disepale.
separate (v), arola, kgaoganya.
September (n), Lwetse; Setemere.
sequence (n), tatelano, ditatelano.
sergeant (n), sajene, disajene.
series (n), tlhatlhamano.
serious (a), tlhoname(ng); tlhoafetse(ng).
sermon (n), thero, dithero.
serum (n), serekhu, serama.
servant (n), motlhanka, batlhanka; lelata, malata; modiredi, badiredi.
serve (v), direla; thoka; tsholela.
service (n), tirelo; ditirelo (eg church).
set (v), dikela (the sun); teka (table).
seven (num), supa.
seventeen (num), sumesupa.
seventy (num), somasupa; somaasupa.
sever (v), kgaola.
sew (v), roka.

sex (n), bong.
shade (n), moriti, meriti.
shadow (n), moriti, meriti.
shaft (n), šafo, dišafo (mining).
shake (v), reketla; tshikinya.
shallow (a), maphara; mpheetlane; seng boteng.
shame (n), tlhong, ditlhong.
shameful (a), matlhabisaditlhong.
sham fight (n), tlhabano ya boitshemo.
shape (n), sebopego, popego.
share (n), šere, dišere (JSE); kabelo, dikabelo (piece).
share (v), kgaogana; abela.
sharp (a), bogale.
sharpen (v), lootsa.
shave (v), beola.
shaving (n), sebetlela, dibetlela (wood).
shawl (n), mogagolwane, megagolwane; tšale, ditšale.
sheaf (n), ngata, dingata.
shear (v), beola; poma.
shears (n), sekere, dikere.
sheath (n), kgatla, dikgatla.
sheep (n), nku, dinku.
shelf (n), raka, diraka; lebatsana, mabatsana.
shell (n), legapa, magapa (tortoise, seashell).
shelter (n), motlaagana, metlaagana; leobo, maobo.
shepherd (n), modisa, badisa.
shield (n), thebe, dithebe.
shin-bone (n), moomo, meomo.
shine (v), phatsima (object); tlhaba (sun).
ship (n), sekepe, dikepe.
shirt (n), hempe, dihempe.
shiver (v), roroma; tetesela; tlakasela.
shoe (n), setlhako, ditlhako.
shoot (v), tlhaba (plants); thuntsha (rifle).
shoot (n), letlhogela, matlhogela.

shooting star (n), sedumaedi, didumaedi.
shop (v), reka.
shop (n), lebenkele, mabenkele; lebentlele, mabentlele.
shore (n), letshitshi, matshitshi; losi, dintshi.
short (a), -khutshwane.
shorten (v), khutshwafatsa; khutshwafala.
short-story (n), kgannyana, dikgannyana; khutshwe, dikhutshwe.
shoulder (n), legetla, magetla.
shoulder blade (n), legope, magope.
shout (v), gala; kua; goa.
shovel (n), sekopo, dikopo; garawe, digarawe.
show (v), bontsha; supetsa.
show (n), pontsho, dipontsho.
shower (n), šawara; dišawara.
shrill shout (n), selelo se se tlhabang.
shrink (v), gonyela.
shrivel (v), tsutsubagana; swaba.
shrub (n), setlhatshana, ditlhatshana.
shudder (v), roroma, tetesela.
shuffle (v), kgosoba.
shut (v), tswala.
shyness (n), ditlhong.
sick (a), kgwa, lwala.
sickle (n), sekele, disekele.
side (n), lefapha, mafapha; letlhakore, matlhakore.
sieve (n), sefo, disefo; motlhotlho, metlhotlho.
sift, sieve (v), tlhotlha, sefa.
sight (n), pono, dipono; tebo, ditebo.
sign (n), letshwao, matshwao; sekai, dikai; sesupo, disupo.
sign (v), saena.
signature (n), tshaeno, ditshaeno; mosaeno, mesaeno.

silence (n), tidimalo.
silent (a), didimetse(ng).
silk (n), silika; sei.
silver (n), selefera.
similar (a), tshwana(ng).
simple (a), bonolo; botlhofo.
sin (n), boleo, maleo; sebe, dibe.
since (conj), gobane; ka gobane; ka (gore); ka jaana.
sincere (a), pelophepa.
sinew (n), tlhale, ditlhale; lesika, masika; mosifa, mesifa.
sing (v), opela.
singe (v), babola.
singer (n), moopedi, baopedi.
sink (n), setlhatswetso, ditlhatswetso.
sinner (n), moleofi, baleofi.
sip (v), phoka, tlonka.
sister (n), kgaitsadi, bokgaitsadi; sesi, bosesi.
sit (v), dula; nna.
six (num), thataro.
sixteen (num), somethataro.
sixty (num), somamarataro; somaamarataro.
size (n), saese, disaese.
sjambok (n), kubu, dikubu; sampoko, disampoko.
skeleton (n), letlhotlho, matlhotlho; lewalala, mawalala.
ski (v), thedimoga.
skill (n), botswerere; bokgoni; matsetseleko.
skimmed milk (n), tswapo, motalala.
skin (n), letlalo, matlalo.
skip (v), tlola.
skirmish (n), thulano, dithulano.
skirt (n), mosese, mesese; mmalethekana, bommalethekana.
skull (n), legata, magata; logata, dikgata.
sky (n), loapi; lefaufau; legodimo, magodimo.

slander (v), fala; tšhoma; mara.
slang (n), puotlaopo; dipuotlaopo.
slant (v), sekama.
slap (v), bata, batola.
slaughter (v), tlhaba.
slave (n), lekgoba, makgoba.
slavery (n), bokgoba.
sledge (n), selei, dilei.
sleep (n), boroko.
sleep (v), robala; robetse.
sleepy (a), boroko.
sleeve (n), letsogo, matsogo.
slender (a), mokweretsepa;
  letlharapa.
slice (n), pharo, dipharo; legari,
  magari; semikana, dimikana.
slide (v), lelemela; thedimoga.
slim (a), motsotsoropa,
  metsotsoropa.
slippery (a), borethe;
  borerelekwane.
slope (n), mothulama, methulama.
slow (a), bonya.
slug (n), kgopa, dikgopa.
small (a), -nnye; -botlana.
smallpox (n), sekgwaripane;
  sekonkonyane; sekgamma.
smear (v), tshasa.
smell (v), dupa.
smell (n), monkgo, menkgo; nasty
  smell: sebodu, dibodu.
smelt (v), tlhaolosa; nyerolosa.
smile (v), nyonya, ngeba.
smirk (v), šenama.
smoke (n), mosi, mesi.
smoke (v), goga; tsuba.
smooth (a), borethe;
  rethefetse(ng).
smoothen (v), rethefatsa.
snail (n), kgopa, dikgopa.
snake (n), noga, dinoga.
snake-poison (n), botlhole jwa
  noga.
snare (n), segole, digole; serai,
  dirai.
snatch (v), phamola.

sneeze (v), ethimola.
sniper (n), seduditsipa, diduditsipa.
snore (v), rora, gona.
snow (n), kapoko; letlhwa;
  sefokabolea; semathana.
snuff (n), motsoko, metsoko.
snuff-box (n), koma, dikoma;
  komana, dikomana.
soak (v), inela; kolobetsa.
soap (n), sesepa, disepa; molora,
  melora.
soapstone (n), tootso, ditootso.
sock (n), kausu, dikausu.
soda (n), sota.
soft (a), boleta; boletswa.
soften (v), letafatsa.
softly (adv), ka boleta; ka bonolo.
soil (n), mmu, mebu.
soil erosion (n), kgogolego ya
  mmu.
solace (n), nametso.
solar plexus (n), thibamo,
  dithibamo.
soldier (n), lesole, masole;
  motlhabani, batlhabani.
solemnize (marriage) (v),
  tlhomamisa.
solid (a), kgotlhagane(ng); komota.
solve (v), rarabolola (a matter).
son (n), morwa, barwa.
song (n), kopelo, dikopelo.
son-in-law (n), mogwe, bagwe.
soon (adv), gautshwane,
  gautshwanyane.
soothe (v), thethebatsa.
sorcerer (n), mmamotinti,
  bommamotinti.
sore (n), ntho, dintho; seso, diso.
sore (a), botlhoko.
sorghum (n), lebele, mabele.
sorrow (n), kutlobotlhoko,
  mahutsana.
soul (n), mowa, mewa.
sound (n), modumo, medumo.
sound waves (n), makhubu a
  modumo.

soup (n), sopo, disopo.
sour (a), mogege; bodila; botlha; baba.
source (n), motswedi, metswedi.
sour veld (n), phulodila, diphulodila.
south (n), borwa.
Southern Cross (n), Dithutlwa.
sow (n), kolobe e namagadi, dikolobe tse dinamagadi.
sow (v), jala, gasa.
space (n), sebaka, dibaka.
spacious (a), lehalahala, mahalahala.
spade (n), garawe, digarawe.
spanner (n), sepannere, dipannere.
spark (n), tlhase, ditlhase.
spawn (n), mae a tlhapi.
speak (v), bua.
spear (n), lerumo, marumo.
speck (n), tlhaka, ditlhaka.
spectator (n), mmogedi, babogedi.
spell (v), peleta.
spend (v), dirisa (money); tlhola (evening), etc).
spice (n), seloki, diloki; senatetshi, dinatetshi.
spider (n), segokgo, digokgo.
spider's web (n), bobi.
spill (v), tshologa; tsholola.
spinal cord (n), mokolela, mekolela; mongetsane, mengetsane.
spine (n), mokokotlo, mekokotlo.
spit (v), kgwa (mathe).
spittle (n), lethe, mathe.
splash (v), gasa.
spleen (n), lebete, mabete.
sponge (n), ngami, dingami; sepontshe, dipontshe.
spoon (n), loso, dintsho; loswana, ditshwana.
spoor (n), motlhala, metlhala; leroo, maroo.
sport (n), motshameko, metshameko.

spot (n), kolo, dikolo; lerontho, marontho.
spotted (a), maronthotho.
sprain (v), thinyega; phitsa; tsipola.
spread (v), anamisa.
spring (n), dikgakologo.
spring (n), seporeng, diporeng.
springbok (n), tshephe, ditshephe.
sprinkle (v), kgatsha; thimotsa; nona.
sprout (v), tlhoga; mela.
spy (n), letlhwai, matlhwai; setlhodi, ditlhodi.
squabble (v), tsukatsukana.
squander (v), senya.
square (n), sekwere, dikwere.
squash (v), tšhwetla; phitsa.
squat (v), kotama.
squeal (v), gwetla.
squeeze (v), tamola; gatelela.
stab (v), tlhaba.
stabilise (v), nitamisa.
stack (v), tlhatlhaganya.
staff (n), badirammogo (people); lore, dinthe (walking).
stagger (v), thetheekela.
stagnant water (n), metsi a a emeng.
stain (n), kwaba, dikwaba; sebala, dibala.
stale (a), swafetse(ng).
stalk (n), lenono, manono; letlhokwa, matlhokwa.
stalk-borer (n), sebokophetlhi, dibokophetlhi.
stallion (n), pheke; bopheke.
stammer (v), kwakwaetsa.
stamp (corn, etc) (v) thuga; tlhobola.
stamp (n), setempe, ditempe.
stand (v), ema; eme.
standard (n), kemo, dikemo; boemo, maemo.
star (n), naledi, dinaledi.
starch (n), setatšhe, seteisele.
stare (v), kala; dilola.

start (v), simolola; thoma.
starve (v), matla; bolawa ke tlala.
statement (n), polelo, dipolelo; kanego, dikanego.
station (n), seteišene, diteišene.
statue (n), sefikantswe, difikantswe; segopotso, digopotso.
statute (n), molao, melao.
steal (v), utswa.
steam (n), phufudi; setimi.
steenbok (n), phudufudu, diphudufudu.
steep (v), ina.
stem (n), kutu, dikutu; thito, dithito.
stench (n), sebodu, dibodu.
step (v), gata.
step-ladder (n), llere, dillere.
steps (n), serepodi, direpodi; kgato, dikgato.
sterile (a), opafetse(ng).
sterilise (v), opafatsa.
stethoscope (n), sethetesekoupo, dithetesekoupo.
stick (n), lore, dinthe; thobane, dithobane.
stiff (a), tshume.
stillborn (n), motlaalapile.
stimulus (n), setsibosi, ditsibosi.
sting (v), loma.
sting (n), lebolela, mabolela.
stink (n), sebodu, dibodu.
stink (v), nkga.
stipend (n), tuelo, dituelo.
stir (v), fudua; futswela.
stirrup (n), tlhatlosi, ditlhatlosi.
stocking (n), kausu, dikausu.
stomach (n), mpa, dimpa; mogodu, megodu.
stone (n), lefika, mafika; lentswe, mantswe; letlapa, matlapa.
stool (n), setulo, ditulo; senno, dinno.
stoop (v), inama; obama.
stop (v), ema; emisa; khutla; khutlisa.

stopper (n), sethibo, dithibo.
store (n), lebenkele, mabenkele; setolo, ditolo.
store (v), boloka.
stork (n), lekollwane, makollwane.
storm (n), ledimo, madimo; kgwanyape, bokgwanyape; sefefo, difefo.
story (n), kanelo, dikanelo; setori, ditori; kgang, dikgang.
stout (a), -kima.
stove (n), setofo, ditofo.
straight (a), tlhamaletse(ng).
straighten (v), tlhamalatsa.
strange (a), -sele; sa itsege(ng).
stranger (n), mosele, basele.
strangle (v), beta; kgama.
stray (v), timela; latlhega.
stream (n), moela, meela; molapo, melapo.
street (n), seterata, diterata; mmila, mebila.
strength (n), maatla; thata.
stress (v), gatelela.
stretch (v), taolola; taologa.
strike (v), bata; betsa; itaya; nganga (not work).
string (n), thapo, dithapo; talama, ditalama.
strip (v), apola (clothes).
strive (v), leka.
strong (a), maatla; thata; tiile(ng).
stubborn (a), bodipa; logwadi; tlhogoethata; manganga.
stud (n), sekurufu, dikurufu (of scissors).
stumble (v), kgopa; kgokgoetsega.
stump (n), sesana, disana.
stun (v), gakgamatsa.
stupid (a), boruthwe; bosilo; seelele; sematla.
stutter (v), kwakwaetsa; korakoretsa.
subdepartment (n), lephatana, maphatana.
submerge (v), nwetsa;

thobunyetsa.
submit (v), tlhagisa.
subpoena (n), tagafara, ditagafara; piletsatshekong, dipiletsatshekong.
succeed (v), atlega.
success (n), katlego, dikatlego.
such (a), jaana.
suck (v), tsuntsunyetsa; anya.
suddenly (adv), ka tshoganyetso.
suffer (v), boga.
sugar (n), sukiri, disukiri.
sugar-cane (n), nyoba, dinyoba; ntšhwe, dintšhwe.
suicide (n), boipolao.
suit (v), tshwanela.
sulk (v), tsupa; susumoga.
sullen (a), ngomaetse(ng).
sulphur (n), sebabole.
summary (n), khutshwafatso, dikhutshwafatso; tshobokanyo, ditshobokanyo.
summer (n), selemo.
summit (n), tlhora, ditlhora; setlhoa, ditlhoa.
summon (v), tagafara.
summons (n), tagafara, ditagafara; piletsatshekong; dipiletsatshekong.
sun (n), letsatsi, matsatsi.
sunbeam (n), letlhasedi, matlhasedi; lerang, marang.
Sunday (n), Latshipi; Sontaga.
sundown (n), phirimo ya letsatsi.
sunflower (n), sonobolomo, disonobolomo.
sunlight (n), lesedi la letsatsi.
sunrise (n), tlhabo ya letsatsi; masa.
sunset (n), phirimo ya letsatsi.
supervision (n), tlhokomelo.
supper (n), selalelo, dilalelo.
supply (stock) (n), thoto, dithoto.
supreme court (n), kgotla ya makgaolakgang.
surely (adv), ka kelotlhoko.

surgeon (n), moari, baari.
surname (n), sefane, difane.
surpass (v), gaisa; phala; feta.
surprise (n), kgakgamatso, dikgakgamatso; kgakgamalo, dikgakgamalo.
surprise (v), gakgamala; gakgamatsa.
surrender (v), ineela.
surround (v), dikanyetsa; tsikelela; dikaganetsa.
surveyor (n), molekanyalefatshe; balekanyalefatshe.
suspect (v), belaela.
suspect (n), mmelaelwa, babelaelwa.
suspicion (n), pelaelo, dipelaelo.
swallow (n), peolwane, dipeolwane.
swallow (v), metsa.
swamp (n), motsitlana, metsitlana; moraga, meraga.
swarm (n), segopa, digopa; motshitshi, metshitshi.
swear (v), roga (curse); ikana (declare solemnity).
sweat (n), mofufutso, mefufutso; sethitho, dithitho.
sweat (v), fufula; fufulelwa.
sweep (v), feela.
sweet (a), semonamonane, dimonamonane; dimonamone.
sweet (a), botshe; monate.
sweet-potato (n), potata, dipotata.
sweet veld (n), phulobotshe, diphulobotshe.
swell (v), ruruga.
swelling (n), thurugo, dithurugo.
swift (a), bofefo.
swiftly (adv), ka bonako; ka bofefo.
swim (v), šapa; thuma.
swimmer (n), mothumi, bathumi.
switch (n), kgomanyi, dikgomanyi.
switch on (v), kgomanya; letsa (eg radio).
sword (n), sabole, disabole.

syllable (n), noko, dinoko.
syllabus (n), lenanathuto,
mananathuto.
sympathetic (a),
boutlwelobotlhoko.
sympathy (n), kutlwelobotlhoko;

bopelotlhomogi.
symptom (n), sesupo, disupo.
syphilis (n), thosola, matsabane.
syringe (n), sepeiti, dipeiti;
serintšhi, dirintšhi; motlhogo,
metlhogo.

T

table (n), tafole, ditafole.
table-cloth (n), tafoletuku,
ditafoletuku; lesela la tafole,
masela a tafole.
tabulate (v), rulaganya.
tadpole (n), koduntwane,
dikoduntwane; koloti, dikoloti.
tail (n), mogatla, megatla.
tailor (n), mosegi, basegi.
take (v), tsaya; tshwara.
tale (n), kanelo, dikanelo; motlotlo,
metlotlo.
talent (n), talente, ditalente; mpho,
dimpho; neo, dineo.
talk (v), bua.
talkative (a), sebalabadi.
tall (a), motloutlo; -leele; boleele.
tambookie grass (n), moseka,
meseka.
tame (a), bokgwabo,
kgwabofetse(ng).
tampan (n), tampana, ditampana;
letampana, matampana.
tan (v), suga (a hide); ora (in the
sun).
tank (n), tanka, ditanka.
tap (for water) (n), thepe, dithepe.
tapeworm (n), mphe, dimphe.
tar (n), bokgakga (tobacco);
sekontiri (road).
tarpaulin (n), bokoseile,
dibokoseile; seile, diseile.
tarry (v), dikadika.
task (n), tiro, ditiro.
taste (v), utlwa (ka loleme).

tasteless (a), bosula; setlasu.
tattered (a), makgasa.
tax (n), lekgetho, makgetho.
tax (v), lefisa lekgetho; kgethisa.
taxi (n), thekisi, dithekisi.
tea (n), tee, ditee.
teach (v), ruta.
teacher (n), morutabana,
barutabana.
tear (n), legago, magago.
tear (when crying) (n), keledi,
dikeledi.
tease (v), tlaopa; rumola.
teat (n), lebele, mabele; letsele,
matsele.
teeth (n), leino, meno.
telegram (n), mogala, megala;
thelekerama, dithelekerama.
telephone (n), mogala, megala;
thelefono, dithelefono.
telescope (n), thelesekopo,
dithelesekopo.
tell (v), bolelela, raya.
tempt (v), raela.
temptation (n), thaelo, dithaelo.
ten (num), lesome, some.
tenant (n), mohiri, bahiri.
tender (a), bonana; -nana; boruma.
tendon (n), monape, menape;
mosifa, mesifa; ntha, dintha.
tendril (n), molebo, melebo; ranka,
diranka.
tension (eg wire) (n), kgagamalo.
tent (n), tente, ditente.
termite (n), lekeke, makeke;

motlhwa, metlhwa.

terrace (n), terase, diterase; serepodi, direpodi.

terrifying (a), bolau; setlhogo.

terror (n), poifo; letshogo.

test (n), teko, diteko.

test (v), leka; lekelela.

testament (n), kgolagano, dikgolagano.

testify (v), paka.

tetanus (n), kitlano ya meno.

than (conj), go feta; go gaisa.

thank (v), leboga.

that (pron), yoo; boo; tseo; etc.

thatch (v), rulela.

their (pron), bona; ena; tsone; etc.

them (pron), bona; bone; etc.

theme (n), morero, merero; thitokgang, dithitokgang.

then (adv), jaale; ke fa.

there (adv), koo; gone; mole; fale.

therefore (adv), ka jalo; ka moo.

thick (a), -kima.

thicket (n), sesuthu, disuthu.

thief (n), legodu, magodu.

thieve (v), utswa.

thigh (n), serope, dirope.

thin (a), -sesane.

thing (n), selo, dilo; golo.

think (v), nagana; gopola; akanya; itlhoma.

thirst (n), lenyora; kgalego.

thirsty (a), kgalegile(ng).

thirteen (num), sometharo.

thirty (num), somamararo; somaamararo.

this (pron), yo; bo; le; etc.

thong (n), kgole, dikgole; kgojana, dikgojana.

thorax (n), sehuba, dihuba.

thorn (n), mmitlwa, mebitlwa; mutlwa, mitlwa.

thorn-tree (n), mooka, meoka.

thorny (a), mmutlwa; mebitlwa.

those (pron), bao; eo; tseo; etc.

though (conj), le fa; e tswe.

thought (n), boitlhomo, maitlhomo; kakanyo, dikakanyo; kgopolo, dikgopolo.

thousand (num), sekete, dikete; kete, dikete.

thread (n), tlhale, ditlhale.

three (num), tharo.

three-course meal (n), dijo tsa metsholomeraro.

thresh (v), photha; setla; fola.

thrift (n), tshomarelo.

throat (n), mometso, memetso.

throb (v), uba; opaopa.

throw (v), kolopa; konopa; latlhela (throw away).

thumb (n), kgonotšwe.

thunder (n), modumo, medumo.

Thursday (n), Labone.

tibia (n), motwane.

tick (n), kgofa, dikgofa.

ticket (n), thekethe, dithekethe.

tickle (v), tsikitsa.

tide (n), nako, dinako; thaete, dithaete.

tide (high) (n), kgogomoso ya lewatle.

tide (low) (n), nakopotlela.

tie (v), bofa; hunela.

tight (a), gagametse(ng).

tighten (v), gagamatsa; swaetsa.

time (n), nako, dinako.

timetable (n), lenanetiro, mananetiro.

timid (a), boboi.

tip (n), ntlha, dintlha; katso, dikatso (restaurant).

tip; be tipped (v), atswa.

tiptoes (adv), ka ditsetsekwane.

tired (a), lapile(ng).

title-deed (n), kano ya bong; dikano tsa bong.

toad (n), segwagwa, digwagwa.

toast (v), kwamisa.

tobacco (n), motsoko, metsoko.

today (n), gompieno, kajeno.

toe (n), mono, meno; monwana,

menwana (wa/ya leoto).
toe nail (n), nala, dinala.
together (adv), mmogo.
toilet (n), boithomelo, maithomelo;
ntlwana, dintlwana.
tomato (n), tamati, ditamati.
tomb (n), lebitla, mabitla.
tombstone (n), letlapa la lebitla,
matlapa a lebitla.
tomorrow (adv), ka moso; ka
mmamoso.
ton (n), tono, ditono.
tongue (n), leleme, maleme;
loleme, diteme; puo, dipuo
(language).
tonsil (n), kodu, dikodu.
too (adv), gape.
tool (n), sediriswa, didiriswa.
tooth (n), leino, meno.
top (n), bogodimo; legodimo,
magodimo.
torch (n), totše, ditotše.
torment (v), tlhorisa; tlhorontsha;
bogisa.
tortoise (n), khudu, dikhudu.
touch (v), kgoma, ama.
tough (a), ntha, dintha; popota.
tourniquet (n), setsimpi, ditsimpi;
thonikete, dithonikete.
towel (n), toulo, ditoulo.
town (n), toropo, ditoropo; motse,
metse.
trade (v), bapala; gweba; bapatsa.
trade (n), kgwebo, dikgwebo; tiro,
ditiro (job).
traditional (a), setso; selegae;
ngwao.
tragedy (n), matlhomola;
matlhomolapelo; masetlapelo.
trail (n), motlhala, metlhala.
train (v), kata, katisa, ruta.
train (n), setimela, ditimela; terena,
diterena.
traitor (n), moeki, baeki.
trample (v), kataka.
translate (v), fetolela; tšhomolola.

transplant (v), jalolola.
transport (n), dipalangwa;
dipagangwa.
trap (n), kobi, dikobi; serai, dirai.
travel (v), kgabaganya; tsamaya;
eta.
traveller (n), moeti, baeti;
motsamai, batsamai; mompati.
tread (v), gata.
treasurer (n), ramatlotlo,
boramatlotlo.
treat (v), tshola; tshwara.
treatment (n), tsholo; tshwaro.
tree (n), setlhare, ditlhare.
tremble (v), roroma; tetesela;
tlakasela.
trench (n), mosele, mesele.
trespass (v), tsenelela.
trespass (n), tsenelelo, ditsenelelo.
trial (n), tsheko, ditsheko; tshekiso,
ditshekiso.
triangle (n), khutlotharo,
dikhutlotharo.
tributary (n), modutela, medutela.
trick (n), mathaithai; boradia.
triumph (n), phenyo, diphenyo;
katlego, dikatlego.
trivial (a), lefela.
trouble (n), molato, melato; tlalelo,
ditlalelo; bothata, mathata.
troublesome (a), letshwenyo;
tshwenya(ng).
trousers (n), borokgwe, marokgwe;
borukhu, marukhu.
truck (n), teroko, diteroko; lori,
dilori.
true (a), nnete; boammaaruri.
trumpet (n), terompeta;
diterompeta; phala, diphala.
trust (v), tshepa; tshepha; solofela.
trustworthy (a), boikanyo,
ikanyega(ng).
truth (n), boammaaruri; nnete.
try (v), leka.
tsetse fly (n), tsetse, ditsetse.
tuberculosis (n), lehuba; lohuba;

mafatlha a magolo; thibii.
Tuesday (n), Lobobedi.
tuft (n), setlopo, ditlopo.
tumour (n), senatla, dinatla;
tlhagala, ditlhagala.
tunnel (n), kgogometso,
dikgogometso; mogogoro,
megogoro.
turkey (n), kalakune, dikalakune.
turn (v), retologa; dikolosa.
turnip (n), thenipi, dithenipi; rapa,
dirapa.
tweezer (n), sepati, dipati.
twelve (num), somepedi.
twenty (num), somamabedi;

somaamabedi.
twice (adv), gabedi.
twig (n), letlharapana,
matlharapana; kalana, dikalana.
twilight (n), lotlatlana.
twin (n), lefatlha, mafatlha;
lewelana, mawelana.
two (num), pedi; -bedi.
type (n), mohuta, mehuta; mofuta,
mefuta.
type (v), tlanya.
typewriter (n), setlanyi, ditlanyi.
typhoid (n), letshoroma la mala.
typhus (n), lenta.

U

ugly (a), maswe.
ulcer (n), tlhagala, ditlhagala;
sebolai, dibolai.
ulna (n), seforateng, diforateng;
ulna.
ultimate (a), bofelo.
ultra-violet ray (n), lerang la ultra-
violet, marang a ultra-violet.
umbilicus (n), khubu, dikhubu.
umbrella (n), sekhukhu, dikhukhu.
unable (a), paletswe(ng);
palela(ng).
unaccustomed (a), sa tlwaelegang.
unarmed (a), sa tsholang dibetsa.
unauthorised (a), ka ntle le tetla.
unaware (a), sa itse(ng).
unbecoming (a), ronne(ng);
rona(ng).
unblock (v), thibolola.
uncertain (a), tebatebile(ng); sa
tlhomamisa(ng).
unchanged (a), sa fetogang.
uncivil (a), tlhoka(ng) maitseo.
uncivilised (a), tlhokang maitseo.
uncle (n), malome, bomalome
(maternal); rangwane,
borangwane; rramogolo,

(borramogolo) (paternal).
unclean (a), itshekologile(ng).
uncoil (v), thathologa; thatholosa.
uncommon (a), sa tlwaelegang.
unconscious (a), idibetse(ng).
unconsciousness (n), kidibalo.
unconscious state (n), kidibalo.
uncooked (a), korobetse(ng); sa
apewang.
uncouth (a), tala.
uncover (v), khurumolola.
uncultivated (a), sa lemiwang.
uncultured (a), tala; tlhoka(ng)
setho.
undamaged (a), sa senyega(ng).
undecided (a), tebateba(ng);
tebatebile(ng); belaela(ng).
undependable (a), sa ikanyega(ng);
tlhoka(ng) boikanyego.
under (prep), tlase ga; fa tlase ga.
understand (v), tlhaloganyo;
lemoga.
understanding (n), tlhaloganyo;
temogo.
undertaker (n), moiteki, baiteki.
underwear (n), diaparo tsa ka fa
teng.

undesirable (a), ditsatsa; manasa.
undisciplined (a), se nang maitseo.
undo (v), tlhatlhamolola; bofolola.
undoubtedly (adv), tota, ka
  mmatota.
undress (v), apola.
undressed (a), apotseng;
  apogileng.
unearth (v), swapodisa.
uneasy (a), kokonela(ng);
  tlhobaela(ng).
uneducated (a), tlhoka(ng) kitso/
  thuto.
unemployed (a), se nang tiro;
  tlhoka(ng) tiro.
unequal (a), sa lekalekane(ng).
uneven (a), makgawekgawe.
unexpectedly (adv), ka
  tshoganyetso.
unfaithful (a), ikanyologile(ng);
  ikanyologa(ng).
unfasten (v), kopola (unbutton);
  golola (untie).
unfeasible (a), retela(ng);
  retetse(ng).
unfinished (a), sa fediwang.
unfit (a), sa tshwanela(ng).
unfold (v), phuthologa; phutholola.
unfortunate (a), wa batho.
unfortunately (adv), ka maswabi.
ungrateful (a), tlhoka(ng) tebogo.
unhappy (a), sudile(ng); sula(ng).
unhealthy (a), bokoa.
unhygienic (a), kgatlhanong le
  boitekanelo.
uniform (a), tshwanang, lekanang.
uniform (n), semphato, dimphato;
  junifomo, dijunifomo.
uniformity (n), tshwano, tekano.
unit (n), motso, metso; seelo,
  dielo; karolo, dikarolo;
  karolwana, dikarolwana.
unite (v), kopanya.
unity (n), seoposengwe.
universe (n), lobopo, popo, dipopo.
university (n), yunibesiti,
  diyunibesiti.

unkind (a), peloethata.
unknowingly (adv), ka go sa itse.
unlike (a), sa tshwanang.
unload (v), pagolola; folosa;
  laisolola.
unlucky (a), madimabe.
unmarried person (n), kgope,
  dikgope; lekgarebe, makgarebe.
unnecessary (a), sa tlhokegeng.
unoccupied (a), sa nnweng.
unravel (v), rarabolola.
unsafe (a), kotsi.
unsatisfied (a), sa kgotsofalang.
unscrew (v), kurufolola.
unselfish (a), boitebalo;
  pelotshweu.
unsuccessful (a), matlhogole.
untidy (a), boatla.
untie (v), bofolola; funolola.
until (conj), go fitlhela.
untruth (n), kako, maaka.
unwilling (a), itsemeletsa(ng).
up (adv), godimo; kwa godimo.
uphold (v), tshegetsa.
upon (prep), godimo ga.
upright (a), tsepame(ng);
  tsepama(ng).
upright (n), thokgamo.
uproar (n), magawegawe;
  khuduego.
uproot (v), kumola; tomola.
upset (v), tsuolola.
urban (a), ya seteropo; teropo.
urge (v), rotloetsa; gobagobetsa;
  tlhotlheletsa.
urinate (v), tlhapologa.
urine (n), motlhapo, metlhapo.
us (pron), rona; re.
use (v), dirisa.
useful (a), mosola.
useless (a), se nang mosola.
usually (adv), ka gale; ka metlha.
utensil (n), sediriswa, didiriswa.
uterus (n), popelo, dipopelo.
uvula (n), lelengwana, lolengwana;
  malengwana.

V

vacancy (n), phatlhatiro, diphatlhatiro.
vacate (v), tswa.
vacation (n), boikhutso, maikhutso.
vaccinate (v), enta.
vaccination (n), go enta.
vagrant (n), senyae, dinyae; mokidii, bakidii.
vague (a), sa utlwaleng; sa bonaleng.
valiant (a), seganka; diganka; bopelokgale.
valid (a), nang le thata; siame(ng).
valley (n), kgatsha, dikgatsha; mokgatsha, mekgatsha.
valour (n), bopelokgale; boganka.
valuable (a), botlhokwa.
value (n), mosola; tlhotlhwa.
vanish (v), nyelela.
vapour (n), phufudi, diphufudi.
variety (n), mofuta, mefuta; mothale, methale.
vary (v), fapaana; farologana.
vaseline (n), vaseline; beseline.
veil (n), lesira, masira; lesire, masire.
vein (n), setlisamadi, ditlisamadi; lesika, masika; losika, ditshika.
veld (n), naga, dinaga.
veld fire (n), molelo wa nageng.
vengeance (n), pusoloso.
venom (n), botlhole; borebotlhole.
verb (n), lediri, madiri.
verdict (n), katlholo, dikatlholo.
vernacular (n), puo ya segae; dipuo tsa segae.
vertebra (n), mokokotlo, mekokotlo; kidikidi, dikidikidi.
vertebral column (n), motseletsele wa dikidikidi.
vertical line (n), mola o o

tsepameng, mela e e tsepameng.
vessel (n), tsela ya madi, ditsela tsa madi (anatomy).
vex (v), rumola, tshwenya.
vice (n), setshwareledi, ditshwareledi.
vice-chairman (n), motlatsamodulasetulo, batlatsamodulasetulo.
victory (n), phenyo, diphenyo.
view (v), bona; leba.
vigilante (n), moletamotse, baletamotse.
vigorous (a), maikatlapelo.
village (n), motse, metse.
villain (n), molotsana, balotsana; sekebekwa, dikebekwa.
virgin (n), lekgarebe, makgarebe; legammana, magammana.
visible (a), bonala; bonagala.
visit (v), eta, etela; ja nala.
visiting-place (n), bojanala.
visitor (n), moeti, baeti; moeng, baeng; mojanala, bajanala.
vlei (n), mokgatsha, mekgatsha.
voice (n), kodu, dikodu; lentswe, mantswe.
volcano (n), lekgwamolelo, makgwamolelo.
volume (n), mothama, methama; bolumu.
volunteer (n), moithaopi, baithaopi; moithebodi, baithebodi.
vomit (v), tlhatsa.
vote (v), kgetha; tlhopha; bouta.
vote (n), boutu, diboutu; tlhopho, ditlhopho.
vow (v), ikana.
vowel (n), tumanosi, ditumanosi.
vulture (n), lenong, manong.

W

wade (v), gobua.
wafer (n), papetla, dipapetla.
wag (tail) (v), tsokotsa.
wage (n), tefo, ditefo.
wagon (n), koloi, dikoloi.
wagon-load (n), foraga, diforaga (ya/tsa koloi).
wagtail (n), moselakatane, meselakatane.
wail (v), bokolela.
waist (n), letheka, matheka; lotheka, ditheka.
wait (v), leta; ema; emela.
waiter (n), moabadijo, baabadijo.
wake (v), tsosa, tsoga (to wake up).
walk (v), tsamaya; sepela.
wall (n), lobota, dipota; lebota, mabota; lerako, marako (stone wall).
wallow (v), pitikologa; bidikama.
want (v), batla; rata; senka.
war (n), ntwa, dintwa.
warden (n), molebeledi, balebeledi; modisabagolegwa, badisabagolegwa.
warm (a), bolelo; molelo.
warn (v), tlhagisa; lemosa; itsise.
warning (n), temoso, ditemoso.
warrior (n), motlhabani, batlhabani; lesole, masole.
warthog (n), kolobe (ya naga); dikolobe (tsa naga).
wash (v), tlhapa (humans); tlhatswa (things).
wasp (n), mofu, mefu; moruthwane, meruthwane.
waste (v), senya.
watch (v), lepa; lebelela; tlhokomela.
watch (n), tshupanako; ditshupanako; orolosi, diorolosi; watšhe, diwatšhe.
water (n), metsi.
water (v), nosa; nosetsa.

waterfall (n), lephorophoro, maphorophoro; lephotophoto, maphotophoto.
water-furrow (n), mosele, mesele.
water-hole (n), mokwara, mekwara.
water-melon (n), legapu, magapu.
watershed (n), mothudimetsi, methudimetsi.
wattle (n), mositsane, mesitsane.
wave (n), lekhubu, makhubu.
wave (v), kgatikanya; gwetlha.
wax (n), bonota.
way (n), tsela, ditsela; mmila, mebila; thulaganyo, dithulaganyo.
weak (a), bokoa.
weakness (n), mositsane, makoa; phokolo.
wealth (n), bohumi; lehumo, mahumo; lohumo, dikhumo.
wean (v), alosa (animal); kgwisa (baby).
weapon (n), sebetsa, dibetsa; setlhabano, ditlhabano.
wear (v), rwala; apara.
weariness (n), letsapa, molapo; melapo; go lapa.
weather (n), bosa.
weave (v), loga.
web (n), bobi.
wed (v), nyadisa; nyala.
wedding (n), lenyalo, manyalo; nyalo, dinyalo.
Wednesday (n), Laboraro.
weed (v), tlhagola.
weed (n), mofero, mefero; ngwang.
week (n), beke, dibeke; tshipi, ditshipi.
weekly (adv), beke nngwe le nngwe.
weep (v), lela.
weevil (n), tshupa, ditshupa.

weigh (v), kala; bega.
weight (n), boima; bokete.
welcome (n), kamogelo.
welfare (n), tirelobosetšhaba;
katlaatleloloago.
well (n), sediba, didiba.
well-known (a), itsegeng (sentle).
west (n), bophirima;
bophirimatsatsi; bowelatsatsi.
wet (a), metsi; kolobile(ng).
whale (n), leruarua, maruarua.
what? (intr), eng?
wheat (n), korong; dikorong.
wheel (n), leotwana, maotwana.
wheelbarrow (n), keriba, dikeriba.
when? (intr), leng?; neng?
whenever (conj), fa.
where? (intr), kae?
whether (conj), fa.
whether (n), phorogotlho,
diphorogotlho.
whey (n), makgatlha; tlhoa.
which? (intr), -fe?; ofe?; bafe?; etc.
whimper (v), lela.
whip (n), seme, dime.
whip (v), setla.
whirlpool (n), kgogela; dikgogela.
whirlwind (n), sefefo, difefo;
setsokotsane, ditsokotsane;
setsuatsue, ditsuatsue.
whiskers (n), ditedu; magwagwa.
whisper (v), seba.
whistle (v), letsa molodi; tswirinya.
whistle (n), nakana, dinakana;
phalana, diphalana; molodi,
melodi.
white (a), -sweu; bosweu.
white ant (n), motlhwa, metlhwa.
Whiteman (n), Lekgoa; Makgoa;
Mosweu; Basweu.
whitewash (n), go kalaka.
whitlow (n), feite, difeite.
who? (intr), mang?
whole (a), -tlhe; botlhe; yotlhe; etc.
wholesome (a), itekanetse(ng);
pholo; nonotshang.

whose? (intr), (ya) mang?
why? (intr), ke eng?; goreng?; ka
ntlha ya eng?; ka lebaka la eng?
wide (a), -phaphathi; bophaphathi;
sephara.
widow (n), motlholagadi;
batlholagadi.
widower (n), moswagadi,
baswagadi.
width (n), bophaphathi; bophara.
wife (n), mogatsa, bomogatsa;
mosadi, basadi; mohumagadi,
bahumagadi.
wig (n), wiki, diwiki.
wild (a), tlhaga; tlhagafetse(ng).
wildebeest (n), kgokong,
dikgokong.
wilderness (n), gareganaga;
sekake.
wilful (adv), ka bomo.
will (n), thato, dithato; kabo ya
boswa, dikabo tsa boswa
(testament).
willow (n), mogokare; megokare.
wilt (v), otobala; swaba.
win (v), fenya; phala.
wind (road) (v), tsokela; waena
(clock).
wind (n), phefo, diphefo.
window (n), fensetere, difensetere;
letlhabaphefo, matlhabaphefo.
wind-pipe (n), kgokgotsho;
dikgokgotsho.
wine (n), beine, dibeine.
wing (n), lofuka; diphuka.
wink (v), panya, bonya.
winter (n), mariga.
wipe (v), phimola.
wire (n), mogala, megala; terata,
diterata; bothale, mathale.
wireless (n), waelese, diwaelese;
radio, diradio.
wisdom (n), botlhale, matlhale.
wise (a), botlhale; tlhalefile(ng).
wish (v), rata; eletsa.
witchcraft (n), boloi.

witch-doctor (n), ngaka, dingaka (ya/tsa setso).
witchweed (n), molelwana, melelwana.
withdraw (v), ikgoga; ntsha.
wither (v), swaba.
withhold (v), loba (truth, etc).
within (adv), mo teng; ka.
without (adv), ntle le/ga; kwa ntle ga.
witness (n), paki, dipaki; mosupi, basupi.
woman (n), mosadi, basadi.
womb (n), popelo, dipopelo; sebopelo, dibopelo.
wonder (n), motlholo, metlholo; kgakgamalo; dikgakgamalo.
wonderful (a), gakgamatsa(ng).
wood (n), kgong, dikgong; logong; sekgwa, dikgwa (forest).
woodpecker (n), kopaopa, dikopaopa; kokope, dikokope.
wool (n), boboa; wulu, diwulu.
word (n), lefoko, mafoko.
work (v), dira.
work (n), tiro, ditiro; modiro, mediro.
worker (n), modiri, badiri.
world (n), lefatshe.
worm (n), seboko, diboko.
worm (round) (n), papisi, dipapisi; monyonyo, menyonyo.
worried (a), tshwenyega(ng); tshwenyegile(ng).
worry (n), lebote, mabote; tlhobaelo, ditlhobaelo; matshwenyego.
worship (v), obamela.
worth (n), mosola, mesola.
wound (n), ntho, dintho.
wound (v), gobatsa; ntsha ntho.
wrap (v), phuthela.
wrath (n), kgalefo; bogale; kgakalo.
wrestle (v), betabetana; kampana.
wring (v), gamola.
wrinkle (n), letsutsuba, matsutsuba; popotlo, dipopotlo.
wrist (n), letlhalela, matlhalela.
write (v), kwala.
writing (n), mokwalo, mekwalo.
wrong (a), phoso; fositswe(ng).

X

Xhosa (n), Sethosa (language).

Y

yard (n), segotlo, digotlo; jarata, dijarata.
yawn (v), edimola.
year (n), ngwaga, dingwaga.
year (leap) (n), ngwagamoleele.
yearly (a), ngwaga le ngwaga; ka ngwaga.
yeast (n), letlhabego, matlhabego; surutege, disurutege.
yell (v), bokolela, goa.
yellow (a), -setlha; serolwana; botlhaba.
yes!, ee!
yesterday (adv), maabane.
yoke (n), setsibagetla, ditsibagetla; jokwe, dijokwe.
yolk (n), boe.
you (pron), wena.
young (a), -nana; -šwa; -botlana; -nne.
your (pron), gago.
youth (n), bonana; bošwa.

Z

zeal (n), tlhoafalo; mafolofolo.
zebra (n), pitse ya naga, dipitse tsa
naga.

zero (n), lefela, mafela; nnoto.
zigzag (adv), manyokenyoke.
Zulu (n), Sezulu (language).

SETSWANA DICTIONARY

INTRODUCTION

Nouns in Setswana which act as the subjects of sentences must show a relationship with the verb, i.e. by means of subjectival concords. Furthermore, words (noun qualifiers) which are used to qualify nouns, must also show agreement with the nouns they qualify. These relationships are brought about by different concords which are prefixed to the different parts of speech.

Pronouns must also show concordial agreement with their related/respective noun(s). In these cases each noun group/class has its own pronoun(s).

Illustrative examples are shown in the appendices:

THE DICTIONARY

SETSWANA–ENGLISH

A

aba (v), distribute; divide; donate.
abela (v), allocate; present; share.
abelela (v), guess.
aboga (v), gape.
abula (v), crawl.
adima (v), borrow; lend.
aena (v), iron.
aesekerime (diaesekerime) (n), icecream.
afidafiti (diafidafiti) (n), affidavit.
aga (v), build; construct; erect.
agelela (v), erect.
agente (diagente) (n), lawyer; attorney.
Agosete (n), August.
aka (v), lie; tell lies.
akabala (v), become bewildered.
akabatsa (v), bewilder.
akanya (v), consider; think; imagine; deliberate.
akanyetsa(ng) (v), considerate.
akere (diakere) (n), acre.
aketsa (v), lie; tell lies.
akgola (v), congratulate.
akhodiane (diakhodiane) (n), accordion.
akofa (v), hasten.
akofisa (v), accelerate.
akotse(ng) (v), fat.
ala (v), lay (table); unfold; prepare a bed.
alafa (v), cure; heal.

alefabete (dialefabete) (n), alphabet.
alekhoholo (n), alcohol.
alemanaka (dialemanaka) (n), almanac.
aletare (dialetare) (n), altar.
alosa (v), wean animals.
ama (v), touch; feel.
amana le (v), abut; be applicable to.
amegang (a), sensitive.
ammaaruri (conj), indeed.
amoga (v), benefit; deprive.
amoga dibetsa (v), disarm.
amogela (v), receive; earn; accept; obtain; acknowledge; approve.
amogelega (v), acceptable.
amogelwa: go amogelwa (n), acceptance.
anaanela (v), appreciate.
anamisa (v), spread.
anangwe: ga e anangwe (v), confidential.
ananya (v), barter; exchange.
anatomi (n), anatomy.
anega (v), recount; hang; spread out.
anela (v), narrate; relate.
anemia (n), anaemia.
anoga (v), disappear; become light.
anuse (dianuse) (n), anus; behind.
anya (v), suck(le).
apara (v), dress (oneself); wear.

aparata (diaparata) (n), apparatus.
apaya (v), cook; brew.
apesa (v), dress (someone else); attire; clothe.
apogile(ng) (v), undressed; uncovered; clear (weather).
apola (v), undress; strip.
apole (diapole) (n), apple.
apolekose (diapolekose) (apolekosi) (n), apricot.
Aporele (n), April.
apotse(ng) (v), undressed; uncovered.
ara (v), operate.
araba (v), reply; respond; answer.
aramela (v), bask (in the sun).
arola (v), separate; divide.
arologanya (v), classify.
ase (diase) (n), axle.
asema (n), asthma.
asiti (diasiti) (n), acid.
atamela (v), approach.
atametsa (v), approximate; bring near.

atemosefere (n), atmosphere.
ateresa (v), address (a letter).
aterese (diaterese) (n), address (postal address).
athikele (diathikele) (n), article (in periodicals).
atisa (v), multiply.
atla (v), kiss.
atlafa (v), err.
atlanega (v), achieve.
atlanegisa (v), recommend.
atlega (v), succeed.
atlelase (diatlelase) (n), atlas.
atlhame (v), agape; open.
atlhola (v), judge; adjudge; condemn; arbitrate.
atlholela (v), acquit.
atlholwa (v), be condemned.
atolosa (v), augment; extend.
atswa (v), be tipped.
aubuti (n), elder brother.

B

baabadijo (moabadijo) (n), waiters.
baagi (moagi) (n), civilians; builders; citizens; population.
Baagi ba Intia (n), Indians.
baagi ba ntlha (n), aborigines; first inhabitants.
baagisani (moagisani) (n), neighbours.
baagiteke (moagiteke) (n), architects.
baakanya (v), mend; prepare; repair; adjust.
baaki (moaki) (n), liars.
baalafi (moalafi) (n), doctors; healers.
baambasatara (moambasatara) (n), ambassadors.
baaposetolo (moaposetolo) (n), apostles.
baari (moari) (n), surgeons.
baatefokate (moatefokate) (n), advocates.
baatlhodi (moatlhodi) (n), adjudicators; judges.
baatlhodisi (moatlhodisi) (n), assessors.
baba (mmaba) (n), foes; enemies; adversaries.
babalela (v), conserve (preserve); protect; care (for).
baba(ng) (v), itch; be bitter (eg water).
babegakgang (mmegakgang) (n), reporters.
babegi (mmegi) (n), reporters; informers.

babelaelwa (mmelaelwa) (n), suspects.
babelegi (mmelegi) (n), nursemaids.
babelegisi (mmelegisi) (n), midwives.
babeodi (mmeodi) (n), barbers.
babereki (mmereki) (n), employees; workers.
babetli (mmetli) (n), carpenters; sculptors.
babitsi (mmitsi) (n), callers.
babobodi (mmobodi) (n), patients.
babogedi (mmogedi) (n), spectators.
baboki (mmoki) (n), bards; poets.
babola (v), scorch; scald; singe.
babolai (mmolai) (n), murderers.
baboni (mmoni) (n), eye-witnesses.
babopi (mmopi) (n), potters; creators.
babueledi (mmueledi) (n), barristers; advocates; attorneys; lawyers.
babusakarolo (mmusakarolo) (n), provincial administrators.
babusisi (mmusisi) (n), administrators.
badidi (modidi) (n), pagans; paupers.
badimo (n), ancestral spirits.
badipa (modipa) (n), champions; stubborn people.
badiraboemong (modiraboemong) (n), agents.
badirammogo (n), staff (people).
badirawatleng (modirawatleng) (n), seamen.
badiredi (modiredi) (n), employees; servants.
badirelwa (modirelwa) (n), clients.
badiri (modiri) (n), workers; labourers.
badisa (modisa) (n), shepherds; herd-boys; guards.
badisabagolegwa

(modisabagolegwa) (n), wardens.
badisi (modisi) (n), escorts.
baduedi (moduedi) (n), payers.
baduelwa (moduelwa) (n), payees.
badulasetulo (modulasetulo) (n), chairmen.
Badumedi (Modumedi) (n), Christians.
badumedi (modumedi) (n), believers.
baefanggele (moefanggele) (n), evangelists.
baeki (moeki) (n), traitors.
baemanokeng (moemanokeng) (n), patrons.
baemedi (moemedi) (n), agents; ambassadors; delegates.
baemisi (moemisi) (n), bridesmaids.
baeng (moeng) (n), visitors; guests.
baenggele (moenggele) (n), angels.
baesekele (dibaesekele) (n), bicycle.
baesekopo (dibaesekopo) (n), bioscope.
Baesemane (Moesemane) (n), Britons; Englishmen.
baeteledipele (moeteledipele) (n), heads; leaders.
baeti (moeti) (n), visitors; guests; travellers.
baetsana (moetsana) (n), bridesmaids; assistants.
baetsi (moetsi) (n), actors; imitators.
bafantisi (mofantisi) (n), auctioneers.
bagaka (mogaka) (n), heroes.
bagakatsi (mogakatsi) (n), aggressors.
bagakolodi (mogakolodi) (n), advisers.
bagale (mogale) (n), heroes.
baganetsi (moganetsi) (n),

adversaries.
bagobadi (mogobadi) (n),
  casualties.
bagodi (mogodi) (n), adults.
bagokagadi (mogokagadi) (n),
  adulterers.
bagolagani (mogolagani) (n),
  accomplices.
bagolegwa (mogolegwa) (n),
  convicts; captives; prisoners.
bagolo (mogolo) (n), adults.
bagologolo (mogologolo) (n),
  ancestors.
bagwe (mogwe) (n), sons-in-law;
  brothers-in-law.
baheitene (moheitene) (n),
  heathens.
bahiri (mohiri) (n), employers;
  tenants.
bahumagadi (mohumagadi) (n),
  wives; queens; ladies.
bahumanegi (mohumanegi) (n),
  paupers.
baidi (moidi) (n), antagonists;
  abstainers; teetotallers.
baikanisi (moikanisi) (n),
  commissioners of oaths.
baikuedi (moikuedi) (n), plaintiffs.
Baintia (Mointia) (n), Indians.
baiphemedi (moiphemedi) (n),
  defendants.
baipobodi (moipobodi) (n),
  confessors.
baiteki (moiteki) (n), undertakers.
baithaopi (moithaopi) (n),
  volunteers.
baithebodi (moithebodi) (n),
  volunteers.
baitimokanyi (moitimokanyi) (n),
  hypocrites.
baitlami (moitlami) (n), nuns.
baitseanape (moitseanape) (n),
  authorities; experts.
baitsemotlakase
  (moitsemotlakase) (n),
  electricians.

baitshepi (moitshepi) (n), saints.
bajaboswa (mojaboswa) (n), heirs.
bajanala (mojanala) (n), visitors.
baka (v), cause; bake; roast; praise.
bakaulengwe (mokaulengwe) (n),
  friends.
bakene (dibakene) (n), beacon;
  cairn.
Bakeresete (Mokeresete) (n),
  Christians.
bakganatiro (mokganatiro) (n),
  antagonists.
Bakgothu (Mokgothu) (n),
  Hottentots.
bakgweetsi (mokgweetsi) (n),
  drivers.
bakhansele (mokhansele) (n),
  councillors.
baki (dibaki) (n), coat; jacket.
bakidii (mokidii) (n), vagrants.
bakopaborobalo
  (mokopaborobalo) (n), lodgers.
bakopatiro (mokopatiro) (n),
  applicants.
bakopi (mokopi) (n), beggars;
  applicants.
bakwadi (mokwadi) (n), authors;
  writers.
bakwaledi (mokwaledi) (n),
  secretaries.
bakwa(ng) (v), praiseworthy.
bala (v), count; enumerate; read.
balabala (v), babble; chatter.
balaedi (molaedi) (n), captains;
  instructors.
balalediwa (molalediwa) (n),
  guests.
balaodi (molaodi) (n), captains;
  commanders; managers.
balatedi (molatedi) (n), followers;
  disciples.
balatofadiwa (molatofadiwa) (n),
  accuseds.
balebeledi (molebeledi) (n),
  guards; bystanders; wardens;
  caretakers; supervisors.

balefi (molefi) (n), payers.
balekane (molekane) (n),
   companions.
balekanyalefatshe
   (molekanyalefatshe) (n),
   surveyors.
balekanyetsi (molekanyetsi) (n),
   assessors.
balekgotla (molekgotla) (n),
   councillors.
balela (v), calculate; choke.
balelapa (n), family.
balemi (molemi) (n), agriculturists;
   farmers.
balemirui (molemirui) (n), farmers.
baleofi (moleofi) (n), sinners.
balepera (molepera) (n), lepers.
balešwa (molešwa) (n), payees.
baletamotse (moletamotse) (n),
   vigilantes.
balomatsebe (molomatsebe) (n),
   informers.
balosika (n), kinsmen.
balotsana (molotsana) (n), ruffians;
   villains.
balune (dibalune) (n), balloon.
balwantshi (molwantshi) (n),
   antagonists.
balwetse (molwetse) (n), patients.
bamelafa (n), aboriginal (aboriginal
   race—lotso lwa bamelafa).
bampati (mompati) (n), travellers.
bampuse (dibampuse) (n),
   bamboo.
bana (ngwana) (n), children.
bangongoregi (mongongoregi) (n),
   plaintiffs; complainants.
bangwegi (mongwegi) (n),
   deserters.
banka (dibanka) (n), bank; desk.
bankane (monkane) (n),
   companions.
banna (monna) (n), men.
banni (monni) (n), citizens;
   inhabitants.
banona (monona) (n), men.

banta (dibanta) (n), band.
banyadi (monyadi) (n),
   bridegrooms.
banyadiwa (monyadiwa) (n),
   brides.
banyalwa (monyalwa) (n), brides.
banyana (ngwanyana) (n), girls;
   infants.
baokamedi (mookamedi) (n),
   chiefs; overseers.
baoki (mooki) (n), nurses.
baopedi (moopedi) (n), singers.
baopedisi (moopedisi) (n),
   conductors.
bapala (v), trade.
bapa le (v), abreast; beside.
bapatsa (v), trade; hawk.
baperesiti (moperesiti) (n), priests.
baphegisani (mophegisani) (n),
   rivals.
bapile(ng) (v), parallel; adjacent.
bapisa (v), compare.
bapola (v), crucify; stretch out.
bapolitiki (mopolitiki) (n),
   politicians.
bapololana (v), contest.
baporofiti (moporofiti) (n),
   prophets.
bara (dibara) (n), bar (hotel).
barati (morati) (n), lovers.
bareki (moreki) (n), buyers.
barena (morena) (n), chiefs;
   masters; sirs.
barongwa (morongwa) (n), angels;
   missionaries; messengers.
barui (morui) (n), farmers.
barukutlhi (morukutlhi) (n), rebels;
   agitators.
barulaganyi (morulaganyi) (n),
   editors.
baruni (moruni) (n), auditors.
barutabana (morutabana) (n),
   teachers; schoolmasters;
   schoolmistresses.
baruti (moruti) (n), missionaries;
   clergymen; ministers.

barutiwa (morutiwa) (n), disciples.
barutwana (morutwana) (n),
 pupils.
Barwa (Morwa) (n), Bushmen.
barwa (morwa) (n), sons.
barwadi (morwadi) (n), daughters.
barwadiakgosi (morwadiakgosi)
 (n), princesses.
barwakgosi (morwakgosi) (n),
 princes.
barweetsana (morweetsana) (n),
 maidens; girls.
basadi (mosadi) (n), wives;
 women; females.
basadi-ba-dikgora (mosadi-wa-
 dikgora) (n), prostitutes.
Basarwa (Mosarwa) (n), Bushmen.
basegi (mosegi) (n), tailors.
baseki (moseki) (n), complainants.
basekisi (mosekisi) (n), judges;
 complainants; prosecutors.
basekisiwa (mosekisiwa) (n),
 defendants; accuseds.
basele (mosele) (n), strangers.
basenate (mosenate) (n), senators.
basenatoro (mosenatoro) (n),
 senators.
basenyammogo
 (mosenyammogo) (n),
 accomplices.
basenyi (mosenyi) (n), culprits.
baseti (moseti) (n), sculptors.
basetsana (mosetsana) (n), girls.
basimane (mosimane) (n), boys.
basireletsi (mosireletsi) (n),
 patrons.
basokologi (mosokologi) (n),
 converts.
basupi (mosupi) (n), witnesses.
basusu (mosusu) (n), deafs
 (persons).
baswagadi (moswagadi) (n),
 widowers.
Basweu (Mosweu) (n), Whitemen.
baswi (moswi) (n), deceased
bata (v), slap; strike; beat.

bata (dibata) (n), bath.
batagwa (motagwa) (n),
 alcoholics; drunks.
batala (motala) (n), barbarians.
batalala (v), duck; crouch.
bataola (v), blow away; dry.
baterepasa (dibaterepasa) (n), level
 (instrument).
bathapi (mothapi) (n), employers;
 masters.
bathapiwa (mothapiwa) (n),
 employees.
bathati (mothati) (n), masters.
batho (motho) (n), public; persons;
 humans; people.
bathubi (mothubi) (n),
 housebreakers; burglars.
bathudi (mothudi) (n), mechanics;
 blacksmiths.
bathumi (mothumi) (n), swimmers.
bathusi (mothusi) (n), assistants;
 deputies.
batla (v), seek; want; search.
batla go (v), almost, nearly.
batlamedi (motlamedi) (n),
 guardians.
batlatsamodulasetulo
 (motlatsamodulasetulo) (n), vice-
 chairmen.
batlatsi (motlatsi) (n), deputies.
batlhabani (motlhabani) (n), army;
 soldiers; warriors.
batlhami (motlhami) (n),
 composers.
batlhanka (motlhanka) (n),
 servants.
batihatlhobi (motlhatlhobi) (n),
 inspectors.
batlhoki (motlhoki) (n), paupers.
batlhokomedi (motlhokomedi) (n),
 guardians.
batlholagadi (motlholagadi) (n),
 widows.
batlhotlheletsi (motlhotlheletsi)
 (n), agitators.
batlhwatlhwaetsi

(motlhwatlhwaetsi) (n), escorts.
batlile go (v), nearly; almost.
batlisisa (v), investigate.
batobatobi (motobatobi) (n),
  culprits.
batola (v), slap; chip.
batoloki (motoloki) (n),
  interpreters.
batonna (motonna) (n), adults.
batsadi (motsadi) (n), parents.
batsalwapele (motsalwapele) (n),
  first-borns.
batsamai (motsamai) (n),
  travellers.
batsamayakadinao
  (motsamayakadinao) (n),
  pedestrians.
batseleganyi (motseleganyi) (n),
  editors.
batsereganyi (motsereganyi) (n),
  arbiters; adjudicators.
batseta (motseta) (n),
  ambassadors.
batshameki (motshameki) (n),
  actors.
batsholalaesense
  (motsholalaesense) (n),
  licensees.
batšhomolodi (motšhomolodi) (n),
  interpreters.
batshwarateu (motshwarateu) (n),
  leaders.
batshwari (motshwari) (n),
  bridesmaids.
batshwarwa (motshwarwa) (n),
  captives.
batsomi (motsomi) (n), hunters.
batsuolodi (motsuolodi) (n),
  revolutionaries.
baya (v), place; put; prescribe;
  appoint; allocate; lay (eggs).
baya molato (v), accuse.
-be (a), bad.
bebetsididi (dibebetsididi) (n), ice-
  cream.
-bedi (a), two.

bedisa (v), boil (eg water); ferment.
beelela (v), become engaged;
  betroth.
bega (v), weigh; notify; report.
Beibele (Dibeibele) (n), Bible.
beilwe(ng) (v), prescribed;
  appointed.
beine (dibeine) (n), wine.
beisa (v), race.
beke (dibeke) (n), week.
beke nngwe le nngwe (n), weekly;
  every week.
bekepedi (n), fortnight.
bela (v), boil (eg water); ferment.
belaela (v), doubt; suspect.
belaela(ng) (v), undecided.
belafala (v), become
  boastful/proud.
belafetse (v), is/was
  boastful/proud.
belega (v), bear (bear a child).
belesa (v), load.
belesetsa (v), expel.
beng (mong) (n), masters; owners.
beng-gae (mong-gae) (n), hosts.
bente (dibente) (n), band.
benya (v), flash.
beola (v), shave; shear.
bepa (v), abate (eg a storm); cool
  down (eg temper); decrease.
bera (dibera) (n), bear.
berebero (diberebero) (n), bolt.
besa (v), bake; roast.
bese (dibese) (n), bus.
beseline (n), vaseline.
beta (v), strangle; choke.
betabetana (v), wrestle.
betagana (v), become
  overcrowded.
bete (dibete) (n), beetroot.
betelela (v), rape.
betla (v), carve; do carpentry.
betsa (v), punish; flog; strike; hit;
  beat.
betsa ka mabole (v), box.
betsana (v), collide.

betšha (v), bet.
betšha: go betšha (n), bet.
betsi (ngwetsi) (n), daughters-inlaw.
betwa (v), drown.
bidikama (v), wallow.
bidikana (v), roll.
biletsa (v), dictate.
bilhazia (n), bilharzia.
bina (v), dance.
bipa (v), cover.
biri (dibiri) (n), beer.
bisikiti (dibisikiti) (n), biscuit.
bišopo (dibišopo) (n), bishop.
bišopomogolo (n), archbishop.
bitia (v), patch.
bitsa (v), call.
bitsa thata (v), costly; very expensive.
boa (v), return; come/go back.
boaka (n), fornication; adultery.
boammaaruri (rel), true.
boammaaruri (n), truth.
boapeelo (maapeelo) (n), kitchen.
boatla (rel), untidy; careless.
boba (v), duck.
bobaba (n), enmity.
bobebe (rel), quick; intelligent; light.
bobedi (n), second.
bobelokgale (n), courage.
bobesetso (n), oven.
bobi (n), cobweb, spider's web.
bobipo (n), hell; realm of the dead.
boboa (n), wool; hair.
bobodu (n), laziness.
boboi (rel), timid.
boboi (n), cowardice.
boboko (maboko) (n), brain.
bobora (v), growl; roar.
bobotlana (n), minimum.
bobowa (mabowa) (n), hair.
bodidi (n), poverty.
bodiidi (n), multitude.
bodila (rel), sour.
bodile (v), bad; rotten.

bodipa (n), cheek; insolence; impertinence.
bodipa (rel), stubborn; impertinent.
bodišaše (n), coward(s).
boditse (n), bristle.
bodulo (madulo) (n), residence.
bodumedi (n), religion.
bodutu (n), loneliness.
boe (n), yolk.
boela (v), return.
boela morago (v), retreat.
boelela (v), revise; repeat.
boelele (n), folly.
boeletsa (v), revise; repeat.
boelwa (v), gain.
boemakepe (maemakepe) (n), harbour.
boemo (maemo) (n), standard; condition (state).
boeyethe (eyethe) (n), idiots.
bofa (v), bind; fasten; tie.
bofafalele (n), extravagance.
bofafalele (rel), extravagant.
bofefe (n), adultery.
bofefo (rel), swift; rapid; quick.
bofefo: ka bofefo (adv), apace; swiftly.
bofelela (v), fasten.
bofelelo (n), outcome; conclusion.
bofelo (n), end.
bofelo (pos), ultimate.
boferefere (n), deception; deceit.
bofitlha (rel), obscure.
bofitshwa (n), darkness.
bofologa (v), loosen.
bofolola (v), loosen; untie; undo.
boga (v), suffer.
bogadi (magadi) (n), marriage-cattle.
bogagapa (n), obstinacy.
bogakgale (rel), quarrelsome.
bogaladi (rel), greedy.
bogale (adv), harshly.
bogale (rel), acute; sharp; angry; fierce; gruff; brave.
bogale (magale) (n), bravery;

wrath; rage; cutting; edge; blade.
boganana (n), disobedience.
boganka (n), courage; valour.
boganka (rel), manly; valiant.
bogare (n), centre; interior.
bogatlapa (rel), feeble; cowardice.
bogatsu (n), cramp; numbness.
bogega(ng) (v), attractive.
bogisa (v), torment.
bogobe (magobe) (n), porridge.
bogodimo (n), height; top.
bogodu (n), robbery.
bogogo (magogo) (n), crust.
bogokagadi (n), adultery; promiscuity.
bogola (v), bark.
bogole (n), distance.
bogole (rel), lame.
bogolo (n), age.
bogologolo (n), ancient times.
bogololelo (magololelo) (n), outspan.
bogonoko (rel), naked.
bogorogelo (n), arrival (place of arrival).
bogorogoro (n), delirium.
bogosi (n), kingdom; chieftainship.
bogwata (n), rash.
bogwete (rel), naked.
bohibidu jo bo mokgona (n), scarlet.
bohumanegi (n), poverty.
bohumi (n), wealth; riches.
bohutaboswa (n), goitre.
bohutsana (n), sadness; misery.
boi (rel), blunt; cowardly.
boifa (v), afraid (of); fear.
boifisa(ng) (v), frighten; ghastly.
boikaelelo (maikaelelo) (n), aim; determination.
boikanyego (n), fidelity; reliability; honesty.
boikanyego (rel), reliable; honest.
boikanyo (rel), trustworthy; honest.

boikanyo (n), faith; confidence.
boikemisetso (maikemisetso) (n), determination; intention.
boiketlo (n), comfort.
boiketlo: ka boiketlo (adv), gradually.
boikgodiso (rel), haughty.
boikgogomoso (n), impertinence.
boikgopolo (rel), selfish.
boikhutso (maikhutso) (n), holiday; vacation; rest.
boikobo (n), obedience.
boikobo (rel), obedient.
boikokobetso (rel), meek; humble.
boikokobetso (n), humility.
boikotlhao (maikotlhao) (n), apology; penitence.
boima (n), weight.
boima (rel), difficult; heavy.
boingotlo (rel), meek; modest.
boipelo (maipelo) (n), joy; pride.
boipolao (n), suicide.
boitapoloso (maitapoloso) (n), rest.
boitatolo (maitatolo) (n), renunciation.
boitebalo (rel), unselfish.
boitekanelo (n), hygiene; health.
boiteko (maiteko) (n), effort.
boithatelo: ka boithatelo (adv), arbitrary.
boithomelo (maithomelo) (n), toilet; lavatory; closet.
boitiso (n), discipline.
boitlhomo (maitlhomo) (n), motive; thought.
boitseme (rel), lukewarm.
boitshega (rel), brutal; fierce.
boitshepo (rel), sacred; holy.
boitshepo (n), self-confidence.
boitshireletso (n), self-defence.
boitshoko (n), patience.
boitshoko (rel), patient.
boitshubelo (n), refuge.
boitshwarelo (n), forgiveness; pardon.
boitshwaro (n), attitude;

behaviour.
boitumelo (n), pleasure; joy;
  happiness.
bojalwa (n), beer.
bojanala (n), visiting-place.
bojang (majang) (n), grass.
bojelo (n), manger.
bojeo (n), flesh.
boka (v), acclaim; praise; recite.
bokaka (rel), indolent.
bokake (kake) (n), rinkhalses;
  cobras.
bokantle (n), exterior.
bokao (n), meaning.
bokaopedi (rel), ambiguous.
bokau (n), manhood; puberty
  (young men).
bokete (rel), heavy.
bokete (makete) (n), weight;
  difficulty.
bokgaitsadi (kgaitsadi) (n), sisters.
bokgakala (n), distance.
bokgakga (n), tobacco tar.
bokgarebe (n), puberty (girls).
bokgeleke (rel), fluent.
bokgeleke (n), rhetoric.
bokgoadira (kgoadira) (n), fish
  eagles.
bokgoba (n), slavery.
bokgola (n), moisture; dampness.
bokgola (rel), moist.
bokgoni (n), skill; ability.
bokgope (kgope) (n), bachelors.
bokgopo (n), obstinacy;
  inflexibility.
bokgwabo (rel), tame.
bokgwanyape (kgwanyape) (n),
  hurricanes; storms.
bokhutlo (n), end.
bokhutshwane: ka bokhutshwane
  (adv), briefly.
bokoa (rel), weak; unhealthy.
bokoa (makoa) (n), weakness.
bokokolohutwe (kokolohutwe) (n),
  herons.
bokolela (v), howl; wail; yell;

bellow.
bokone (n), north.
bokoseile (dibokoseile) (n),
  tarpaulin.
bokuamesi (kuamesi) (n), fungi.
bokwantle (n), exterior.
bola (v), decompose; rot; decay;
  divulge.
boladu (maladu) (n), pus.
bolaisa pelo (v), frustrate.
bolao (malao) (n), bed.
bolaodi (n), authority.
bolapolosetsa-digolegwa (n),
  outspan.
bolau (rel), terrifying.
bolawa ke tlala (v), starve.
bolawane (n), rinderpest.
bolaya (v), injure; hurt; kill;
  murder; execute (death).
bolaya ditwatsi (v), disinfect.
bolebalelo (n), pardon.
boleele (n), length.
boleele (rel), tall.
bolekane (n), companionship.
bolekgolong (%) (n), percent (%).
bolela (v), announce; report;
  disclose.
bolela (mo pepeneneng) (v),
  declare (in public).
bolelela (v), tell; say.
bolelela pele (v), foretell; predict.
bolelo (rel), hot.
boleng (n), quality; essence (eg
  religion).
boleo (maleo) (n), sin; evil.
bolepanaledi (n), astronomy.
bolepo (n), phlegm.
boleta (rel), soft.
boleta: ka boleta (adv), softly.
boletswa (n), birdlime.
boletswa (rel), soft.
boleyo (n), existence.
bollo (n), heat.
bolo (dibolo) (n), ball.
boloi (n), magic; witchcraft.
boloka (v), bury; preserve; store;

save (money); conserve.
bolokegile(ng) (v), safe.
boloko (maloko) (n), wet cattle-
dung.
bolola (v), leave; set out.
bolotsa (v), declare war.
bolousele (n), blue (used when
washing).
bolumu (n), volume.
bolwetse (malwetse) (n), ailment;
disease.
bolwetse jwa borotamadi (n),
redwater.
bolwetse jwa dipeba (n), bubonic
plague.
bomagiseterata (magiseterata) (n),
magistrates; landdrosts.
bomagogorwane (magogorwane)
(n), beginners; amateurs.
bomakenete (n), magnetism.
bomakheneke (makheneke) (n),
mechanics.
bomalome (malome) (n), maternal
uncles.
bomatla (n), folly; breadth.
bomatšhinkelane (matšhinkelane)
(n), night-watchmen.
bomeiyare (meiyare) (n), mayors.
bomiseterese (miseterese) (n),
schoolmistresses.
bomma (mma) (n), ladies.
bommalapa (mmalapa) (n),
housewives.
bommalethekana (mmalethekana)
(n), skirts.
bommamagwai (mmamagwai) (n),
rasps.
bommamala (mmamala) (n),
mammals.
bommamanthane
(mmamanthane) (n), bats.
bommamasiloanoka
(mmamasiloanoka) (n),
hamerkops.
bommamotinti (mmamotinti) (n),
sorcerers.

bommampodi (mmampodi) (n),
champions.
bommankarapa (mmankarapa) (n),
crabs.
bomme (mme) (n), mothers.
bomo: ka bomo (adv), deliberately.
bomogatsa (mogatsa) (n),
husbands; wives; spouses.
bomorwarra (morwarra) (n),
brothers.
Bomoselamose (Moselamose) (n),
Moslems.
bona; bone (pron), them; their.
bona (v), get; see; obtain; find;
view.
bona molato (v), convict.
bonagala (v), visible; appear.
bonako (rel), rapid; quick; fast.
bonako: ka bonako (adv), quickly;
swiftly.
bonala(ng) (v), distinct; visible;
appear; obvious.
bonalatsa(ng) (v), clear.
bonana (rel), tender; young.
bonana (n), youth; tenderness.
bonatla (n), fortitude; diligence.
bonesa (v), light.
bong, gender (male/female);
sex.
bongola (rel), moist; humid.
bongola (n), moisture.
bongtona (n), masculine.
bongwana (n), infancy; childhood.
bongwe (enum), one.
bonkane (n), companionship.
bonna (rel), manly.
bonna (n), manhood.
bonnana (nnana) (n), babies.
bonno (manno) (n), residence;
seat; accommodation; dwelling.
bonoga (n), deceit.
bonolo (rel), mild; humble; easy;
simple.
bonolo: ka bonolo (adv), softly.
bonota (n), wax; beeswax.
bontate (ntate) (n), gentlemen;

fathers.
bontatemogolo (ntatemogolo) (n),
grandfathers.
bontle (n), prettiness; beauty.
bontsha (v), expose; reveal; direct;
exhibit, show.
bontsi (n), multitude; majority.
bonya (v), wink; blink.
bonya (rel), slow.
bonyana (n), childhood.
bonyelele (n), rheumatism.
bonyeunyeu (n), maggot(s).
bookelo (maokelo) (n), hospital.
boopa (rel), barren.
bootswa (n), fornication.
bopa (v), mould; create; bellow;
roar; compose (music).
bopaki (n), evidence.
bopalamo (mapalamo) (n), perch.
bopapi (rel), flat.
bopelokgale (n), bravery; valour.
bopelokgale (rel), valiant.
bopelompe (n), cruelty.
bopelonomi (n), kindness.
bopelontle (n), kindness.
bopelotelele (n), patience.
bopelotlhomogi (n), mercy;
sympathy.
bopelotshetlha (n), jealousy.
bophaphathi (rel), wide.
bophaphathi (n), width; breadth.
bophara (n), width; breadth.
bopheke (pheke) (n), stallions.
bophelo (n), life.
bophepa (n), cleanliness.
bophirima (n), west.
bophirimatsatsi (n), west.
bophogophogo (n), dropsy.
bophokojwe (phokojwe) (n),
jackals.
bopila (n), beauty.
bopodilenkgwana
(podilenkgwana) (n), ladybirds.
boporesitente (poresitente) (n),
presidents.
bora (v), bore; drill.

boradia (n), trick(s).
boraditlama (raditlama) (n),
herbalists.
boralebaka (ralebaka) (n), bakers.
boralebeikhari (ralebeikhari) (n),
bakers.
boramaanokago (ramaanokago)
(n), architects.
boramakwalo (ramakwalo) (n),
postmen.
boramatlotlo (ramatlotlo) (n),
treasurers.
borameno (rameno) (n), dentists.
boramenwana (ramenwana) (n),
pickpockets.
borammeselane (rammeselane)
(n), masons.
borammino (rammino) (n),
musicians.
boramolangwana (ramolangwana)
(n), secretary birds.
boramolao (ramolao) (n),
attorneys.
boramošwe (ramošwe) (n),
meercats.
boramotlakase (ramotlakase) (n),
electricians.
boramotse (ramotse) (n), mayors.
borangwane (rangwane) (n),
uncles (father's younger
brothers).
borapolasa (rapolasa) (n), farmers.
borapolitiki (rapolitiki) (n),
politicians.
boraposo (raposo) (n),
postmasters.
borase (n), brass.
boraše (diboraše) (n), brush.
borasegai (rasegai) (n), assegais.
boraselaga (raselaga) (n), butchers.
boraseletswana (raseletswana) (n),
mantises.
borats(w)ale (rats(w)ale) (n),
fathers-in-law.
boratshekiso (ratshekiso) (n),
attorneys-general.

boratsuru (ratsuru) (n), lemons.
borebotlhole (n), venom.
boremamereng (n), lumbar region.
borena (n), chieftainship.
borerelekwane (rel), slippery.
borethe (rel), blunt; slippery; even; smooth.
borobalo (n), bedroom.
borogo (diborogo) (n), bridge.
borokgwe (marokgwe) (n), trousers.
boroko (n), sleep; sleepiness.
boroko (rel), sleepy.
boroseatla (diboroseatla) (n), gimlet.
boroso (diboroso) (n), sausage.
borosola (v), brush.
borosolo (diborosolo) (n), brush.
borotho (marotho) (n), bread.
boroto (diboroto) (n), plate.
borra (rra) (n), fathers; gentlemen.
borramogolo (rramogolo) (n), uncles (father's elder brothers).
borremogolo (rremogolo) (n), grandfathers; uncles.
borukhu (marukhu) (n), trousers.
borukutlhi (n), hooliganism; rebellion; conspiracy.
borulelo (marulelo) (n), roof.
boruma (rel), tender.
borutegi (n), education.
boruthwe (rel), stupid.
borwa (n), south.
bosa (masa) (n), weather; daybreak; dawn.
bosaboleng (rel), immoral.
bosaitseweng (rel), mysterious.
bosaitseweng (masaitseweng) (n), mystery; secrecy.
bosakhutleng (rel), everlasting.
bosebare (sebare) (n), brothers-in-law.
bosenabotho (rel), immoral.
bosenyi (rel), mischievous.
bosesi (sesi) (n), sisters.
bosetšhaba (n), nationality.

bosiamisi (n), justice.
bosielo (n), asylum.
bosigo (masigo) (n), night.
bosigogare (n), midnight.
bosilo (n), foolishness; folly.
bosilo (rel), stupid.
bosima (rel), adolescent.
bosima (n), adolescence.
bosodi (n), dampness.
bosofolete (n), bushveld.
bosomepedi (n), dozen.
bosula (n), evil.
bosula (rel), nasty; bad; hateful; tasteless.
bosupi (n), evidence.
bosutlha (rel), careless.
bošwa (rel), new.
bošwa (n), youth.
boswa (n), inheritance; heritage.
boswakgapetla (n), freezing point.
boswaswa (rel), easy.
boswata (n), rash.
boswele (n), cruelty.
bosweu (rel), white.
botala (n), blueness, blue.
boteng (rel), deep.
boteng (n), depth; existence.
botengteng (n), bottom.
botetelo (n), runway.
bothale (mathale) (n), wire.
bothata (mathata) (n), adversity; difficulty; problem; affliction; trouble.
bothitho (rel), lukewarm.
botho (n), character.
botho (rel), humane.
botla (v), belch.
botlalogolo (n), maximum.
-botlana (a), young, small.
botlase (n), bottom.
botlatla (rel), absurd.
botlha (rel), bitter; sour.
botlhaba (rel), brown; yellow.
botlhaba (n), east.
botlhabana (rel), brown.
botlhabanelo (n), battlefield; arena.

botlhabatsatsi (n), east.
botlhabelo (n), abattoir.
botlhaga (n), activity.
botlhale (rel), astute; bright; wise;
  clever; intelligent.
botlhale (matlhale) (n), wisdom.
botlhangwe (tlhangwe) (n),
  secretary birds.
botlhaswa (rel), negligent;
  careless.
botlhofo (rel), easy; simple.
botlhokaditsebe (n), disobedience.
botlhokakitso (n), ignorance.
botlhoko (rel), sore.
botlhoko (matlhoko) (n), disease;
  pain; illness; ache, throb.
botlhoko jwa mosifa (n), muscle
  cramp.
botlhokwa (rel), valuable;
  important.
botlhole (n), venom; poison.
botlhole jwa noga (n), snake-
  poison.
botlholwe (tlholwe) (n), rabbits.
botlhomedi (tlhomedi) (n), butcher-
  birds.
botlolo (dibotlolo) (n), bottle.
botobi (n), evil.
botoka (rel), better.
botoro (n), butter.
botsa (v), enquire; inquire;
  ascertain; ask.
botsae jwa segwagwa (n), frog-
  spawn.
botsalano (n), friendship.
botsalelo (n), birthplace.
botsalo (n), birth.
botsatsa (rel), fluffy; flimsy.
botseno (n), admission; insanity;
  madness.
botsenwa (n), insanity; madness.
botsetse (n), accouchement.
botshabelo (n), asylum; refuge.
botshe (n), nectar.
botshe (rel), sweet.
botsheka (n), north.

botshelo (n), life.
botshwakga (n), laziness.
botshwakga (rel), indolent.
botsididi (n), chill.
botso (n), origin.
botsolotsa (v), cross examine;
  interrogate.
botsuradifofi (n), airport;
  aerodrome.
botsurafofane (n), aerodrome;
  airport.
botswa (rel), lazy.
botswa (n), laziness.
botswerere (n), skill.
botswerere mo puong (n),
  eloquence.
boulela(ng) (v), jealous.
boupe (n), meal.
boupe (jwa borotho) (n), flour.
bouta (v), vote.
boutlwelobotlhoko (n), mercy.
boutlwelobotlhoko (rel),
  sympathetic.
boutu (diboutu) (n), vote; bolt.
bowa (n), fur.
bowelatsatsi (n), west.
bua (v), speak; talk; address.
bua(ng) ka pelo (v), absent-minded.
buboniki (n), bubonic plague.
-bududu (a), grey.
budulela (v), inflate.
budule(ng) (v), ripe; mature.
buduloga (v), bulge.
buela godimo (v), speak aloud.
buelela (v), advocate.
buisa (v), read.
buisana (v), discuss; confer.
buisanya (v), converse.
buka (dibuka) (n), book.
buka ya losika (n), pedigree.
bukantswe (dibukantswe) (n),
  dictionary.
bula (v), open.
bulegile(ng) (v), agape; open.
bupe (n), meal.

bupi (jwa borotho) (n), flour.
busa (v), govern; reign.
busa (madi) (v), refund.
busa mowa (v), breathe.
busetsa (v), refund; restore.

busetsa(ng) (v), profitable.
busolosa (v), retaliate.
busolotsa (v), avenge.
-butswa (a), grey.
butu (dibutu) (n), boot.

D

daekhotoletone
 (didaekhotoletone) (n),
 dicotyledon.
deka (v), lay (table).
depositi (didepositi) (n), deposit.
Derakenseberege (n),
 Drakensberg.
Desemere (n), December.
dia (v), retard; delay.
diaesekerime (aesekerime) (n),
 icecreams.
diagente (agente) (n), lawyers;
 attorneys.
diaka (seaka) (n), harlots;
 adulterers.
dialefabete (alefabete) (n),
 alphabets.
dialemanaka (alemanaka) (n),
 calendars.
dialetare (aletare) (n), altars.
diamusi (seamusi) (n), mammals.
diane (seane) (n), proverbs;
 sayings.
dianuse (anuse) (n), anuses.
diaparata (aparata) (n), apparatus.
diaparo (seaparo) (n), apparel;
 attire; outfits; clothes.
diaparo tsa ka fa teng (n),
 underwear.
diapole (apole) (n), apples.
diapolekose (apolekose)
 (apolekosi) (n), apricots.
diarolo (searolo) (n), results.
diase (anuse) (n), axles.
diaterese (aterese) (n), addresses.
diathikele (athikele) (n), articles (in

periodicals).
diatla (seatla) (n), hands.
diatla tsa moja (seatla sa moja) (n),
 right hands.
diatla tsa molema (seatla sa
 molema) (n), left hands.
diatlelase (atlelase) (n), atlasses.
dibaesekele (baesekele) (n),
 bicycles.
dibaesekopo (baesekopo) (n),
 bioscopes.
dibaga (sebaga) (n), necklaces;
 beads.
dibaka (sebaka) (n), spaces;
 opportunities.
dibakana (sebakana) (n), gaps in
 time.
dibakene (bakene) (n), beacons;
 cairns.
dibaketeria (n), bacteria.
dibaki (baki) (n), coats; jackets.
dibala (sebala) (n), stains.
dibalune (balune) (n), balloons.
dibampuse (bampuse) (n),
 bamboos.
dibanka (banka) (n), banks; desks.
dibanta (banta) (n), bands.
dibara (bara) (n), bars (hotel).
dibata (bata) (n), baths.
dibata (sebata) (n), beasts (animals
 of prey); patches.
dibatana (sebatana) (n), cubs.
dibaterepasa (baterepasa) (n),
 levels.
dibe (sebe) (n), sins.
dibebetsididi (bebetsididi) (n), ice-

creams.
Dibeibele (Beibele) (n), Bibles.
dibeine (beine) (n), wines.
dibeke (beke) (n), weeks.
dibeko (sebeko) (n), handkerchiefs.
dibente (bente) (n), bands.
dibenya (sebenya) (n), gems.
dibera (bera) (n), bears.
diberebero (berebero) (n), bolts.
dibese (bese) (n), buses.
dibeso (sebeso) (n), fireplaces;
    altars.
dibete (bete) (n), beetroot.
dibete (sebete) (n), livers.
dibetlela (sebetlela) (n), shavings
    (wood shavings).
dibetsa (sebetsa) (n), weapons;
    arms.
dibi (sebi) (n), cattle-dung (dry).
dibiri (biri) (n), beers.
dibisikiti (bisikiti) (n), biscuits.
dibišopo (bišopo) (n), bishops.
diboba (seboba) (n), gadflies.
dibodu (rel), lazy.
dibodu (sebodu) (n), stenches; bad
    smells; stinks.
dibofo (sebofo) (n), bandages.
diboko (seboko) (n), caterpillars;
    worms; larvae; maggots.
dibokokgetse (sebokokgetse) (n),
    bagworms.
dibokolodi (sebokolodi) (n),
    millipedes.
dibokophetlhi (sebokophetlhi) (n),
    stalk-borers.
dibokosegi (sebokosegi) (n),
    cutworms.
dibokoseile (bokoseile) (n),
    tarpaulins.
dibolai (sebolai) (n), boils; ulcers;
    canines.
dibolayaditwatsi
    (sebolayaditwatsi) (n),
    disinfectants.
dibolo (bolo) (n), balls.
dibono (sebono) (n), anuses

(vulgar).
dibopego (sebopego) (n), forms;
    shapes.
dibopelo (sebopelo) (n), wombs.
dibopiwa (sebopiwa) (n), creatures.
diboraše (boraše) (n), brushes.
diborogo (borogo) (n), bridges.
diboroseatla (boroseatla) (n),
    gimlets.
diboroso (boroso) (n), sausages.
diborosolo (borosolo) (n), brushes.
diboroto (boroto) (n), plates.
dibošwa (sebošwa) (n), convicts;
    captives.
dibotlolo (botlolo) (n), bottles.
diboutu (boutu) (n), bolts; votes.
dibudula (sebudula) (n), balloons.
dibuka (buka) (n), books.
dibukantswe (bukantswe) (n),
    dictionaries.
dibutu (butu) (n), boots.
didaekhotoletone
    (daekhotoletone) (n),
    dicotyledons.
didepositi (depositi) (n), deposits.
didiba (sediba) (n), wells;
    fountains.
didikadikwe (sedikadikwe) (n),
    millions.
didikišinare (dikišinare) (n),
    dictionaries.
didiko (sediko) (n), circles.
didimatsa (v), gag; silence.
didimetse(ng) (v), quiet; silent.
didimo (sedimo) (n), ghosts.
didiriso (sediriso) (n), apparatus.
didiriswa (sediriswa) (n), utensils;
    tools; apparatus.
didisa (v), impoverish.
diduditsipa (seduditsipa) (n),
    snipers.
didulo (sedulo) (n), chairs.
didumaedi (sedumaedi) (n),
    shooting stars.
didumedi (sedumedi) (n), beliefs.
diedi (seedi) (n), liquids; fluids.

diega (v), hesitate; detain; retard; delay.
diege (ege) (n), harrows.
diegisa (v), delay; defer.
dieie (eie) (n), onions.
diela (seela) (n), liquids; fluids.
dielele (seelele) (n), fools.
dielemente (elemente) (n), elements.
dielo (seelo) (n), units.
diemborio (emborio) (n), embryos.
diemelense (emelense) (n), ambulances.
diemera (rel), incurable.
dienema (enema) (n), enemas.
dienfelopo (enfelopo) (n), envelopes.
dienjene (enjene) (n), engines.
dienke (enke) (n), ink.
dierekisi (erekisi) (n), peas.
diesei (esei) (n), compositions (writing).
diesele (esele) (n), asses.
dietikete (etikete) (n), etiquettes.
difaboriki (faboriki) (n), factories.
difaele (faele) (n), files (ledgers).
difaelepotlana (faelepotlana) (n), dummy files.
difaki (faki) (n), casks; barrels.
difako (sefako) (n), hailstones.
difala (sefala) (n), granaries.
difane (sefane) (n), surnames.
difanele (fanele) (n), funnels.
difantisi (fantisi) (n), auctions.
difapaano (sefapaano) (n), crosses.
difaphi (sefaphi) (n), dressings (wound).
difapi (sefapi) (n), bandages.
difapo (sefapo) (n), bandages.
difatlhego (sefatlhego) (n), faces.
difefe (sefefe) (n), adulterers.
difefo (sefefo) (n), storms; whirlwinds.
difefo tsa sefako (sefefo sa sefako) (n), hailstorms.
difeie (feie) (n), figs.

difeile (feile) (n), files (tools).
difeilegwata (feilegwata) (n), rasps.
difeite (feite) (n), whitlows.
difeketori (feketori) (n), factories.
difela (sefela) (n), anthems; hymns.
difeme (feme) (n), firms.
difensetere (fensetere) (n), windows.
diferefe (ferefe) (n), paints.
diferekekere (n), binoculars.
difikantswe (sefikantswe) (n), cairns; statues; monuments.
difitlholo (sefitlholo) (n), breakfasts.
difofane (sefofane) (n), aeroplanes; aircrafts.
difofu (sefofu) (n), blinds (people).
difolaga (folaga) (n), flags.
diforaga (foraga) (n), loads.
diforateng (seforateng) (n), ulnas.
diforo (foro) (n), furrows.
diforoko (foroko) (n), forks.
diforomane (foromane) (n), foremen.
difoto (foto) (n), photographs.
difulutu (fulutu) (n), flutes.
difutu (futu) (n), feet (measure).
diga (v), drop; overthrow.
digagabi (segagabi) (n), reptiles.
digalase (galase) (n), glasses.
diganka (seganka) (n), heroes.
diganse (ganse) (n), geese.
digarawe (garawe) (n), spades; shovels.
digaretene (garetene) (n), curtains.
digatene (gatene) (n), curtains.
digelone (gelone) (n), gallons.
digo (sego) (n), calabashes.
digodi (segodi) (n), hawks.
digogedi (segogedi) (n), magnets.
digogwane (segogwane) (n), frogs.
digokgo (segokgo) (n), spiders.
digole (segole) (n), cripples; invalids; nooses; snares.
digopa (segopa) (n), swarms.
digopotso (segopotso) (n), statues;

monuments; memorials.
digotlo (segotlo) (n), yards; gardens.
digouta (gouta) (n), gold.
digwagwa (segwagwa) (n), toads; frogs.
digwapa (segwapa) (n), biltong.
digwata (n), roughage.
digwe (n), muscles.
digwere (segwere) (n), bulbs (plants).
digwete (segwete) (n), carrots.
dihakaboi (hakaboi) (n), handcuffs.
dihalofo (halofo) (n), halves.
dihamore (hamore) (n), hammers.
diharaka (haraka) (n), rakes.
diheke (heke) (n), gates.
dihele (n), hell.
dihempe (hempe) (n), shirts.
diholo (holo) (n), halls.
dihosetele (hosetele) (n), hostels.
dihotele (hotele) (n), hotels.
dihuba (sehuba) (n), chests; thoraxes; phlegm; donations; breasts.
dihuku (huku) (n), fish-hooks.
dihutshe (hutshe) (n), hats.
diikgatlho (seikgatlho) (n), girdles.
diikokotlelo (seikokotlelo) (n), crutches.
diinodi (seinodi) (n), kingfishers.
diintshe (intshe) (n), inches.
diipato (seipato) (n), excuses.
diipone (seipone) (n), mirrors.
diiri (iri) (n), hours.
diirisi (irisi) (n), iris.
diisamadi (seisamadi) (n), arteries.
dijabana (sejabana) (n), elbows.
dijana (sejana) (n), plates; dishes.
dijanaga (sejanaga) (n), cars; motors.
dijarata (jarata) (n), yards.
dijase (jase) (n), overcoats; coats.
dijeke (jeke) (n), jugs.
dijelo (jelo) (n), gizzards.
dijeme (jeme) (n), jam.

dijeresi (jeresi) (n), jerseys.
dijesi (jesi) (n), jerseys.
dijo (sejo) (n), food; meal.
dijo tsa metsholomeraro (n), three-course meal.
dijo tsa motshegare (n), dinner.
dijokwe (jokwe) (n), yokes.
dijunifomo (junifomo) (n), uniforms.
dijuri (juri) (n), juries.
dikabele (kabele) (n), cables.
dikabelo (kabelo) (n), allotments; rations; shares, pieces; offerings.
dikabetla (kabetla) (n), fragments.
dikabo (kabo) (n), allotments; donations.
dikabo tsa boswa (kabo ya boswa) (n), wills; testaments.
dikadika (v), hesitate; tarry.
dikaelo (sekaelo) (n), patterns.
dikaganetsa (v), surround.
dikaganyetsa (v), enclose.
dikago (kago) (n), buildings.
dikagophakelo (kagophakelo) (n), parcades.
dikagophemelo (kagophemelo) (n), forts.
dikai (sekai) (n), signs; examples.
dikaka (sekaka) (n), deserts.
dikakabalo (kakabalo) (n), doubts.
dikakana (kakana) (n), pipes (for smoking).
dikakanyo (kakanyo) (n), opinions; thoughts.
dikakaretso (kakaretso) (n), precis.
dikaku (sekaku) (n), abscesses.
dikala (kala) (n), branches.
dikalakune (kalakune) (n), turkeys.
dikalana (kalana) (n), twigs.
dikalane (kalane) (n), beds.
dikale (sekale) (n), scales (instruments).
dikalentara (kalentara) (n), calendars.
dikamela (kamela) (n), camels.

dikamete (kamete) (n), gametes.
dikamo (kamo) (n), combs.
dikamore (kamore) (n), rooms.
dikampa (kampa) (n), paddocks;
    camps.
dikamuso (kamuso) (n), lactations.
dikanale (kanale) (n), canals.
dikanego (kanego) (n), statements.
dikanelo (kanelo) (n), tales; stories.
dikaniri (sekaniri) (n), hinges.
dikankere (kankere) (n), cancer.
dikano (n), deed(s).
dikano tsa bong (kano ya bong) (n),
    title-deeds.
dikanono (kanono) (n), cannons.
dikantoro (kantoro) (n), offices.
dikanyetsa (v), surround.
dikao (sekao) (n), examples.
dikapa (kapa) (n), rafters.
dikapeo (n), food.
dikapetla (kapetla) (n), wafers;
    charts; fragments.
dikapodiso (kapodiso) (n),
    pronunciations.
dikapolelo (sekapolelo) (n),
    phrases.
dikapotene (kapotene) (n),
    captains.
dikarabo (karabo) (n), replies;
    answers.
dikaraki (karaki) (n), carts;
    carriages.
dikarakule (karakule) (n), karakuls.
dikarata (karata) (n), cards; charts.
dikaratshe (karatshe) (n), garages.
dikaro (karo) (n), operations.
dikarolo (karolo) (n), sections;
    areas; portions; parts.
dikarolwana (karolwana) (n), units;
    pieces; segments; fractions;
    parts.
dikase (kase) (n), cheese.
dikaseterolo (kaseterolo) (n),
    saucepans.
dikataloko (kataloko) (n),
    catalogues.

dikatara (katara) (n), guitars.
dikatiso (katiso) (n), exercises.
dikatlego (katlego) (n), triumphs;
    successes.
dikatlholo (katlholo) (n),
    judgments; verdicts; sentences
    (judicial).
dikatsana (katsana) (n), kittens.
dikatse (katse) (n), cats.
dikatso (katso) (n), tips.
dikausu (kausu) (n), stockings;
    socks.
dikebekwa (sekebekwa) (n),
    villains.
dikela (v), set (the sun).
dikeledi (keledi) (n), tears (when
    crying).
dikelefere (sekelefere) (n),
    dandruff.
dikeletso (n), envy.
dikemo (kemo) (n), standards.
dikemokgatlhanong (n),
    objections.
dikemola (n), acne.
dikento (kento) (n), inoculations;
    grafts.
dikepe (sekepe) (n), ships.
dikepisi (kepisi) (n), caps.
dikepu (kepu) (n), crowbars.
dikeranadila (keranadila) (n),
    granadillas.
dikere (sekere) (n), scissors;
    shears.
dikereke (kereke) (n), churches.
dikerese (kerese) (n), candles.
dikeriba (keriba) (n),
    wheelbarrows.
dikeriiba (keriiba) (n), barrows.
diketane (ketane) (n), chains.
dikete (kete) (n), thousands.
dikete (sekete) (n), thousands.
diketeko (keteko) (n), celebrations.
diketeletsopele (keteletsopele) (n),
    prefaces.
diketla (ketla) (n), segments.
diketlele (ketlele) (n), kettles.

diketso (ketso) (n), imitations.
diketswana (seketswana) (n),
　boats.
dikgabiso (kgabiso) (n),
　ornaments; decorations.
dikgabo (kgabo) (n), monkeys;
　flames; apes.
dikgafela (kgafela) (n), ceremonies.
dikgaga (logaga) (n), caves.
dikgaisano (kgaisano) (n),
　matches; contests;
　competitions.
dikgaka (kgaka) (n), guinea fowls.
dikgakgamalo (kgakgamalo) (n),
　wonders; consternations;
　amazements; surprises.
dikgakgamatso (kgakgamatso) (n),
　miracles; consternations;
　amazements; surprises.
dikgakgarua (sekgakgarua) (n),
　rags.
dikgakologo (n), spring.
dikgakololo (kgakololo) (n),
　reminders; advice.
dikgala (sekgala) (n), intervals;
　distances.
dikgalemo (kgalemo) (n), cautions.
dikgamatha (sekgamatha) (n),
　dandruff.
dikgamelo (kgamelo) (n), pails;
　buckets.
dikganelo (kganelo) (n), obstacles.
dikganetsano (kganetsano) (n),
　arguments.
dikganetsanyo (kganetsanyo) (n),
　controversies.
dikgankgala (kgankgala) (n),
　mucus.
dikgannyana (kgannyana) (n),
　shortstories.
dikgaolo (kgaolo) (n), regions;
　chapters; areas; districts.
dikgaotso (kgaotso) (n), intervals.
dikgapa (kgapa) (n), eggshells.
dikgapetla (kgapetla) (n), ice;
　eggshells.

dikgapo (n), loot.
dikgara (kgara) (n), chests;
　breastbones.
dikgaraga (kgaraga) (n), diamonds.
dikgele (sekgele) (n), prizes.
dikgeleswa (kgeleswa) (n), glands.
dikgeleswa tsa botlhole (kgeleswa
　ya botlhole) (n), poison glands.
dikgeleswakeledi (kgeleswakeledi)
　(n), lachrymal glands.
dikgetho (kgetho) (n), elections.
dikgetla (kgetla) (n), oysters.
dikgetlana (kgetlana) (n),
　collarbones.
dikgetlane (kgetlane) (n), clavicles.
dikgetse (kgetse) (n), bags.
dikgetsi (kgetsi) (n), sacks; bags;
　court-cases.
dikgobalo (kgobalo) (n), injuries;
　casualties.
dikgobokano (kgobokano) (n),
　crowds; assemblies.
dikgodisa (kgodisa) (n), hiccups.
dikgoeletso (kgoeletso) (n),
　announcements (loud).
dikgofa (kgofa) (n), ticks.
dikgogedi (kgogedi) (n), magnets.
dikgogela (kgogela) (n), whirlpools.
dikgogo (kgogo) (n), fowls;
　chickens.
dikgogo/dikoko (tse ditshegadi)
　(kgogo/koko (e tshegadi)) (n),
　hens.
dikgogomelo (kgogomelo) (n),
　bays.
dikgogometso (kgogometso) (n),
　bays; tunnels.
dikgojana (kgojana) (n), thongs.
dikgoka (n), biceps(es).
dikgokelo (kgokelo) (n),
　dragonflies.
dikgokgotsho (kgokgotsho) (n),
　windpipes.
dikgokong (kgokong) (n),
　wildebeests.
dikgolagano (kgolagano) (n),

testaments; contracts.
dikgole (kgole) (n), thongs.
dikgolegelo (kgolegelo) (n),
prisons; gaols.
dikgolego (kgolego) (n), jails.
dikgomanyi (kgomanyi) (n), switch.
dikgomaretsi (sekgomaretsi) (n),
glue.
dikgomo (kgomo) (n), cattle.
dikgomogadi (kgomogadi) (n),
cows.
dikgong (kgong, logong) (n),
firewood; wood.
dikgoni (sekgoni) (n), adept.
dikgono (sekgono) (n), elbows.
dikgonotšwe (kgonotšwe) (n),
bigtoes; thumbs.
dikgopa (kgopa) (n), slugs; snails.
dikgoparetso (kgoparetso) (n),
obstacles.
dikgophane (kgophane) (n), aloes.
dikgophu (kgophu) (n), kloofs.
dikgopi (sekgopi) (n), offences.
dikgopo (logopo, legopo) (n), ribs.
dikgopolo (kgopolo) (n), ideas;
thoughts; memories.
dikgora (logora) (n), hedges;
fences.
dikgora: ngwana wa dikgora (n),
illegitimate child.
dikgoreletsi (sekgoreletsi) (n),
obstacles.
dikgoreletso (kgoreletso) (n),
hindrances.
dikgoropa (sekgoropa) (n),
carcasses.
dikgosana (kgosana) (n), headmen.
dikgosi (kgosi) (n), kings; chiefs.
dikgosigadi (kgosigadi) (n),
queens.
dikgosikgolo (kgosikgolo) (n),
paramount chiefs.
dikgothego (kgothego) (n),
denudation.
dikgotla (kgotla) (n), courts.
dikgotlatshekelo (kgotlatshekelo)

(n), courts.
dikgotlhang (kgotlhang) (n),
discord; conflicts.
dikgotso (kgotso) (n), heredities.
dikgwa (sekgwa) (n), bushes;
forests; jungles.
dikgwafotlhapi (kgwafotlhapi) (n),
gills.
dikgwage (sekgwage) (n), hooks.
dikgwakgwa (sekgwakgwa) (n),
scab(s).
dikgwama (sekgwama) (n), purses.
dikgwamana (sekgwamana) (n),
petty cash.
dikgwana (sekgwana) (n), groves
(of trees).
dikgwatla (kgwatla) (n), pockets (of
a bag).
dikgwatlha (kgwatlha) (n), purses.
dikgwebo (kgwebo) (n), trade.
dikgwedi (kgwedi) (n), months.
dikgwele (kgwele) (n), balls.
dikgwelo (kgwelo) (n), estuaries.
dikgweng (n), bushveld.
dikgwere (kgwere) (n), bulbs
(thermometers, etc).
dikgwethe (kgwethe) (n), clods.
dikhabetšhe (khabetšhe) (n),
cabbage.
dikhaboto (khaboto) (n),
cupboards.
dikhai (khai) (n), clothes; attire;
cloths.
dikhansele (khansele) (n), councils.
dikharikhulomo (kharikhulomo)
(n), curricula.
dikhateboto (khateboto) (n),
cardboards.
dikheibole (kheibole) (n), cables.
dikheiti (kheiti) (n), deeds.
dikhemo (khemo) (n), breath.
dikhiba (khiba) (n), pinafores;
aprons.
dikhii (khii) (n), keys.
dikhitšhi (khitšhi) (n), kitchens.
dikhokhune (khokhune) (n),

cocoons.

dikhoko (khoko) (n), corks.

dikholetšhe (kholetšhe) (n), colleges.

dikholoro (kholoro) (n), collars.

dikhomedi (khomedi) (n), comedies.

dikhona (khona) (n), corners.

dikhonserata (khonserata) (n), concerts (musical).

dikhotolengwe (khotolengwe) (n), monocotyledons.

dikhotopedi (khotopedi) (n), dicotyledons.

dikhubu (khubu) (n), umbilicuses; navels.

dikhudu (khudu) (n), tortoises.

dikhuduego (khuduego) (n), riots.

dikhuduthamaga (khuduthamaga) (n), committees (executive).

dikhukhu (khukhu) (n), beetles.

dikhukhu (sekhukhu) (n), umbrellas.

dikhukhwana (khukhwana) (n), beetles.

dikhularo (khularo) (n), backs.

dikhumo (lohumo, khumo) (n), affluence; wealth; riches.

dikhupamarama (khupamarama) (n), secrets.

dikhurumelo (sekhurumelo) (n), lids.

dikhuti (khuti) (n), holes; hollows; pits.

dikhutinyana (khutinyana) (n), dents.

dikhutlego (khutlego) (n), injuries.

dikhutlo (khutlo) (n), full stops; dots.

dikhutlo (sekhutlo) (n), corners; angles.

dikhutlonne (khutlonne) (n), quadrangles.

dikhutlonnetsepa (khutlonnetsepa) (n), rectangles.

dikhutlopono (fa kgaleng)

(khutlopono) (n), horizons.

dikhutlotharo (khutlotharo) (n), triangles.

dikhutlwana (khutlwana) (n), colons.

dikhutsafalo (khutsafalo) (n), lament; grief.

dikhutsana (khutsana) (n), orphans.

dikhutsaneng (n), orphanage.

dikhutshwafatso (khutshwafatso) (n), precis; summaries.

dikhutshwe (khutshwe) (n), shortstories.

dikhutso (khutso) (n), curses.

dikhwaere (khwaere) (n), choirs.

dikhwiti (khwiti) (n), dents.

dikidikidi (kidikidi) (n), vertebrae.

dikilo (kilo) (n), rancour; grudges.

dikirisi (kirisi) (n), grease.

dikišinare (didikišinare) (n), dictionary.

dikisontle (kisontle) (n), exports.

dikitsiso (kitsiso) (n), announcements; notices.

dikobese (kobese) (n), internal bruise(s).

dikobi (kobi) (n), traps.

dikobo (kobo) (n), blankets.

dikobotlo (kobotlo) (n), cupboards.

dikodu (kodu) (n), tonsils; larynx(es); voices.

dikoduntwane (koduntwane) (n), tadpoles.

dikoitere (koitere) (n), goitres.

dikokeletso (kokeletso) (n), increments; increases.

dikokelo (kokelo) (n), hospitals.

dikoko (koko) (n), fowls.

dikokoano (kokoano) (n), crowds; assemblies.

dikokobele (kokobele) (n), flyingants.

dikokola (kokola) (n), husks.

dikokope (kokope) (n), woodpeckers.

dikokwalala (sekokwalala) (n),

cicadas.

dikokwana (kokwana) (n), chickens.

dikolo (kolo) (n), spots; bullets.

dikolo (sekolo) (n), schools.

dikolobe (kolobe) (n), pigs.

dikolobe (tsa naga) (kolobe (ya naga)) (n), warthogs.

dikologa: go dikologa (adv), around.

dikoloi (koloi) (n), wagons.

dikolosa (v), turn; circulate.

dikoloti (koloti) (n), tadpoles.

dikoloto (sekoloto) (n), debts.

dikoma (koma) (n), snuff-boxes.

dikomana (komana) (n), snuff-boxes.

dikomelelo (komelelo) (n), droughts.

dikomiki (komiki) (n), cups.

dikomiti (komiti) (n), committees.

dikomokomore (komokomore) (n), cucumbers.

dikompase (kompase) (n), compasses.

dikonkereite (konkereite) (n), concrete (building).

dikonopo (konopo) (n), buttons.

dikonsarata (konsarata) (n), concerts (musical).

dikonteraka (konteraka) (n), contracts.

dikontinente (kontinente) (n), continents.

dikonturu (konturu) (n), contours.

dikoofute (koofute) (n), crowbars.

dikopano (kopano) (n), meetings.

dikopaopa (kopaopa) (n), woodpeckers.

dikopelo (kopelo) (n), songs; hymns.

dikopelwane (kopelwane) (n), claspknives.

dikopere (kopere) (n), quinces.

dikopi (kopi) (n), cups.

dikopo (kopo) (n), applications; requests.

dikopo (sekopo) (n), shovels.

dikorone (korone) (n), crowns.

dikorong (korong) (n), wheat.

dikota (kota) (n), poles; logs; posts.

dikotlane (kotlane) (n), ruminants.

dikotlele (sekotlele) (n), basins.

dikotlhao (kotlhao) (n), penalties.

dikotlo (n), plagues (Biblical).

dikoto (sekoto) (n), bootlasts.

dikotsi (kotsi) (n), dangers; accidents; perils.

dikotulo (kotulo) (n), harvests; crops.

dikuane (kuane) (n), hats.

dikubo (kubo) (n), pulses.

dikubu (kubu) (n), hippopotamuses; sjamboks.

dikuku (kuku) (n), cakes.

dikung (kung) (n), premonitions.

dikungwa (kungwa) (n), fruit(s).

dikungwana (kungwana) (n), byproducts.

dikuranta (kuranta) (n), newspapers; papers.

dikurufu (sekurufu) (n), screws; studs (of scissors).

dikuruga (kuruga) (n), pimples.

dikusuberi (kusuberi) (n), gooseberries.

dikutla (kutla) (n), nests; lairs.

dikutlo (kutlo) (n), senses.

dikutlobotlhoko (kutlobotlhoko) (n), grief.

dikutlwano (kutlwano) (n), agreements.

dikutlwedi (kutlwedi) (n), rumours.

dikutu (kutu) (n), stems.

dikutu tsa tšorwane (kutu ya tšorwane) (n), duodenums.

dikwaba (kwaba) (n), dots; blots; stains.

dikwalelakgolo (kwalelakgolo) (n), ledgers.

dikwalo (lokwalo) (n), letters; pamphlets.

dikwalwa (n), literature.
dikwanyana (kwanyana) (n), lambs.
dikwarata (kwarata) (n), quarts; quarters.
dikwatsi (kwatsi) (n), cancer.
dikwena (kwena) (n), crocodiles.
dikwere (sekwere) (n), squares.
dilaeborari (laeborari) (n), libraries.
dilaesense (laesense) (n), licences.
dilalelo (selalelo) (n), suppers.
dila(ng) (v), poor.
dilantere (lantere) (n), lanterns.
diledi (n), lilies.
diledu (seledu) (n), chins.
dilei (selei) (n), sledges.
dilekanyapula (selekanyapula) (n), rain-gauges.
dilekanyo (selekanyo) (n), measures.
dilepapula (selepapula) (n), rain-gauges.
dilepe (selepe) (n), axes.
dilese (lese) (n), bootlasts.
dilifiti (lifiti) (n), elevators; lifts.
dillapa (llapa) (n), patches.
dillere (llere) (n), step-ladders; ladders.
dillono (llono) (n), lawns.
dillopo (llopo) (n), barrels (of rifles).
dillopo tsa ditlhobolo (llopo ya tlhobolo) (n), muzzles.
dillute (llute) (n), lutes.
dilo (selo) (n), goods; things; articles (something).
dilofo (lofo) (n), loaves.
diloki (seloki) (n), spices.
dilola (v), stare; scowl.
dilopo (selopo) (n), pillow-cases.
dilori (lori) (n), trucks.
diloto (seloto) (n), padlocks.
dilotokaledi (selotokaledi) (n), padlocks.
dimaekorosekopo (maekorosekopo) (n), microscopes.

dimakenete (makenete) (n), magnets.
dimao (lomao) (n), injections.
dimapo (lomapo) (n), pegs.
dimasetatšhe (masetatšhe) (n), moustaches.
dimaterase (materase) (n), mattresses.
dimatla (sematla) (n), birthmarks.
dimaumau (semaumau) (n), idiots; imbeciles.
dimedi (n), flora.
dimela (semela) (n), plants.
dimenku (menku) (n), mangos.
dimetlele (metlele) (n), medals.
dimikana (semikana) (n), slices.
dimileone (mileone) (n), millions.
dimmaele (mmaele) (n), miles.
dimmapa (mmapa) (n), maps.
dimmeri (mmeri) (n), mares.
dimmoto (mmoto) (n), moths.
dimmoulo (mmoulo) (n), mules.
Dimo (n), cannibal (mythological figure).
dimpa (mpa) (n), bellies; abdomens; stomachs.
dimphato (semphato) (n), uniforms.
dimphe (mphe) (n), tapeworms.
dimpho (mpho) (n), gifts; talents.
dimumu (semumu) (n), dumbs (people).
dinaane (naane) (n), fables.
dinaga (naga) (n), veld; countries.
dinaka (lonaka) (n), horns.
dinaka (naka) (n), bugles.
dinakana (nakana) (n), antennae; whistles.
dinako (nako) (n), times; tides.
dinakwana (nakwana) (n), moments.
dinala (lonala, nala) (n), nails; finger-nails; toe-nails.
dinaledi (naledi) (n), stars.
dinama (nama) (n), meat.
dinamane (namane) (n), interest

(finance); calves.
dinamune (namune) (n), oranges.
dinao (lonao) (n), feet.
dinare (nare) (n), buffalos.
dinariki (nariki) (n), naartjies.
dinata (nata) (n), bunions.
dinatetshi (senatetshi) (n), spices.
dinatla (rel), industrious.
dinatla (senatla) (n), tumours.
dinawa (nawa) (n), beans.
dineo (neo) (n), gifts; talents.
dingaka (ngaka) (n), doctors;
  herbalists.
dingaka, ngaka (tsa/ya setso) (n),
  witch-doctors.
dingami (ngami) (n), sponges.
dingata (ngata) (n), bunches;
  bundles; sheafs.
dingongora (n), dissatisfaction.
dingongorego (ngongorego) (n),
  complaints; grievances;
  objections; dissatisfaction.
dingwaga (rel), perennial.
dingwaga (ngwaga) (n), years.
dingwao (ngwao) (n), ceremonies;
  customs.
dinkgwe (senkgwe) (n), breads.
dinko (nko) (n), noses.
dinku (nku) (n), sheep.
dinkwe (nkwe) (n), leopards.
dinnelete (nnelete) (n), needles.
dinnerefe (nnerefe) (n),
  epidermises.
dinno (senno) (n), stools; chairs;
  seats; benches.
dino (nno) (n), liquor; drinks.
dinoga (noga) (n), snakes; adders.
dinogametsana (nogametsana) (n),
  earthworms.
dinoka (noka) (n), hips; rivers.
dinoko (noko) (n), porcupines;
  syllables; knuckles; inches.
dinokwane (senokwane) (n),
  brigands.
dinomoro (nomoro) (n), numbers.
dinong (nong) (n), birds; poultry.

dinonnori (senonnori) (n), bears.
dinontsho (nontsho) (n),
  fertilisation; fertilizers.
dinonyane (nonyane) (n), birds.
dinotlolo (senotlolo) (n), keys.
dinoto (noto) (n), hammers.
dinotshe (notshe) (n), honey; bees.
dinta (nta) (n), lice.
dintelo (n), gale; hurricane.
dintha (rel), tough.
dintha (ntha) (n), ligaments;
  tendons.
dinthe (lore) (n), sticks; staffs
  (walking-sticks).
dintho (ntho) (n), injuries; wounds;
  sores.
dintlha (ntlha) (n), apexes; tips;
  points; particulars; facts; items;
  events.
dintlhaga (sentlhaga) (n), bird's
  nests.
dintlo (ntlo) (n), dwellings; houses.
dintlophemelo (ntlophemelo) (n),
  forts.
dintšwanyana (ntšwanyana) (n),
  pups.
dintswi (ntswi) (n), eagles.
dintwa (ntwa) (n), fights; battles;
  wars.
dinya (senya) (n), bladders.
dinyae (senyae) (n), vagrants.
dinyalo (nyalo) (n), marriages;
  weddings.
dinyatsi (nyatsi) (n), paramours.
dinyetse (senyetse) (n), crickets.
dinyoba (nyoba) (n), sugar-cane.
diofisi (ofisi) (n), offices.
diokene (okene) (n), organs.
diole (ole) (n), oil(s).
diolo (seolo) (n), ant-heaps.
dionoroko (onoroko) (n),
  petticoats.
dionse (onse) (n), ounces.
dionto (onto) (n), ovens.
diontshe (ontshe) (n), ounces.
diope (seope) (n), loin-cloths.

diorolosi (orolosi) (n), watches.
diotli (seotli) (n), ruminants.
diotswa (seotswa) (n), harlots.
dipadi (lobadi) (n), scars.
dipaente (paente) (n), pints.
dipagangwa (n), transport.
dipaka (lobaka) (n), chances.
dipaki (paki) (n), eye-witnesses;
  witnesses.
dipala (pala) (n), posts.
dipalamente (palamente) (n),
  parliaments.
dipalamonwana (palamonwana)
  (n), rings.
dipalang (palang) (n), eels.
dipalangwa (n), transport.
dipalo (palo) (n), numbers.
dipalobatho (palobatho) (n),
  censuses.
dipalodisi (palodisi) (n), essences.
dipamfolete (pamfolete) (n),
  pamphlets.
dipampiri (pampiri) (n), papers.
dipanana (panana) (n), bananas.
dipane (pan) (n), pans (utensils).
dipanele (panele) (n), panels.
dipanka (panka) (n), benches.
dipankerisi (pankerisi) (n),
  pancreases.
dipannere (sepannere) (n),
  spanners.
dipapadi (papadi) (n), acquisitions.
dipapatso (papatso) (n),
  advertisements.
dipapetla (papetla) (n), cards;
  cardboards.
dipapetlana (papetlana) (n), coins.
dipapisi (papisi) (n), worms
  (round).
dipasa (pasa) (n), passes.
dipata (pata) (n), passes.
dipatadikgagane (patadikgagane)
  (n), ferns.
dipatelelo (patelelo) (n),
  compulsion(s).
dipateletsego (pateletsego) (n),

obligations.
dipateletso (pateletso) (n),
  compulsion(s).
dipaterone (paterone) (n), patterns.
dipati (sepati) (n), tweezers.
dipatintsho (patintsho) (n),
  blackboards.
dipatlelo (patlelo) (n), arenas;
  fields (eg for rugby).
dipeba (peba) (n), mice.
dipeeletso (peeletso) (n), deposits.
dipego (pego) (n), reports.
dipeinapole (peinapole) (n),
  pineapples.
dipeisi (peisi) (n), pimples.
dipeiso (peiso) (n), races.
dipeiti (sepeiti) (n), syringes.
dipejama (n), pyjamas.
dipeke (peke) (n), picks.
dipekere (sepekere) (n), nails.
dipelaelo (pelaelo) (n), doubts;
  suspicions.
dipelegi (pelegi) (n), births.
dipelete (sepelete) (n), pins.
dipelo (pelo) (n), piths; hearts.
dipelwana (pelwana) (n), embryos.
dipene (pene) (n), pens.
dipeni (peni) (n), pennies.
dipente (pente) (n), paints.
dipeo (peo) (n), seeds; coronations.
dipeolwane (peolwane) (n),
  swallows.
diperekisi (perekisi) (n), peaches.
diperetshitswana (peretshitswana)
  (n), bicycles.
diperimeta (perimeta) (n),
  perimeters.
dipesaleme (pesaleme) (n), psalms.
dipetale (petale) (n), petals.
dipetlele (sepetlele) (n), hospitals.
dipetlwana (petlwana) (n), hoes.
dipetsana (petsana) (n), foals.
diphadisano (phadisano) (n),
  competitions.
diphaephe (phaephe) (n), pipes
  (water).

diphafana (phafana) (n), calabashes.

diphaka (phaka) (n), parks.

diphakalane (phakalane) (n), hawks.

diphakwe (phakwe) (n), hawks.

diphala (phala) (n), horns; bugles; flutes; trumpets; impalas.

diphalana (phalana) (n), whistles.

Diphalane (n), October.

diphaletshe (phaletshe) (n), porridge.

diphapaano (phapaano) (n), differences.

diphaposana (phaposana) (n), cells.

diphaposi (phaposi) (n), rooms.

diphaposiborobalo (phaposiborobalo) (n), bedrooms.

diphare (phare) (n), cucumbers (wild melon).

dipharo (pharo) (n), slices.

dipharologano (pharologano) (n), differences.

dipharologantsho (pharologantsho) (n), characteristics.

diphasalatso (phasalatso) (n), publications; advertisements.

diphasele (phasele) (n), parcels.

diphathi (phathi) (n), political parties.

diphatla (phatla) (n), foreheads.

diphatlha (phatlha) (n), holes; apertures; gaps.

diphatlhatiro (phatlhatiro) (n), vacancies.

diphatlo (sephatlo) (n), halves; goods.

diphatsa (phatsa) (n), chips.

dipheelo (lofeelo) (n), brooms.

diphefo (phefo) (n), winds.

diphelefu (phelefu) (n), rams.

diphensele (phensele) (n), pencils.

diphenšene (phenšene) (n), pensions.

diphenyo (phenyo) (n), victories; triumphs.

diphepheng (phepheng) (n), scorpions.

dipherefere (pherefere) (n), pepper.

dipheretlho (pheretlho) (n), affrays.

diphesodi (phesodi) (n), elevators; lifts; derricks.

diphešwana (phešwana) (n), breezes.

diphešwana tsa lewatle (phešwana ya lewatle) (n), sea breezes.

diphetho (sephetho) (n), results.

diphetogo (phetogo) (n), changes.

diphetolo (phetolo) (n), replies; answers; changes; alterations.

diphetso (phetso) (n), decisions; conclusions.

diphilo (philo) (n), kidneys.

diphimodi (sephimodi) (n), dusters.

diphiri (phiri) (n), hyaenas.

diphiri (sephiri) (n), secrets.

diphitlho (phitlho) (n), funerals; burials.

diphofa (lofofa) (n), feathers; quills.

diphofaleta (phofaleta) (n), down.

diphofu (phofu) (n), elands.

diphogo-tsa-morago (phogo-ya-morago) (n), occiputs.

diphogwana (phogwana) (n), ferns.

diphokelelo (phokelelo) (n), influences.

diphokolo (phokolo) (n), ailments.

diphokotsasegalo (phokotsasegalo) (n), mutes.

dipholo (n), result; results.

dipholo (pholo) (n), oxen.

diphologolo (phologolo) (n), antelopes; animals; buck(s); beasts.

diphontshi (phontshi) (n), bulldogs.

diphoopho (phoopho) (n), pawpaws.

diphorogotlho (phorogotlho) (n), whethers.

diphoso (phoso) (n), mistakes; errors; faults.
diphoti (photi) (n), duikers.
diphotla (photla) (n), husks.
diphotlwa (sephotlwa) (n), pods.
diphudufudu (phudufudu) (n), steenboks.
diphufudi (phufudi) (n), vapour.
diphuka (lofuka) (n), wings.
diphulo (phulo) (n), pastures.
diphulobotshe (phulobotshe) (n), sweet veld.
diphulodila (phulodila) (n), sour veld.
diphunyi (sephunyi) (n), punches (instruments).
diphunyo (phunyo) (n), awls.
diphuphu (phuphu) (n), graves; cemetery.
diphurrwane (phurrwane) (n), quails.
diphuthego (phuthego) (n), congregations (churches); gatherings; assemblies.
diphuthelwana (sephuthelwana) (n), parcels.
dipiano (piano) (n), pianos.
dipidi (pidi) (n), cobs (maize).
dipiletsatshekong (piletsatshekong) (n), subpoenas; summonses.
dipilisi (pilisi) (n), pills.
dipitheria (n), diphtheria.
dipitsa (pitsa) (n), pots.
dipitse (pitsi) (n), horses.
dipitse tsa lebelo (pitsi ya lebelo) (n), race-horses.
dipitse tsa naga (pitse ya naga) (n), zebras.
dipitse tse ditshegadi (pitse e tshegadi) (n), mares.
dipitso (pitso) (n), congresses.
dipobe (pobe) (n), dimples.
dipodi (podi) (n), goats (domestic); ringworms.
dipodisi (sepodisi) (n), burweeds.

dipoelo (poelo) (n), profit; gain.
dipogisego (pogisego) (n), afflictions.
dipoifo (poifo) (n), dread; awe; fears.
dipoko (sepoko) (n), ghosts.
dipolane (polane) (n), plans.
dipolanka (polanka) (n), planks.
dipolantasi (polantasi) (n), plantations.
dipolao (polao) (n), murders.
dipolasa (polasa) (n), farms.
dipolaseng (n), rural.
dipoleiti (poleiti) (n), plates.
dipolelelopele (polelelopele) (n), prophecies.
dipolelo (polelo) (n), sentences (grammatical); statements.
dipolitiki (n), politics.
dipolo (polo) (n), penises.
dipolokelo (polokelo) (n), safes; banks (money).
dipolokelo tsa dijo (polokelo ya dijo) (n), pantries.
dipoloko (poloko) (n), funerals; burials.
dipoloto (poloto) (n), plots (literary).
dipompo (pompo) (n), pumps.
diponagalo (ponagalo) (n), phenomena.
diponalo (ponalo) (n), appearances.
dipone (lobone) (n), lamps.
dipono (pono) (n), sights; acquisitions.
diponto (ponto) (n), pounds.
dipontšhe (sepontšhe) (n), sponges.
dipontsho (pontsho) (n), shows; exhibitions.
diponyo (n), blinkers.
dipoo (poo) (n), bulls.
dipopelo (popelo) (n), uteri; ovaries; wombs.
dipopo (n), universe; creations.

dipopoma (popoma) (n), dunes; bulges.

dipopotlo (popotlo) (n), wrinkles.

dipopuliri (populiri) (n), poplars.

diporaemasetofo (poraemasetofo) (n), primus stoves.

diporeisi (poreisi) (n), prices.

diporeng (seporeng) (n), springs.

diporo (seporo) (n), railways.

diporopo (poropo) (n), corks.

diposeotore (poseotore) (n), postal orders.

diposo (poso) (n), post-offices.

diposong (posong) (n), (at the) post-offices.

dipota (lobota) (n), walls.

dipotata (potata) (n), sweet-potatoes.

dipoti (poti) (n), putty.

dipotla (potla) (n), pockets (in garments).

dipotloloto (potloloto) (n), pencils.

dipotongwane (potongwane) (n), bicepses.

dipotsana (potsana) (n), smallest fingers.

dipotsane (potsane) (n), kids.

dipotso (potso) (n), inquiries; questions.

dipoummutla (poummutla) (n), harelips.

dipounama (pounama) (n), lips.

dipowana (powana) (n), bullocks.

dipudula (pudula) (n), bubbles.

dipudulogo (pudulogo) (n), bulges.

dipuisano (puisano) (n), discussions.

dipula (pula) (n), rains.

dipuo (puo) (n), languages; dialects.

dipuo tsa segae (puo ya segae) (n), vernaculars.

dipuotlaopo (puotlaopo) (n), slang.

dipupu (pupu) (n), eyebrows.

dipuso (puso) (n), governments.

dira (v), do; labour; make; work.

dira (sera) (n), enemies.

dira boipiletso (v), lodge appeal.

dira metlae (v), joke.

dira phoso (v), mistake.

dirabara (rabara) (n), rubber.

diraborolo (raborolo) (n), revolvers.

diradietara (radietara) (n), radiators.

diradio (radio) (n), wirelesses; radios.

diradise (radise) (n), radishes.

dirafala (v), happen.

diragala (v), happen; occur.

diragatsa (v), implement; perform; execute; accomplish.

dirai (serai) (n), snares; traps.

diraka (raka) (n), shelves; cupboards.

dira(ng) thata (v), industrious.

diranka (ranka) (n), tendrils.

diranta (ranta) (n), rands.

diraopo (seraopo) (n), imports.

dirapa (rapa) (n), turnips.

dirapo (serapo) (n), oars.

diraporoto (raporoto) (n), reports.

dirasenkisi (rasenkisi) (n), raisins.

dirasiti (rasiti) (n), receipts.

diratadiba (seratadiba) (n), pools.

diratwa (seratwa) (n), favourites.

dire (sere) (n), matter (material).

direferentamo (referentamo) (n), referendums.

direga (v), happen; occur.

direisara (reisara) (n), razors.

direisi (reisi) (n), rice.

direjisetara (rejisetara) (n), registers.

direkere (rekere) (n), elastics; rubbers.

direkoto (n), records.

direla (v), earn; serve.

direpodi (serepodi) (n), steps; terraces.

direthe (serethe) (n), butter; heels.

diretse (seretse) (n), mud.

diribete (ribete) (n), rivets.

dirifi (rifi) (n), reefs.
diripa (seripa) (n), pieces; segments.
dirisa (v), employ; use.
dirisa madi (v), spend money.
diroko (roko) (n), dresses.
dirolebotlhoko (serolebotlhoko) (n), bushbucks.
dirolo (serolo) (n), bushbucks.
diromelwantle (seromelwantle) (n), exports.
diromo (romo) (n), cream.
dirope (serope) (n), thighs; buttocks.
dirori (serori) (n), carriages.
diroto (seroto) (n), baskets.
dirula (rula) (n), rulers.
dirulara (rulara) (n), rulers.
dirumu (rumu) (n), rooms.
dirunya (serunya) (n), moles.
dirurubele (serurubele) (n), butterflies; moths.
dirwalo (serwalo) (n), crowns.
dirwe (serwe) (n), organs.
disa (v), herd; guard.
disabole (sabole) (n), swords.
disaese (saese) (n), sizes.
disaetlopedia (saetlopedia) (n), encyclopaedias.
dišafo (šafo) (n), shafts (mining).
dišaga, disaga (saga, šaga) (n), saws.
disajene (sajene) (n), sergeants.
disakatuku (sakatuku) (n), handkerchiefs.
disala (sesala) (n), remainders.
disale (sale) (n), saddles.
disamente (samente) (n), cement.
disampoko (sampoko) (n), sjamboks.
disampole (sampole) (n), samples.
disana (sesana) (n), stumps; poles.
dišawara (šawara) (n), showers.
disefo (sefo) (n), sieves.
disegi (sesegi) (n), cut-worms.
diseile (seile) (n), tarpaulins; canvases; sails.
disekele (sekele) (n), sickles.
disekerete (sekerete) (n), cigarettes.
disele (sele) (n), cells (biol).
disensase (sensase) (n), censuses.
disente (sente) (n), cents.
disenteri (n), dysentry.
disenyi (sesenyi) (n), ruffians.
disepa (sesepa) (n), soap.
disepale (sepale) (n), sepals.
disepedi (sesepedi) (n), abscesses.
dišere (šere) (n), shares (JSE).
diseto (seseto) (n), idols.
disiratlhako (sesiratlhako) (n), horseshoes.
disiro (sesiro) (n), curtains; screens.
diso (seso) (n), sores.
disonobolomo (sonobolomo) (n), sunflowers.
disopo (sopo) (n), soup.
disorokisi (sorokisi) (n), circuses.
disukiri (sukiri) (n), sugar.
disupo (sesupo) (n), signs; symptoms; proof; samples.
disuru (suru) (n), lemons.
disurutege (surutege) (n), yeast.
disuthu (sesuthu) (n), thickets.
ditaemane (taemane) (n), diamonds.
ditaenamaete (taenamaete) (n), dynamite.
ditafole (tafole) (n), tables.
ditafoletuku (tafoletuku) (n), table-cloths.
ditagafara (tagafara) (n), subpoenas; summonses.
ditagi (tagi) (n), alcohol; liquor.
ditakailo (takailo) (n), annihilation.
ditalama (talama) (n), necklaces; beads; balls; buttons; strings.
ditalameite (talameite) (n), dynamite.
ditalente (talente) (n), talents.
ditaletso (taletso) (n), invitations.

ditamati (tamati) (n), tomatos.
ditamo (tamo) (n), dams.
ditampana (tampana) (n), tampans.
ditang (tang) (n), pliers.
ditanka (tanka) (n), tanks.
ditantanyane (n), convulsions.
ditao (tao) (n), lairs.
ditaolo (taolo) (n),
  commandments; rules.
ditaologane (setaologane) (n),
  elastics.
ditapisego (tapisego) (n), fatigue.
ditapole (tapole) (n), potatos.
ditatelano (tatelano) (n),
  sequences.
ditatlhegelo (tatlhegelo) (n),
  disasters.
ditatofatso (tatofatso) (n), charges;
  accusations.
ditau (tau) (n), lions.
ditautona (tautona) (n), presidents.
ditebego (tebego) (n),
  appearances.
ditebelelo (tebelelo) (n), care.
ditebo (tebo) (n), sights.
ditebogo (tebogo) (n), gratitude.
ditedu (tedu) (n), beards; whiskers;
  moustaches.
ditee (tee) (n), tea.
diteemane (teemane) (n),
  diamonds.
ditefo (tefo) (n), wages; payments.
diteišene (seteišene) (n), stations.
ditekanyetsomolemo
  (tekanyetsomolemo) (n), doses.
ditekanyo (tekanyo) (n), measures.
ditekeletso (tekeletso) (n), risks.
diteko (teko) (n), tests.
ditemalo (temalo) (n), habits.
diteme (loleme, teme) (n),
  languages; dialects; tongues.
ditemosi (temosi) (n), senses.
ditemoso (temoso) (n), warnings.
ditempe (setempe) (n), stamp.
ditena (setena) (n), bricks.
ditengwana (tengwana) (n),
  dialects.
ditente (tente) (n), tents.
diterase (terase) (n), terraces.
diterata (seterata) (n), streets.
diterata (terata) (n), fences; wires;
  gut.
diterebe (terebe) (n), grapes.
ditereke (setereke) (n), districts.
diterena (terena) (n), trains.
diteroko (teroko) (n), trucks.
diterompeta (terompeta) (n), trum-
  pets.
diteronko (teronko) (n), jails.
diteropo (teropo) (n), cities; towns.
diteseke (teseke) (n), desks.
ditetla (tetla) (n), permits;
  permission; consent.
ditetlelelo (tetlelelo) (n), permits;
  permission; consent.
dithaba (thaba) (n), mountains.
dithabana (thabana) (n), hills;
  kopjes.
dithabo (thabo) (n), pleasures.
dithabura (thabura) (n), bundles.
dithadiso (thadiso) (n),
  descriptions.
dithaelo (thaelo) (n), temptations.
dithaete (thaete) (n), tides.
dithai (thai) (n), neckties.
dithakadu (thakadu) (n), ant-bears.
dithamalakane (thamalakane) (n),
  riddles.
dithamo (thamo) (n), necks.
dithanolo (thanolo) (n),
  explanations.
dithapelo (thapelo) (n), prayers.
dithapo (thapo) (n), cords; lines;
  ropes; strings; pips.
dithata (thata) (n), forces; powers;
  strengths; authorities.
dithato (thato) (n), will.
dithebe (thebe) (n), shields.
dithebolo (thebolo) (n), approval.
ditheka (lotheka) (n), waists.
dithekethe (thekethe) (n), tickets.
dithekisi (thekisi) (n), taxis.

dithekiso (thekiso) (n), sales.
ditheledi (theledi) (n), kneecaps.
dithelefono (thelefono) (n),
  telephones.
dithelekerama (thelekerama) (n),
  telegrams.
dithelesekopo (thelesekopo) (n),
  telescopes.
dithenipi (thenipi) (n), turnips.
ditheo (setheo) (n), institutes.
ditheo (theo) (n), principles.
dithepe (thepe) (n), taps (for water).
ditherisano (therisano) (n),
  discussions.
dithero (thero) (n), sermons;
  conspiracy.
dithetesekoupo (sethetesekoupo)
  (n), stethoscopes.
dithibamo (thibamo) (n), solar
  plexuses.
dithibedi (thibedi) (n), barriers.
dithibelo (thibelo) (n), blocks.
dithibo (sethibo) (n), corks;
  stoppers.
dithipa (thipa) (n), knives.
dithitho (sethitho) (n), sweat.
dithito (thito) (n), stems.
dithitokgang (thitokgang) (n),
  themes.
dithobane (thobane) (n), sticks.
dithobega (thobega) (n), chillies.
dithobo (thobo) (n), crops;
  harvests.
dithogo (thogo) (n), curses.
dithokgwa (sethokgwa) (n),
  bushes.
dithoko (thoko) (n), awls.
dithole (lorole) (n), dust.
ditholo (tholo) (n), kudus.
dithonikete (thonikete) (n),
  tourniquets.
dithoromo tsa lefatshe (thoromo
  ya lefatshe) (n), earthquakes.
dithotane (thotane) (n),
  hunchbacks.
dithothi (thothi) (n), drops.

diththobolo (thothobolo) (n),
  rubbish-heaps; ash-heaps.
dithoto (thoto) (n), goods; stocks;
  supplies; properties.
dithotse (thotse) (n), seeds; pips;
  pumpkin pips.
dithotsela (sethotsela) (n), ghosts.
dithulaganyo (thulaganyo) (n),
  schedules; schemes; ways.
dithulano (thulano) (n), skirmishes;
  collisions.
dithulelo (thulelo) (n), roofs.
dithuntshwane (thuntshwane) (n),
  mushrooms.
dithunya (sethunya) (n), rifles;
  flowers; blooms.
dithupa (thupa) (n), floating ribs.
dithurugo (thurugo) (n), swellings.
dithusego (thusego) (n),
  assistance.
dithuso (thuso) (n), aid; assistance.
dithutiso (thutiso) (n), exercises.
Dithutlwa (n), Southern Cross.
dithutlwa (thutlwa) (n), giraffes.
dithuto (thuto) (n), lessons;
  education.
dithwanyo (thwanyo) (n), cracks.
dithwe (sethwe) (n), members.
ditifikeiti (setifikeiti) (n),
  certificates.
ditikologo (tikologo) (n), districts.
ditilo (setilo) (n), seats; chairs.
ditimela (setimela) (n), trains.
ditinara (tinara) (n), dinners.
ditipelo (tipelo) (n), dipping-tanks.
ditipi (tipi) (n), dipping-tanks.
ditiragalo (tiragalo) (n),
  happenings; events; history.
ditirelo (tirelo) (n), services.
ditirisano (tirisano) (n),
  cooperation.
ditiriso (tiriso) (n), applications.
ditirisobotlhaswa (tirisobotlhaswa)
  (n), abuse.
ditiro (tiro) (n), trades; jobs; tasks;
  works; labour; acts; deeds;

duties.
ditlabane (setlabane) (n), milkpails.
ditladi (tladi) (n), strokes of lightning.
ditlaela (setlaela) (n), imbeciles.
ditlailo (tlailo) (n), discords.
ditlalelo (tlalelo) (n), troubles; anguish; agonies; pains.
ditlama (setlama) (n), herbs.
ditlamano (tlamano) (n), contracts.
ditlamego (tlamego) (n), obligations.
ditlamo (setlamo) (n), resolutions.
ditlamo (tlamo) (n), bondages.
ditlankana (setlankana) (n), documents.
ditlanyi (setlanyi) (n), typewriters.
ditlatla (setlatla) (n), lunatics.
ditlelaemete (tlelaemete) (n), climates.
ditlelapa (tlelapa) (n), clubs.
ditlelempe (tlelempe) (n), cramps.
ditlelereke (tlelereke) (n), clerks.
ditleliniki (tleliniki) (n), clinics.
ditleloko (tleloko) (n), bells; clocks.
ditleloso (tleloso) (n), lavatories; closets; toilets.
ditleluu (tleluu) (n), glue.
ditlha (setlha) (n), seasons; bladders.
ditlhabakolobe (setlhabakolobe) (n), burweeds.
ditlhabano (setlhabano) (n), weapons; arms.
ditlhabelo (setlhabelo) (n), sacrifices; offerings.
ditlhabi (setlhabi) (n), pains.
ditlhabo (tlhabo) (n), punctures.
ditlhabologo (tlhabologo) (n), civilizations.
ditlhabololo (tlhabololo) (n), amendments.
ditlhaelo (tlhaelo) (n), faults.
ditlhafu (tlhafu) (n), calves.
ditlhaga (tlhaga) (n), grass.
ditlhagala (tlhagala) (n), ulcers;

abscesses; boils; tumours.
ditlhagiso (tlhagiso) (n), proposals.
ditlhago (setlhago) (n), instincts.
ditlhaka (lotlhaka) (n), reeds.
ditlhaka (tlhaka) (n), specks; seeds; letters.
ditlhakanyo (tlhakanyo) (n), mixtures.
ditlhakapalo (tlhakapalo) (n), figures.
ditlhake (setlhake) (n), islands.
ditlhaketlhake (setlhaketlhake) (n), islands.
ditlhako (setlhako) (n), shoes.
ditlhako (tlhako) (n), hoofs.
ditlhakotsapitse (tlhakoyapitse) (n), horseshoes.
ditlhale (tlhale) (n), sinews; fibres; (cotton) threads.
ditlhalo (tlhalo) (n), divorces.
ditlhaloso (tlhaloso) (n), meaning(s); descriptions; explanations.
ditlhamo (tlhamo) (n), compositions (writing).
ditlhana (setlhana) (n), pelvises.
ditlhapelo (setlhapelo) (n), basins.
ditlhapi (tlhapi) (n), fishes.
ditlhare (setlhare) (n), trees; medicines.
ditlhase (tlhase) (n), sparks.
ditlhatlha (setlhatlha) (n), bushes (shrubs).
ditlhatlhobo (tlhatlhobo) (n), examinations.
ditlhatlosi (tlhatlosi) (n), stirrups.
ditlhatloso (tlhatloso) (n), promotions.
ditlhatshana (setlhatshana) (n), herbs; shrubs.
ditlhatswetso (setlhatswetso) (n), sinks.
ditlhoa (setlhoa) (n), summits; apexes; peaks.
ditlhobaelo (tlhobaelo) (n), worries; insomnia; anxiety.

ditlhobolo (tlhobolo) (n), cannons; guns; rifles.
ditlhodi (setlhodi, tlhodi) (n), spies; scouts.
ditlhodiego (tlhodiego) (n), annoyances.
ditlhogo (setlhogo) (n), headings; cruelties.
ditlhogo (tlhogo) (n), heads; principals.
ditlhokego (tlhokego) (n), needs; necessities.
ditlhoko (tlhoko) (n), nipples.
ditlhokomelo (tlhokomelo) (n), care; supervision.
ditlhokwa (setlhokwa) (n), needs.
ditlholo (tlholo) (n), failures.
ditlhomeso (tlhomeso) (n), rafters.
ditlhomo (tlhomo) (n), coronations.
ditlhong (tlhong) (n), shyness; shame.
ditlhopha (setlhopha) (n), bands; groups.
ditlhopho (tlhopho) (n), choices; votes; elections.
ditlhora (tlhora) (n), peaks; summits.
ditlhoro (tlhoro) (n), hats; caps.
ditlhotlheletso (tlhotlheletso) (n), influences.
ditlhotlholoolo (tlhotlhololo) (n), ostracism.
ditlhotlhomenyo (tlhotlhomenyo) (n), flamingos.
ditlhotlhonkga (tlhotlhonkga) (n), chaff.
ditlhotlhori (n), bran; roughage.
ditlhotlhwa (tlhotlhwa) (n), prices.
ditlhotsa (setlhotsa) (n), cripples.
ditlhware (tlhware) (n), pythons.
ditlilemate (tlilemate) (n), climates.
ditlisamadi (setlisamadi) (n), veins.
ditlogelo (tlogelo) (n), omissions.
ditlogolo (setlogolo) (n), nephews; nieces; grandchildren.
ditlolomolao (tlolomolao) (n), offences.

ditlopo (setlopo) (n), tufts.
ditlou (tlou) (n), elephants.
ditlwaelo (tlwaelo) (n), habits; customs.
ditofo (setofo) (n), stoves.
ditogwa (togwa) (n), fibres.
ditokololo (tokololo) (n), limbs; members.
ditolo (setolo) (n), stores.
ditolwane (tolwane) (n), pelvises.
ditomanyi (tomanyi) (n), cramps.
ditomo (tomo) (n), reins; bridles.
ditona (tona) (n), ministers.
ditone (tone) (n), gardens.
ditonki (tonki) (n), donkeys.
ditono (tono) (n), tons.
ditootso (tootso) (n), soapstone.
ditopo (setopo) (n), corpses; bodies (deceased -).
ditopo (topo) (n), requests.
ditori (setori) (n), stories.
ditoro (toro) (n), prickly-pears; dreams.
ditoronko (toronko) (n), prisons; gaols.
ditoropo (toropo) (n), towns.
ditosene (tosene) (n), dozens.
ditoto (setoto) (n), corpses; carcasses.
ditotomana (setotomana) (n), dunes.
ditotšhe (totšhe) (n), torches.
ditoulo (toulo) (n), towels.
ditsala (tsala) (n), friends; companions.
ditšale (tšale) (n), shawls.
ditsalo (tsalo) (n), births; interest.
ditsamaiso (tsamaiso) (n), procedures.
ditsatsa (rel), undesirable.
ditsebe (tsebe) (n), pages; ears.
ditsela (tsela) (n), methods; ways; paths; roads.
ditselakgolo (tselakgolo) (n), highways.

ditselamadi (tselamadi) (n), bloodvessels.

ditselanathoko tsa dinao (tselanathoko ya dinao) (n), pavements.

ditsenelelo (tsenelelo) (n), trespasses.

ditsetla (tsetla) (n), phrases.

ditsetlelo (tsetlelo) (n), grafts.

ditsetse (tsetse) (n), tsetse flies.

ditsetsekwane: ka ditsetsekwane (adv), on tiptoes.

ditsha (setsha) (n), plots (pieces of land).

ditšhabatšhaba (n), international.

ditshaeno (tshaeno) (n), signatures.

ditshebo (n), scandal.

ditshedi (setshedi) (n), creatures; funnels; fauna.

ditšhefu (tšhefu) (n), poison(s).

ditshegabaeng (setshegabaeng) (n), dimples.

ditshego (setshego) (n), laughter.

ditshegofatso (tshegofatso) (n), blessings.

ditšheke (tšheke) (n), cheques.

ditshekiso (tshekiso) (n), trials.

ditsheko (tsheko) (n), trials; court-cases.

ditshele (tshele) (n), grievances; rancour; grudges.

ditšhemele (tšhemele) (n), chimneys.

ditshenekegi (tshenekegi) (n), insects.

ditshenyegelo (tshenyegelo) (n), expenses; damage.

ditshenyo (tshenyo) (n), damage.

ditshephe (tshephe) (n), springboks.

ditšhese (tšhese) (n), blooms; flowers.

ditshetshereganyo (tshetshereganyo) (n), analysis.

ditshika (losika) (n), veins.

ditshikana (tshikana) (n), capillaries.

ditshikanokana (tshikanokana) (n), fireflies.

ditshikinyego (tshikinyego) (n), commotion.

ditshikinyo (tshikinyo) (n), proposals.

ditshilwana (tshilwana) (n), constipation.

ditshimega (tshimega) (n), champions.

ditshimologo (tshimologo) (n), beginnings.

ditshingwana (tshingwana) (n), gardens.

ditshipi (tshipi) (n), irons; bells; weeks; metal; pieces of iron.

ditšhisi (tšhisi) (n), cheese.

ditshitabotlhole (tshitabotlhole) (n), antidotes.

ditshitatutelo (tshitatutelo) (n), antiseptics.

ditshitshiri (tshitshiri) (n), bugs; bedbugs.

ditshobokanyo (tshobokanyo) (n), summaries.

ditshoganyetso (tshoganyetso) (n), chances.

ditšhoko (tšhoko) (n), chalks.

ditsholetsi (setsholetsi) (n), crowbars.

ditsholofelo (tsholofelo) (n), beliefs; hope(s).

ditsholofetso (tsholofetso) (n), assurance(s); promises.

ditshono (tshono) (n), opportunities.

ditshoso (tshoso) (n), alarms.

ditshoswane (tshoswane) (n), ants.

ditshotlego (tshotlego) (n), misery.

ditshotlo (losotlo, tshotlo) (n), scorn; ridicule; sarcasm.

ditshuko (tshuko) (n), penises.

ditshukudu (tshukudu) (n), rhinocerouses.

ditshupa (tshupa) (n), weevil.
ditshupababa (tshupababa) (n), birthmarks.
ditshupabaloi (tshupabaloi) (n), index fingers.
ditshupakotsi (tshupakotsi) (n), beacons; warning signs.
ditshupamolato (tshupamolato) (n), accounts (statements).
ditshupanako (tshupanako) (n), clocks; watches.
ditshupantlha (tshupantlha) (n), compasses.
ditshupatefo (tshupatefo) (n), receipts.
ditshupatlotlo (tshupatlotlo) (n), accounts; statements.
ditshupetso (tshupetso) (n), exhibitions.
ditshwana (loswana) (n), spoons.
ditshwanelo (tshwanelo) (n), obligations; merits; duties.
ditshwano (tshwano) (n), analogies; similarities.
ditshwantsho (setshwantsho) (n), images; diagrams; parables; pictures; photographs.
ditshwareledi (setshwareledi) (n), vices.
ditshwarelo (tshwarelo) (n), apologies.
ditshwari (setshwari) (n), clamps.
ditshwene (tshwene) (n), baboons.
ditshwenyo (tshwenyo) (n), difficulties.
ditshwetso (tshwetso) (n), decisions; conclusions.
ditšhwimodi (setšhwimodi) (n), dusters.
ditsiba (setsiba) (n), patches.
ditsibagetla (setsibagetla) (n), yokes.
ditsibosi (setsibosi) (n), stimuli.
ditsidifatsi (setsidifatsi) (n), refrigerators.
ditsidima (setsidima) (n), bells.

ditsie (tsie) (n), locusts; grasshoppers.
ditsietso (tsietso) (n), falsehoods; deceit; fraud.
ditsimpi (setsimpi) (n), tourniquets.
ditsirimanya (tsirimanya) (n), jingles.
ditso (n), folklore.
ditsobotla (n), marsh; bog.
ditsokotsane (setsokotsane) (n), whirlwinds.
ditsopa (n), earthenware.
ditsuatsue (setsuatsue) (n), whirlwinds.
ditsuololo (tsuololo) (n), sedition.
ditswako (tswako) (n), compounds.
ditswalo (setswalo) (n), clothes; gates; doors.
ditswerere (setswerere) (n), experts.
dituelelo (tuelelo) (n), payments.
dituelo (tuelo) (n), payments; stipends; salaries; rewards.
dituki (n), fuel.
ditulo (setulo) (n), stools; chairs.
ditulo (tulo) (n), places.
ditumammogo (tumammogo) (n), consonants.
ditumanosi (tumanosi) (n), vowels.
ditumediso (tumediso) (n), salutations.
ditumelano (tumelano) (n), favours; agreements.
ditumelelo (tumelelo) (n), approval; permission; permits; consent.
ditumelo (tumelo) (n), faiths; beliefs.
ditumuga (tumuga) (n), donkeys.
ditutlo (tutlo) (n), punctures.
ditwantshamonkgo (twantshamonkgo) (n), deodorants.
ditwantshatwatsi (twantshatwatsi) (n), antitoxin.
ditwantshi (twantshi) (n),

antibodies.
ditwatsi (twatsi) (n), germs.
ditweega (n), harness.
diura (ura) (n), hours.
diwaelese (waelese) (n), radios; wirelesses.
diwatšhe (watšhe) (n), clocks; watches.
diwiki (wiki) (n), wigs.
diwulu (wulu) (n), wool.
diyalemowa (seyalemowa) (n), radios.
diyantle (seyantle) (n), exports.
diyunibesiti (yunibesiti) (n), universities.
duba (v), knead.
duduetsa (v), acclaim.
duedisa (v), fine.

duela (v), pay.
dula (v), sit.
dulafatsa (v), pollinate.
duma (v), groan; roar.
dumalana (v), concur; agree; accede.
dumedisa (v), greet; salute; agree; acquiesce; believe; acknowledge.
dumela (v), admit; accept.
dumelela (v), approve; allow; permit; authorise; admit(agree to).
dupa (v), smell.
dupelela (v), scent.
dutla (v), leak.
dutla: go dutla madi (n), haemorrhage.

E

ebaeba (v), loiter.
e bile (v), also.
ebola (v), peel.
edimola (v), yawn.
ee!, (intj) yes!
ega (v), harrow.
ege (diege) (n), harrow.
eie (dieie) (n), onion.
eka (v), betray.
ekesima (n), eczema.
ekhweita (n), equator.
ekisa (v), ape.
ela(ng) tlhoko (v), beware; observe.
elama (v), brood; incubate.
elela (v), flow.
elemente (dielemente) (n), element.
eletsa (v), wish; covet; desire; feel like doing something.
ema (v), wait; stand; halt; stop.
ema kgatlhanong (v), resist.
emborio (diemborio) (n), embryo.
eme (v), stand.
emela (v), wait.

emelense (diemelense) (n), ambulance.
emisa (v), stop; park; halt.
ena (pron), her/his.
enema (dienema) (n), enema.
enfelopo (dienfelopo) (n), envelope.
eng: ke eng? (intr), why?; what is it?
eng? (intr), what?
Engelesesouta (n), Epsom salts.
enjene (dienjene) (n), engine.
enke (dienke) (n), ink.
enta (v), vaccinate; inoculate; graft.
enta: go enta (n), vaccination.
epa (v), dig; excavate.
epa pitso (v), convene.
epela (v), bury.
erekisi (dierekisi) (n), pea.
esei (diesei) (n), composition (writing).
esele (diesele) (n), ass.
e seng (v), never.
eta (v), travel; visit.

etela (v), visit; court.
etelela (v), precede.
etelela pele (v), lead.
ethimola (v), sneeze.
etikete (dietikete) (n), etiquette.

etleeletsa (v), prepare.
etsa (v), ape; imitate; mimic.
etsaetsega (v), be restless.
e tswe (v), though.
eyethe (boeyethe) (n), idiot.

F

fa (conj), whether; whenever; if.
fa (v), give.
fa (adv), here.
fa e se (v), except.
fa tlase ga (adv), under.
faboriki (difaboriki) (n), factory.
faela (v), file.
faele (difaele) (n), file (ledger).
faelepotlana (difaelepotlana) (n),
    dummy file.
fafarega (v), crumble.
fagola (v), castrate.
faki (difaki) (n), cask; barrel.
fala (v), scrape; slander.
falala (v), migrate; emigrate;
    disperse.
falatsa (v), disperse.
falola (v), escape; pass (a subject).
falotsa (v), rescue.
fanele (difanele) (n), funnel.
fantisi (difantisi) (n), auction.
fapaana (v), differ; vary; quarrel.
fapaanya (v), interchange.
fapoga (v), deviate.
faposa (v), mislead; avert.
farologana (v), vary; differ;
    disagree.
farologane(ng) (v), different;
    distinct.
farologanya (v), distinguish.
fatlha (v), dazzle.
fatlhosa (v), educate; enlighten.
fatsa (v), chop.
fatshe (adv), down.
fatshe (n), ground (on the ground).
-fe (enum), which?.

fedisa (v), exterminate.
feela (v), sweep.
fegelwa (v), gasp; pant.
feie (difeie) (n), fig.
feile (difeile) (n), file (tool).
feilegwata (difeilegwata) (n), rasp.
feite (difeite) (n), whitlow.
fekeetsa (v), overpower.
feketori (difeketori) (n), factory.
fela (adv), only; common.
fela (conj), but.
fela(ng) pelo (v), impatient.
felegetsa (v), accompany.
felo (mafelo) (n), scene.
fema (v), avoid; avert.
feme (difeme) (n), firm.
femela (v), defend; protect.
fenekolola (v), comb (search
    thoroughly).
fenitšhara (n), furniture.
fenngwa (v), lose, be beaten.
fensetere (difensetere) (n),
    window.
fenya (v), defeat; overcome; win;
    conquer; convince.
fepa (v), feed.
fepisa ka katso (v), bribe.
fera (v), hinder.
ferefa (v), paint.
ferefe (diferefe) (n), paint.
ferekanya (v), perturb; deceive.
feretlha (v), disturb.
Ferikgong (n), January.
ferosa sebete (v), nauseate.
ferosa(ng) dibete (v), abhorrent.
ferosa: go ferosa sebete (n),

nausea.
feta (v), overtake; exceed; surpass.
feta: go feta (v), beyond.
fetela(ng) (v), infectious; contagious.
fetelela (v), exceed.
feteletsa (v), exaggerate.
fetetsa (v), contract; infect.
fetetsa: go fetetsa (n), contraction (of disease).
fetile(ng) (v), past.
fetlha (v), churn; bore; drill (into wood).
fetoga (v), change.
fetola (v), reply; change; alter; convert.
fetolela (v), translate.
fetosa (v), change.
fetsa (v), cease; achieve; complete; finish; discontinue; decide.
fifetse (v), dark.
figitlha (v), rub.
fisa (v), burn.
fisang (v), alight.
fisega (v), desire.
fitlha (v), arrive; bury; hide; conceal.
fitlhela (v), find; attain.
fitlhela: go fitlhela (conj), until.
fitlhelela (v), reach.
-fitshwa (a), dark.
fodisa (v), cure; heal.
fofa (v), fly.
fofisa (v), fly.
foforega (v), crumble.
fogotlha (v), rub.
foka (v), blow.
fokola (v), be ill.
fokotsa (v), alleviate; reduce; lessen; diminish; decrease.
fokotsa ka bogare (v), halve.
fola (v), thresh; heal; recuperate.
folaga (difolaga) (n), flag.
folene (n), flannel.
fologa (v), climb (down); descend.
fologela (v), descend.
folosa (v), unload; off-load.
folouru (n), flour.
fophola (v), grope.
fopholetsa (v), guess.
fora (v), deceive; cheat; delude.
foraforetsa (v), flatter.
foraga (diforaga) (n), load.
foro (diforo) (n), furrow.
foroko (diforoko) (n), fork.
foroko ya bojang (n), pitchfork.
foromane (diforomane) (n), foreman.
fosa (v), miss; mistake; blunder; err.
fositswe(ng) (v), wrong.
foto (difoto) (n), photograph.
foufatsa (v), blind.
foufetse (v), became blind.
fudua (v), scramble; stir; agitate.
fuduga(ng) (v), migratory.
fufula (v), sweat; perspire.
fufulelwa (v), sweat.
fufutsa (v), perspire.
fulutu (difulutu) (n), flute.
funega (v), contract.
funega: go funega (n), contraction (muscles).
funologa (v), loosen.
funolola (v), untie.
futswela (v), stir.
futu (difutu) (n), foot (measure).

G

ga, not.
ga (conj), if.
ga (v), scoop.
ga (pos), of.
gaba (v), scoop; engrave (on stone).

gabagabega (v), hungry.
gabedi (adv), twice.
gabura (v), gnaw.
gadika (v), fry; roast.
gagaba (v), creep; crawl; crouch.
gagamatsa (v), tighten.
gagametse(ng) (v), tight.
gagapa (v), enforce.
gagasetsa (v), gargle.
gago (pron), your.
gagwe (pron), her/his.
gaila (v), annihilate; massacre.
gaisa (v), exceed; surpass.
gaisa: go gaisa (conj), more than.
gaisana (v), contest; compete.
gakantsha (v), confuse.
gakatsa (v), excite.
gakgamala (v), become surprised/astonished.
gakgamatsa (v), surprise; stun; astonish; astound.
gakgamatsa(ng) (v), marvellous; queer; wonderful.
gakologa (v), melt.
gakologelwa (v), remember; recollect.
gakolola (v), remind; advise.
gakololana (v), confer.
gakolosa (v), melt.
gala (v), shout.
gala (n), gall.
galalela (v), glow; gleam.
galase (digalase) (n), glass.
gale, ka gale (adv), usually; always.
galefile (v), angry.
galerale (n), khakibos.
galetsha (v), infuriate.
galola (v), bright.
gamola (v), wring.
gana (v), disobey; reject; decline; refuse.
ganela (v), argue; object; deny.
ganetsa (v), contest; deny; contradict; refute; oppose.
ganetsana (v), argue; dispute; disagree.

ganetsanya (v), argue.
gangwe (adv), once.
gangwe le gape (adv), often.
ganse (diganse) (n), goose.
ganwa (v), be refused/rejected.
ganyaola (v), massacre.
gapa (v), confiscate.
gape (adv), again; too; also.
gapela (v), confiscate.
gapeletsa (v), force; compel.
garaswanya (v), condemn.
garawe (digarawe) (n), spade; shovel.
gare (ga); fa gare (ga) (adv), between.
gare ga, mo gare ga (adv), amidst.
gareganaga (n), wilderness.
garetene (digaretene) (n), curtain.
garumela (v), attack verbally.
gasa (v), sow; splash; broadcast.
gasanya (v), scatter.
gase (digase) (n), gas.
gata (v), step; tread.
gatelela (v), insist; emphasize; stress; oppress; press; compress; squeeze.
gatene (digatene) (n), curtain.
gatisa (v), print; press.
gatsela (v), congeal; freeze.
gaufi (adv), adjacent; near.
gaumakwe (n), bile; gall.
gautshwane (adv), soon.
gautshwanyane (adv), soon.
gebenya (v), glance.
gelone (digelone) (n), gallon.
gemere (n), ginger.
go bapa le (adv), next to.
go fola (n), recovery.
go kgona (n), ability.
go lapa (n), weariness.
go otšwa ke tlhogo (n), headache.
go tsena (n), admission.
go ya go ile (adv), forever.
goa (v), cry; yell; shout; scream; howl.
gobagobetsa (v), urge.

gobane (conj), since.
gobane: ka gobane (conj), because.
gobatsa (v), injure; hurt; wound.
gobeletsa (v), exaggerate.
gobo; ka gobo (conj), because.
gobolola (v), revile.
gobua (v), wade.
godile(ng) (v), mature; old.
godimo (ga) (adv), up; above
   (above sea level- godimo ga
   tekanawatle).
godimo ga (adv), upon.
godimo, kwa godimo (adv), loud;
   high; overhead.
godisa (v), adopt; amplify; enlarge.
goeletsa (v), announce (aloud).
goga (v), pull; smoke; attract.
gogagoga (v), drag.
gogela (v), entice; attract.
gogoba (v), drag.
gogomela (v), creep.
gokaganya (v), connect.
gokela (v), attach.
gola (v), grow.
golafatsa (v), maim.
golafetse(ng) (v), disabled.
golaganya (v), combine.
gole (adv), afar.
golega (v), captivate; arrest;
   capture; bind; fasten; harness;
   inspan.
-golo (a), great; large.
golo (n), thing; place.
golola (v), unfasten; outspan;
   prolong; excuse; redeem;
   rescue; free.
gololesegile(ng) (v), free.
-golwane (a), senior.
gomisa (v), feint.

gomotsa (v), console.
gompieno (n), today.
gona (v), snore.
gone (adv), there.
gonela (v), loop.
gongwe (adv), maybe; elsewhere.
gongwe le gongwe (adv),
   anywhere.
gonne: ka gonne (conj), because.
gonyela (v), shrink.
gopa (v), crawl.
gope: ka gope (conj), anyhow.
gopola (v), presume; think; recall;
   imagine; recollect.
gopolela(ng) (v), considerate.
gopotsa (v), remind.
goreng? (intr), why?.
goroga (v), arrive.
gosele (adv), elsewhere.
gotetsa (v), kindle; fire; ignite.
gotetse(ng) (v), inflamed.
gotlha (v), scour; flog; scrape;
   chafe; grate; rub.
gotlhana (v), quarrel.
gotlhe (enum), common; entire.
gotlhelelé (adv), absolutely.
gotlhola (v), cough.
gotsa (v), ignite; inherit; fire.
gouta (digouta) (n), gold.
gwatalala (v), be adamant.
gwataletse (v), adamant.
gwaya (v), engrave (on wood).
gweba (v), trade.
gwela (v), copulate; fertilise.
gwetla (v), squeal.
gwetla (n), autumn.
gwetlha (v), contend; wave;
   beckon; challenge.

H

habore (n), oats.
hakaboi (dihakaboi) (n), handcuff.
halofa (v), halve.

halofo (dihalofo) (n), half.
halofo ya ura (n), half an hour.
hamore (dihamore) (n), hammer.

haraka (diharaka) (n), rake.
heke (diheke) (n), gate.
hema (v), inhale; breathe.
hempe (dihempe) (n), shirt.
-hibidu (a), red.
himoreje (n), haemorrhage.
himotlelobini (n), haemoglobin.
hira (v), rent; lease.
hirisa (v), lease.
hisetori (n), history.
hisetori ya botshelo (n), life history.
holo (diholo) (n), hall.
hosetele (dihosetele) (n), hostel.
hotele (dihotele) (n), hotel.
huduga (v), migrate.
hudusa (v), convey.
huku (dihuku) (n), fish-hook.

hulara (v), depart.
huma (v), acquire riches; become rich.
humanegile(ng) (v), poor.
humase (n), humus.
humile(ng) (v), rich.
humisa (v), enrich.
hunela (v), tie.
hupela (v), pant.
huranya (v), gnash.
hutsa (v), curse.
hutsafala (v), become downcast/ aggrieved/sad.
hutsafetse(ng) (v), aggrieved; downcast; sad.
hutshe (dihutshe) (n), hat.

I

idibala (v), faint.
idibetse(ng) (v), unconscious.
ikaelela (v), intend.
ikaelelo (n), purpose.
ikana (v), vow; confide; swear (declare solemnity).
ikanya (v), rely.
ikanyega(ng) (v), loyal; faithful; dependable; reliable; trustworthy; honest.
ikanyege: go se ikanyege (n), dishonesty.
ikanyologa(ng) (v), unfaithful.
ikanyologile(ng) (v), unfaithful.
ikapesa (v), to dress oneself.
ikemetse(ng) (v), independent.
ikemisetso (n), purpose.
iketlo (n), peace.
ikgodisa (v), boast.
ikgoga (v), withdraw.
ikhutso (n), interval.
ikoba (v), obey.
ikobela (v), obey.
ikotlhaya (v), repent; regret;

apologise.
ikuela (v), appeal.
ila (v), loathe; detest; abhor; abstain.
ilega(ng) (v), detestable; abhorrent; hateful.
iletsa (v), forbid; prohibit.
ima (v), conceive.
imisa (v), conceive.
ina (v), steep; immerse; dip.
inama (v), bow; bend; stoop.
ineela (v), capitulate; surrender.
inela (v), soak.
inoga (v), emerge.
intshe (diintshe) (n), inch.
intshwarela (v), excuse; forgive; condone.
ipaakantse (v), ready.
ipabalelotseleng (n), road safety.
ipela (v), rejoice.
iphitlha (v), hide.
ipiletsa (v), appeal.
ipobola (v), confess.
ipolela (v), acknowledge.

ipona molato (v), confess.
ipusa(ng) (v), independent.
ipusolosetsa (v), revenge; retaliate.
ipusolotsa (v), avenge (oneself).
iri (diiri) (n), hour.
irisi (diirisi) (n), iris.
isa (v), convey.
isa tlase (v), lower.
isago (n), future; next year.
isagwe (n), future; next year.
ise (v), before; not yet.
itaya (v), strike; hit.
iteka (v), attempt; fair.
itekanetse(ng) (v), fair; healthy; wholesome.
ithorisa (v), brag; boast.
ithuta (v), learn; study.
ithwadisa (v), deflower.
ithwala (v), conceive.
itima dijo (v), fast.
itira (v), pretend.
itlatlarietsa (v), chatter.
itlhaganela (v), hasten.
itlhagisa (v), approach.
itlhalosa (v), obvious.
itlhokomelo (n), personal hygiene.
itlhoma (v), imagine; think.
itlhophela (v), prefer.

itlhophile(ng) (v), peculiar.
itlotla (v), boast.
itsa (v), forbid; debar; prohibit.
itse (v), know; recognise.
itsege (v), eminent.
itsege(ng) (v), renown; famous.
itsege: sa itsege(ng) (v), strange.
itsemeleditse(ng) (v), reluctant.
itsemeletsa(ng) (v), unwilling.
itshekile (v), clear.
itshekisa (v), purify.
itshekologile(ng) (v), unclean.
itshema (v), pretend.
itshepileng (v), holy.
itshoka (v), persevere.
itshola (v), behave.
itshukula (v), gargle; conspicuous.
itshwara (v), behave; conduct (a choir).
itshwarela (v), pardon.
itsise (v), warn; advertise; introduce; announce; divulge.
itumedisa (v), appease; please; delight; make content.
itumedisa(ng) (v), pleasant.
itumela (v), rejoice.
itumelela (v), enjoy; appreciate.
itumetse (v), happy; glad.

J

ja (v), devour; corrode; consume; eat.
ja boswa (v), inherit.
ja monate (v), enjoy.
ja nala (v), visit.
ja tlhotlhwa e kgolo (v), costly.
jaale (adv), then.
jaana (conj), but.
jaana (rel), such.
jaanong (adv), now.
jala (v), sow; cultivate; plant.
jalo: e seng jalo; go seng jalo (adv), otherwise.

jalo: ka jalo (conj), therefore.
jalojalo, et cetera.
jalolola (v), transplant.
Janawari (n), January.
jang? (intr), how?
jarata (dijarata) (n), yard.
jase (dijase) (n), overcoat; coat.
jega (v), edible.
jeke (dijeke) (n), jug.
jele (v), ate.
jeli (n), jelly.
jelo (dijelo) (n), gizzard.
jeme (dijeme) (n), jam.

jeresi (dijeresi) (n), jersey.
jesa (v), feed.
jesi (dijesi) (n), jersey.
Jesu (n), Jesus.
jewa ke tlhong (v), ashamed.
jj. (jalojalo), etc. (et cetera).

jokwe (dijokwe) (n), yoke.
Julae (n), July.
June (n), June.
junifomo (dijunifomo) (n), uniform.
juri (dijuri) (n), jury.

K

ka, can, may.
ka (prep), by; with; within.
ka (pron), my.
ka (gore) (conj), since.
ka bomo (adv), wilfully.
ka fa molaong (adv), legally.
ka fa teng (adv), inside.
ka gongwe (adv), perhaps.
ka gope (adv), never.
ka jaana (conj), since.
ka molao (adv), lawfully.
ka ngwaga (adv), yearly.
kabakanya (v), hesitate.
kabele (dikabele) (n), cable.
kabelo (dikabelo) (n), offering;
   ration; allotment; share; piece.
kabetla (dikabetla) (n), fragment.
kabo (dikabo) (n), allotment;
   donation.
kabo ya boswa (dikabo tsa boswa)
   (n), will; testament.
kae? (intr), where?
kaela (v), instruct; guide; direct;
   lead; prescribe.
kaetswe(ng) (v), prescribed.
kagiso (n), peace.
kago (dikago) (n), building.
kagophakelo (dikagophakelo) (n),
   parcade.
kagophemelo (dikagophemelo) (n),
   fort.
kajeno (n), today.
kakabalo (dikakabalo) (n), doubt.
kakana (dikakana) (n), pipe (for
   smoking).

kakanyo (dikakanyo) (n), opinion;
   thought.
kakaretso (dikakaretso) (n), precis.
kake (bokake) (n), cobra; rinkhals.
kako (n), lie; untruth.
kako (pos), false.
kakologa (v), avoid.
kala (v), gaze; weigh; stare.
kala (dikala) (n), branch.
kalaka (n), lime.
kalaka: go kalaka (n), whitewash.
kalakune (dikalakune) (n), turkey.
kalana (dikalana) (n), twig.
kalane (dikalane) (n), bed.
kalentara (dikalentara) (n),
   calendar.
kaletsa (v), hang.
kalola matlho (v), dazzle.
kama (v), comb.
kamatlela (v), embrace.
kamela (dikamela) (n), camel.
kamete (dikamete) (n), gamete.
kamo (dikamo) (n), comb.
kamogelo (n), admission;
   welcome.
kamore (dikamore) (n), room.
kamore ya borobalo (n), bedroom.
kampa (dikampa) (n), paddock;
   camp.
kampana (v), wrestle.
kamuso (dikamuso) (n), lactation.
kanale (dikanale) (n), canal.
kanego (dikanego) (n), statement.
kanelo (dikanelo) (n), tale; story.
kankere (dikankere) (n), cancer.

kano ya bong (dikano tsa bong) (n), title-deed.
kanokako (n), perjury.
kanono (dikanono) (n), cannon.
kantoro (dikantoro) (n), office.
kaone (rel), better.
kapa (v), catch (a ball).
kapa (dikapa) (n), rafter.
kapetla (dikapetla) (n), fragment.
kapodisa (v), pronounce.
kapodiso (dikapodiso) (n), pronunciation.
kapoko (n), snow.
kapotene (dikapotene) (n), captain.
karabo (dikarabo) (n), echo; answer; reply.
karaki (dikaraki) (n), cart; carriage.
karakule (dikarakule) (n), karakul.
karata (dikarata) (n), card; chart.
karatshe (dikaratshe) (n), garage.
karo (dikaro) (n), operation.
karolo (dikarolo) (n), section; area; part; portion.
karolwana (dikarolwana) (n), fraction; part; unit; piece; segment.
kase (dikase) (n), cheese.
kasetereole (n), castor oil.
kaseterolo (dikaseterolo) (n), saucepan.
kata (v), train.
kata ka morago (v), retreat.
kataka (v), trample.
kataloko (dikataloko) (n), catalogue.
katara (dikatara) (n), guitar.
katisa (v), train.
katiso (dikatiso) (n), exercise.
katlaatleloloago (n), welfare.
katlego (dikatlego) (n), success; triumph.
katlholol (n), acquittal.
katlholo (dikatlholo) (n), sentence (judicial); judgment; verdict.
katologa (v), expand.
katolosa (v), enlarge; extend.

katsana (dikatsana) (n), kitten.
katse (dikatse) (n), cat.
katso (dikatso) (n), tip.
kausu (dikausu) (n), sock; stocking.
kaya (v), mean; illustrate.
ke (prep), by.
ke fa (conj), then.
keketa (v), gnaw.
keledi (dikeledi) (n), tear (when crying).
keletso (n), envy.
keletso ya dijo (n), appetite.
kelotlhoko (rel), careful.
kelotlhoko: ka kelotlhoko (adv), surely; carefully.
kemiso (n), dismissal.
kemo (dikemo) (n), standard.
kempola (v), gamble.
kenta (v), inoculate.
kento (dikento) (n), graft; inoculation.
kepisi (dikepisi) (n), cap.
kepu (dikepu) (n), crowbar.
kerabole (n), gravel.
kerama (n), grammar.
keranadila (dikeranadila) (n), granadilla.
kereke (dikereke) (n), church.
kerese (dikerese) (n), candle.
Keresemose (n), Christmas.
Keresete (n), Christ.
keriba (dikeriba) (n), wheelbarrow.
keriiba (dikeriiba) (n), barrow.
kerikete (n), cricket.
kese (dikese) (n), coffin.
ketane (diketane) (n), chain.
kete (dikete) (n), thousand.
keteka (v), celebrate.
keteko (diketeko) (n), celebration.
keteletsopele (diketeletsopele) (n), preface.
ketla (diketla) (n), segment.
ketlele (diketlele) (n), kettle.
ketlola (v), chip.
ketso (diketso) (n), imitation.
kga (v), pick.

kgaba (v), adorn (oneself).

kgabaganya (v), travel.

kgabagare (conj), afterwards.

kgabisa (v), decorate; adorn.

kgabiso (dikgabiso) (n), ornament; decoration.

kgabo (dikgabo) (n), flame; monkey; ape.

kgafela (dikgafela) (n), ceremony.

kgafetsa (v), conceal.

kgagamalo (n), tension (eg wire).

kgaisano (dikgaisano) (n), competition; contest; match.

kgaitsadi (bokgaitsadi) (n), sister.

kgaka (dikgaka) (n), guinea fowl.

kgakala (rel), afar; remote; far.

kgakalo (n), fury; wrath; rage.

kgakgamalo (dikgakgamalo) (n), consternation; amazement; surprise.

kgakgamatso (dikgakgamatso) (n), miracle; wonder; amazement; consternation; surprise.

kgakologelo (n), memory.

kgakololo (dikgakololo) (n), advice; reminder.

kgala (v), abuse; evaporate.

Kgalagadi (n), Kalahari.

kgalefo (n), anger; wrath; rage; fury.

kgalegile(ng) (v), thirsty.

kgalego (n), thirst.

kgalema (v), command; admonish; reproach; rebuke.

kgalemo (dikgalemo) (n), caution.

kgalolola (v), quench.

kgama (v), strangle; choke.

kgamelo (dikgamelo) (n), bucket; pail.

kgamelo ya mašwi (n), milk-pail.

kganela (v), obstruct; debar; restrain; prevent.

kganelo (dikganelo) (n), antagonism; obstacle.

kganelokimo (n), contraception.

kganetsano (dikganetsano) (n), argument.

kganetsanyo (dikganetsanyo) (n), antagonism; controversy.

kgang (dikgang) (n), matter; discussion; affair; story; argument; conversation.

kgankgala (dikgankgala) (n), mucus.

kganna (v), restrain; prevent.

kgannyana (dikgannyana) (n), shortstory.

kgaogana (v), share.

kgaoganya (v), separate; divide.

kgaola (v), cut; amputate; sever; excommunicate.

kgaolela (v), interrupt.

kgaolo (dikgaolo) (n), chapter; region; area; district.

kgaotso (dikgaotso) (n), interval.

kgapa (dikgapa) (n), eggshell.

kgapetla (dikgapetla) (n), eggshell; shell.

kgara (dikgara) (n), breastbone; chest.

kgaraga (dikgaraga) (n), diamond.

kgarakgatshego (dikgarakgatshego) (n), bother.

kgarametsa (v), push.

kgaro (dikgaro) (n), curl.

kgaruru (dikgaruru) (n), commotion.

kgaswa (dikgaswa) (n), rag.

kgatampi (dikgatampi) (n), ditch; donga.

kgatelelo (n), pressure; emphasis.

kgatelelo ya madi (n), blood pressure.

kgathologa (v), ignore.

kgatikanya (v), wave.

kgatisomono (dikgatisomono) (n), finger-print.

kgatla (dikgatla) (n), sheath.

kgatlha (v), please.

kgatlha(ng) (v), amiable.

kgatlhanong le (v), against (facing somebody).

kgatlhanong le boitekanelo (v), unhygienic.

kgatlhego (dikgatlhego) (n), interest.

kgatlhisa (v), attract.

kgatlhisa(ng) (v), admirable; attractive.

kgatlhwa (v), be admired; be made happy.

kgato (dikgato) (n), step; footstep; foot (measure).

kgatsha (v), dampen; sprinkle.

kgatsha (dikgatsha) (n), valley.

kgelekiso (n), rhetoric.

kgeleswa (dikgeleswa) (n), gland.

kgeleswa ya botlhole (dikgeleswa tsa botlhole) (n), poison gland.

kgeleswakeledi (dikgeleswakeledi) (n), lachrymal gland.

kgera (v), devour.

kgetha (v), elect; choose; vote.

kgethegile(ng) (v), particular.

kgethisa (v), levy; tax.

kgetho (dikgetho) (n), election.

kgetholola (v), segregate; discriminate.

kgetla (v), pick.

kgetla (dikgetla) (n), oyster.

kgetlana (dikgetlana) (n), collar bone.

kgetlane (dikgetlane) (n), clavicle.

kgetse (dikgetse) (n), bag.

kgetsi (dikgetsi) (n), sack; bag; court-case.

kgetsi ya poso (n), post-bag.

kgoadira (bokgoadira) (n), fish eagle.

kgoba (v), abuse.

kgobalo (dikgobalo) (n), injury; casualty.

kgobela (v), heap.

kgobera (v), agitate.

kgobogo (n), abrasion.

kgobokana (v), assemble (come together).

kgobokano (dikgobokano) (n), crowd; gathering; assembly.

kgobokanya (v), amass; pile; collect; gather.

kgobola (v), belch.

kgobololo (n), defamation.

kgobotla (v), disparage.

kgodisa (dikgodisa) (n), hiccup.

kgodiso (n), education of child.

kgoeletso (dikgoeletso) (n), announcement (loud).

kgofa (dikgofa) (n), tick.

kgogedi (dikgogedi) (n), magnetism; magnet.

kgogela (dikgogela) (n), whirlpool.

kgogetsa (v), hook.

kgogo (dikgogo) (n), fowl; chicken.

kgogo/koko (e tshegadi) (dikgogo/ dikoko (tse ditshegadi)) (n), hen.

kgogolego (n), erosion.

kgogolego ya mmu (n), soil erosion.

kgogomelo (dikgogomelo) (n), bay.

kgogometso (dikgogometso) (n), bay; tunnel.

kgogomoso ya lewatle (n), tide (high).

kgojana (dikgojana) (n), thong.

kgokelo (dikgokelo) (n), dragon-fly.

kgokgoetsega (v), stumble.

kgokgontsha (v), pester; ill-treat.

kgokgotsho (dikgokgotsho) (n), windpipe.

kgokong (dikgokong) (n), wildebeest.

kgolafatsa (v), moisten.

kgolagano (dikgolagano) (n), testament; contract.

Kgolagano e Ntšwa (n), New Testament.

kgole (adv), far; remote; afar.

kgole (dikgole) (n), thong.

kgolegelo (dikgolegelo) (n), gaol; prison.

kgolego (dikgolego) (n), jail.

kgolokwe (rel), round.

kgolokwe ya lefatshe (n), globe

(earth).

kgololesego (n), freedom; liberty.

kgololo (n), redemption; acquittal; emancipation.

kgoma (v), touch.

kgomanya (v), switch on.

kgomanyi (dikgomanyi) (n), switch.

kgomarela (v), adhere; cling (to).

kgomarela(ng) (v), adhesive.

kgomaretsa (v), glue; paste.

kgomo (dikgomo) (n), cattle.

kgomodisa (v), interrupt.

kgomogadi (dikgomogadi) (n), cow.

kgona (v), achieve; accomplish.

kgonagala (v), probable.

kgonega(ng) (v), possible.

kgong (dikgong) (n), firewood; wood.

kgono (n), ability.

kgonotšwe (dikgonotšwe) (n), thumb; big-toe.

kgopa (v), stumble.

kgopa (dikgopa) (n), snail; slug.

kgopama (v), bend.

kgopame (rel), crooked.

kgoparetso (dikgoparetso) (n), obstacle.

kgope (rel), unmarried.

kgope (bokgope) (n), bachelor.

kgophane (dikgophane) (n), aloe.

kgophu (dikgophu) (n), kloof.

kgopisa (v), offend.

kgopo (rel), crooked.

kgopolo (dikgopolo) (n), idea; thought; memory.

kgora (rel), rich.

kgoreletsa (v), jeopardise; impede; obstruct; hinder; detain; disturb.

kgoreletso (dikgoreletso) (n), hindrance.

kgorogo (n), arrival.

kgorometsa (v), push.

kgorotlha (v), gargle.

kgosana (dikgosana) (n), headman.

kgosi (dikgosi) (n), king; chief.

kgosi ya motlhwa (n), queen-ant.

kgosigadi (dikgosigadi) (n), queen.

kgosikgolo (dikgosikgolo) (n), paramount chief.

kgosoba (v), shuffle.

kgotelo (n), infection.

kgotelo ya letha la makgwafo (n), pleurisy.

kgotha (v), jerk.

kgothalo (n), courage.

kgothatsa (v), encourage.

kgothatsa(ng) (v), cheerful.

kgothego (dikgothego) (n), denudation.

kgothosa (v), rob.

kgotla (v), ram; prod.

kgotla (dikgotla) (n), court.

kgotla ya makgaolakgang (n), supreme court.

kgotlatshekelo (dikgotlatshekelo) (n), court.

kgotlela (v), defile.

kgotlhagane(ng) (v), solid.

kgotlhang (dikgotlhang) (n), conflict; discord.

kgotlhelela (v), insist.

kgotlho (n), copper; brass; abrasion.

kgotsa (conj), either; or.

kgotso (dikgotso) (n), heredity.

kgotsofala (v), content.

kgotsofatsa (v), satisfy.

kgotsofetse (v), content.

kgwa (v), sick.

kgwa (mathe) (v), expectorate; spit.

kgwabofetse(ng) (v), tame.

kgwafotlhapi (dikgwafotlhapi) (n), gill.

kgwagetsa (v), hook.

kgwanyape (bokgwanyape) (n), storm; hurricane.

kgwarakgwara (v), scribble.

kgwarapana (n), gravel.

kgwaratisa (v), scribble.

kgwasa (v), rustle.

kgwatata (rel), arid.
kgwatla (dikgwatla) (n), pocket (of a bag).
kgwatlha (dikgwatlha) (n), purse.
kgwebo (dikgwebo) (n), trade.
kgwedi (dikgwedi) (n), month.
kgweetsa (v), drive (car).
kgweetsa mokoro (v), row.
kgwele (dikgwele) (n), ball.
kgwele ya maoto/dinao (n), football.
kgwelo (dikgwelo) (n), estuary.
kgwere (dikgwere) (n), bulb (thermometer, etc).
kgwethe (dikgwethe) (n), clod.
kgwisa (v), wean (babies).
khabetšhe (dikhabetšhe) (n), cabbage.
khaboto (dikhaboto) (n), cupboard.
khai (dikhai) (n), cloth; clothes.
khansele (dikhansele) (n), council.
kharikhulomo (dikharikhulomo) (n), curriculum.
khateboto (dikhateboto) (n), board; cardboard.
kheibole (dikheibole) (n), cable.
kheiti (dikheiti) (n), deed.
khemiso ya maitirelo (n), artificial respiration.
khemo (dikhemo) (n), respiration; breath.
khiba (dikhiba) (n), pinafore.
khii (dikhii) (n), key.
khiro (n), rent.
khitšhi (dikhitšhi) (n), kitchen.
khokhune (dikhokhune) (n), cocoon.
khoko (dikhoko) (n), cork.
kholetšhe (dikholetšhe) (n), college.
kholoro (dikholoro) (n), collar.
khomedi (dikhomedi) (n), comedy.
khona (dikhona) (n), corner.
khonserata (dikhonserata) (n), concert (musical).
khotolengwe (dikhotolengwe) (n),
monocotyledon.
khotopedi (dikhotopedi) (n), dicotyledon.
khoukhou (n), cocao.
khubama (v), kneel.
khubu (dikhubu) (n), umbilicus; navel.
khudu (dikhudu) (n), tortoise.
khuduego (dikhuduego) (n), uproar; riot.
khudugo (n), migration.
khuduthamaga (dikhuduthamaga) (n), committee (executive).
khukhu (dikhukhu) (n), beetle.
khukhwana (dikhukhwana) (n), beetle.
khularo (dikhularo) (n), back.
khumo (dikhumo) (n), affluence.
khupamarama (rel), confidential.
khupamarama (dikhupamarama) (n), secret.
khupelo (n), asphyxia.
khurumela (v), cover.
khurumolola (v), uncover.
khuti (dikhuti) (n), hole; hollow; pit.
khutinyana (dikhutinyana) (n), dent.
khutla (v), stop; hurt; cease; injure.
khutla; khutlisa (v), stop.
khutlego (dikhutlego) (n), injury.
khutleng: sa khutleng (v), boundless; eternal.
khutlisa (v), abolish; stop.
khutlisa: go khutlisa (ga) (n), abolition.
khutlo (dikhutlo) (n), full stop; dot; angle.
khutlonne (dikhutlonne) (n), quadrangle.
khutlonnetsepa (dikhutlonnetsepa) (n), rectangle.
khutlopono (fa kgaleng) (dikhutlopono) (n), horizon.
khutlotharo (dikhutlotharo) (n), triangle.
khutlwana (dikhutlwana) (n),

colon.
khutsa (v), grumble.
khutsafalo (dikhutsafalo) (n),
sadness; grief.
khutsana (dikhutsana) (n), orphan.
khutshwafala (v), shorten.
khutshwafatsa (v), abridge;
abbreviate; shorten.
khutshwafatso (dikhutshwafatso)
(n), precis; summary.
-khutshwane (a), brief.
khutshwe (dikhutshwe) (n),
shortstory.
khutso (dikhutso) (n), curse.
khwaere (dikhwaere) (n), choir.
khwiti (dikhwiti) (n), dent.
kidibalo (n), unconscious state;
unconsciousness; fainting-fit.
kidibatsi (dikidibatsi) (n),
anaesthetic.
kidikidi (dikidikidi) (n), vertebra.
kilo (dikilo) (n), grudge; rancour;
hatred; animosity; antagonism.
-kima (a), stout.
kina (n), knee-halter.
kirisi (dikirisi) (n), grease.
kisontle (dikisontle) (n), export.
kitla (v), hit.
kitlane(ng) (v), dense.
kitlano ya meno (n), tetanus.
kitlanya (v), close.
kitsiso (dikitsiso) (n),
announcement; notice.
kitso (n), knowledge.
koba (v), chase away; expel;
dismiss.
kobela (v), hobble.
kobi (dikobi) (n), trap.
kobiso (n), irony.
kobo (dikobo) (n), blanket.
kobonya (v), peck.
kobotlo (dikobotlo) (n), cupboard.
kodu (dikodu) (n), larynx; tonsil;
voice.
koduntwane (dikoduntwane) (n),
tadpole.

koela (v), accumulate; amass.
kofi (n), coffee.
koitere (dikoitere) (n), goitre.
kokeletso (dikokeletso) (n),
increment; increase.
kokelo (dikokelo) (n), hospital.
koketso (dikoketso) (n), addition;
increase.
koko (dikoko) (n), fowl.
kokoana (v), congregate.
kokoano (dikokoano) (n), crowd;
assembly.
kokoanya (v), pile; collect.
kokoanyo (n), accumulation.
kokobala (v), float.
kokobele (dikokobele) (n),
flyingant.
kokola (dikokola) (n), husk.
kokolohutwe (bokokolohutwe) (n),
heron.
kokonela(ng) (v), uneasy.
kokope (dikokope) (n),
woodpecker.
kokorala (v), bulge.
kokota (v), knock.
kokotlelo (n), accumulation.
kokwana (dikokwana) (n), chicken.
kolo (dikolo) (n), spot; bullet.
koloanya (v), heap.
koloba (v), convinced: to be
convinced.
kolobe (dikolobe) (n), pig.
kolobe (ya naga) (dikolobe (tsa
naga)) (n), warthog.
kolobetsa (v), christen; moisten;
soak; baptise.
kolobetso (n), baptism.
kolobile(ng) (v), wet.
kologanya (v), issue.
koloi (dikoloi) (n), wagon.
kolopa (v), throw; bewitch.
kolota (v), owe.
koloti (dikoloti) (n), tadpole.
kolotisa (v), interrogate.
koma (v), nod; brag.
koma (dikoma) (n), snuff-box.

komakoma (v), drizzle.
komana (dikomana) (n), snuff-box.
komelelo (dikomelelo) (n), drought.
komiki (dikomiki) (n), cup.
komiti (dikomiti) (n), committee.
komokomore (dikomokomore) (n), cucumber.
komota (rel), solid.
kompase (dikompase) (n), compass.
konkereite (dikonkereite) (n), concrete (building).
konopa (v), throw; bewitch.
konopo (dikonopo) (n), button.
konota (v), gnaw.
konsarata (dikonsarata) (n), concert (musical).
konteraka (dikonteraka) (n), contract.
kontinente (dikontinente) (n), continent.
konturu (dikonturu) (n), contour.
konyakonya (v), knock.
koo (adv), there.
koofute (dikoofute) (n), crowbar.
kopa (v), hop; apply; peck; ask; request; beg.
kopa boitshwarelo (v), apologise.
kopana le (v), meet.
kopano (dikopano) (n), gathering; meeting.
kopanya (v), unite; combine.
kopanyetsa (v), enclose.
kopaopa (dikopaopa) (n), woodpecker.
kopelo (dikopelo) (n), song; hymn.
kopelwane (dikopelwane) (n), claspknife; penknife.
kopere (dikopere) (n), quince.
kopi (dikopi) (n), cup.
kopo (dikopo) (n), application; request.
kopola (v), unfasten; unbutton.
kopolola (v), copy (words).
kopore (n), brass.
koporo (n), copper.

korakoretsa (v), stutter.
korobetse(ng) (v), uncooked.
korone (dikorone) (n), crown.
korong (dikorong) (n), wheat.
koropa (v), scrub; scour.
korotla (v), lower.
kota (dikota) (n), pole; log; post.
kota tlhogo (v), nod.
kotama (v), squat; land.
kotlane (dikotlane) (n), ruminant.
kotlhao (dikotlhao) (n), penalty.
kotsi (rel), harmful; dangerous; unsafe.
kotsi (dikotsi) (n), accident; danger; peril.
kotsopetsa (v), limp.
-kotswana (a), grey.
kotula (v), reap; harvest.
kotulo (dikotulo) (n), crop; harvest.
kua (v), shout; scream; howl.
kuamesi (bokuamesi) (n), fungus.
kuane (dikuane) (n), hat.
kubetsa (v), fumigate.
kubo (dikubo) (n), pulse.
kubu (dikubu) (n), hippopotamus; sjambok.
kuelela (v), deride.
kuka (v), lift.
kuku (dikuku) (n), cake.
kukuna (v), creep; crouch.
kumagana (v), crumble.
kumola (v), uproot.
kung (dikung) (n), premonition.
kungwa (dikungwa) (n), fruit.
kungwana (dikungwana) (n), byproduct.
kuologa (v), ascend.
kuranta (dikuranta) (n), newspaper; paper.
kuruetso (dikuruetso) (n), lullaby.
kurufolola (v), unscrew.
kuruga (dikuruga) (n), pimple.
kurukurega (v), detribalise.
kurutla (v), growl; roar.
kusuberi (dikusuberi) (n), gooseberry.

kutla (dikutla) (n), lair; nest.
kutlo (dikutlo) (n), obedience; sense.
kutlo: go tlhoka kutlo (n), disobedience.
kutlobotlhoko (dikutlobotlhoko) (n), sorrow; grief.
kutlwano (dikutlwano) (n), harmony; agreement.
kutlwatso (n), pronunciation.
kutlwedi (dikutlwedi) (n), rumour.
kutlwelobotlhoko (n), sympathy.
kutlwelobotlhoko (rel), merciful.
kutu (dikutu) (n), stem.
kutu ya tšorwane (dikutu tsa tšorwane) (n), duodenum.
kwa morago (ga) (adv), (at the) back.
kwa ntle ga (prep), except.
kwa ntle ga (adv), without.

kwaba (dikwaba) (n), dot; blot; stain.
kwadisa (v), enrol; register.
kwakwaetsa (v), stammer; stutter.
kwala (v), record; write.
kwala aterese (v), address (a letter).
kwala ka sebedi (n), duplicate.
kwalelakgolo (dikwalelakgolo) (n), ledger.
kwamisa (v), toast.
kwano (adv), here.
kwanyakwanya (v), knock.
kwanyana (dikwanyana) (n), lamb.
kwarata (dikwarata) (n), quart; quarter.
kwaretshe (n), quartz.
(kwa) thoko (adv), aside.
kwatsi (dikwatsi) (n), cancer.
kwena (dikwena) (n), crocodile.

L

Labobedi (n), Tuesday.
Labone (n), Thursday.
Laboraro (n), Wednesday.
Laborataro (n), Saturday.
Labotlhano (n), Friday.
laeborari (dilaeborari) (n), library.
laela (v), order; instruct; command.
laesense (dilaesense) (n), licence.
laisa (v), load.
laisologa (v), off-load.
laisolola (v), unload.
lakaila (v), lick; annihilate.
lala (v), lie down.
lalela (v), ambush.
laletsa (v), invite.
Lamatlhatso (n), Saturday.
lantere (dilantere) (n), lantern.
laola (v), command; govern; direct.
lapile(ng) (v), tired.
lapisa (v), bore; to tire.
lata (v), fetch.
latela (v), pursue; follow.

latela(ng) (v), next.
latelana(ng) (v), consecutive.
latlha (v), cast; throw away.
latlhega (v), stray.
latlhegelwa (v), lose.
latlhela (v), throw away; cast.
latlhela kwa ntle (v), eject.
latofatsa (v), blame; charge; accuse.
latola (v), deny.
Latshipi (n), Sunday.
latswa (v), lick.
latswa ka leleme (v), flatter.
le (prt), also.
le e seng (conj), nor.
le fa (conj), though; although.
le fa e le (gore) (conj), either; although.
le fa go le (conj), although; either.
le goka (adv), never.
le mororo (conj), although.
leano (maano) (n), plan.

leapi (n), firmament.
leba (v), view; gaze; face; look.
lebadi (mabadi) (n), scar.
lebagana (v), face.
lebaka (mabaka) (n), bakery; cause; reason; fact.
lebaka: ka lebaka la eng? (intr), why?
lebala (v), forget.
lebala (mabala) (n), open area; open ground.
lebalakotamelo (mabalakotamelo) (n), runway.
lebalela (v), pardon.
lebane(ng) (v), appropriate.
lebanta (mabanta) (n), belt.
lebati (mabati) (n), door.
lebatsana (mabatsana) (n), plank; shelf.
lebebe (n), cream.
lebega (v), look.
lebega e kete (v), appear.
lebega(ng) (v), handsome; beautiful; fair.
lebele (mabele) (n), sorghum; teat.
lebelela (v), care; watch; expect.
lebelo (mabelo) (rel), fast.
lebelo (mabelo) (n), dewlap.
lebenkele (mabenkele) (n), centre; shop; store.
lebentlele (mabentlele) (n), shop.
lebenya (mabenya) (n), jewel.
lebese (n), latex; milk.
lebete (mabete) (n), spleen; anthrax.
lebitla (mabitla) (n), tomb; grave.
leboa (maboa) (n), north; mushroom.
lebodi (mabodi) (n), cane-rat.
lebodu (mabodu) (n), chameleon.
leboga (v), appreciate; thank.
lebogela (v), congratulate.
lebogo (mabogo) (n), arm; sleeve; deputy.
leboi (maboi) (n), coward.
leboko (maboko) (n), poem.

lebokoso (mabokoso) (n), box; chest.
lebolai (mabolai) (n), fang; canine.
lebole (mabole) (n), fist.
lebolela (mabolela) (n), sting.
lebolobolo (mabolobolo) (n), nightadder.
lebone (mabone) (n), lamp; light.
lebopo (mabopo) (n), bank; wall (of river).
lebota (mabota) (n), wall.
lebote (mabote) (n), worry; complaint.
lebotlolo (mabotlolo) (n), bottle.
lebu (mabu) (n), earth.
Leburu (Maburu) (n), Boer.
ledi (madi) (n), coin.
ledi sekasabele (n), gladiolus.
ledibogo (madibogo) (n), ford.
ledimo (madimo) (n), hurricane; gale; storm; cannibal.
lediri (madiri) (n), verb.
lee (mae) (n), egg.
leeba (maeba) (n), dove; pigeon.
leebana (n), epilepsy.
-leele (a), long; tall.
leele (maele) (n), idiom; saying.
leemedi (maemedi) (n), pronoun.
Leesemane (Maesemane) (n), Briton; Englishman.
leeto (maeto) (n), journey.
lefa (v), pay.
lefafa (mafafa) (n), fin.
lefapha (mafapha) (n), side.
lefatla (rel), bald.
lefatlha (mafatlha) (n), twin.
lefatshe (mafatshe) (n), world; land; earth; country.
lefaufau (n), sky; atmosphere.
lefeelo (mafeelo) (n), broom.
lefela (rel), trivial.
lefela (mafela) (n), zero.
lefele (mafele) (n), cockroach.
lefelo (mafelo) (n), location; place.
leferefere (rel), cunning; astute.
lefifi (rel), dark.

lefifi (n), darkness.
lefika (mafika) (n), boulder; rock; stone.
lefisa (v), fine.
lefisa lekgetho (v), tax.
lefitshwana (n), dusk.
lefofa (mafofa) (n), feather.
lefofora (mafofora) (n), crumb.
lefoko (mafoko) (n), word.
lefufa (n), jealousy; envy.
lefufa (rel), envious; jealous.
lefulo (mafulo) (n), scum; froth.
lefunelo (mafunelo) (n), knot.
legadima (magadima) (n), lightning.
legae (rel), domestic.
legae (magae) (n), abode; home; dwelling.
legaga (magaga) (n), cave.
legago (magago) (n), tear.
legakabe (magakabe) (n), crow; raven.
legala (magala) (n), ember.
legammana (magammana) (n), virgin.
leganse (maganse) (n), goose.
legapa (magapa) (n), shell.
legapu (magapu) (n), water-melon.
legare (magare) (n), blade; razor.
legari (magari) (n), slice.
legata (magata) (n), skull.
legatlapa (magatlapa) (n), coward; deserter.
legetla (magetla) (n), scapula; shoulder.
legodimo (magodimo) (n), sky; top; heaven.
legodu (magodu) (n), burglar; thief; robber.
legofi (magofi) (n), palm (of hand).
legogo (magogo) (n), crust; mat.
legope (magope) (n), shoulder blade.
legopo (dikgopo) (n), rib.
legora (magora) (n), hedge; fence; barrier.

legotlo (magotlo) (n), rat.
legwafa (magwafa) (n), armpit.
legwaragwara (magwaragwara) (n), scoundrel.
legwejana (magwejana) (n), ankle joint.
legwete (rel), bare.
lehalahala (rel), spacious.
lehihiri (mahihiri) (n), cartilage.
lehuba (n), tuberculosis.
lehumo (mahumo) (n), wealth; riches.
lehuto (mahuto) (n), knot.
leina (maina) (n), noun; name.
leina la mareto (maina a mareto) (n), praise-name.
leinane (mainane) (n), fable.
leino (meno) (n), tooth.
leino la motlhagare (meno a motlhagare) (n), molar.
leiso (maiso) (n), hearth; fireplace.
leitibolo (maitibolo) (n), firstborn.
leitlho (matlho) (n), eye.
leka (v), endeavour; strive; try; attempt; test.
leka lesego (v), gamble.
lekadiba (makadiba) (n), pool.
lekakaba (makakaba) (n), flake.
lekakaie (makakaie) (n), crab.
lekakauwe (makakauwe) (n), crab.
lekalekana (v), draw (a game).
lekalekane(ng) (v), even; level; equal.
lekana (v), adequate; equal; enough.
lekana(ng) (v), same; uniform; equal; enough.
lekanya (v), fit; measure; quantify.
lekanyetsa (v), adjust; approximate.
lekase (makase) (n), box.
lekase la moswi (makase a baswi) (n), coffin.
lekeke (makeke) (n), termite.
lekekema (makekema) (n), reef.
lekelela (v), test.

lekgabana (makgabana) (n), hill;
  kopje.
lekgabisa (makgabisa) (n),
  decoration.
lekgarebe (makgarebe) (n), girl;
  virgin.
lekgetho (makgetho) (n), duty;
  due; tax.
lekgethopateletso (n), poll-tax.
Lekgoa (Makgoa) (n), Whiteman.
lekgoba (makgoba) (n), slave.
lekgolo (n), hundred.
lekgotla (makgotla) (n), council;
  court; board.
lekgotla la boipiletso/boikuelo (n),
  appeal court.
lekgotlho (makgotlho) (n), cliff.
lekgwafo (makgwafo) (n), lung.
lekgwamolelo (makgwamolelo)
  (n), volcano.
lekgwara (n), gravel.
Lekhalate (Makhalate) (n),
  Coloured (person).
lekhubu (makhubu) (n), wave;
  dune.
lekoko (makoko) (n), panel.
lekollwane (makollwane) (n), stork.
lekote (makote) (n), lump.
lekukunya (makukunya) (n), bud.
Lekula (Makula) (n), Indian.
lekwalo (makwalo) (n), letter;
  document.
lekwalotetla (makwalotetla) (n),
  licence.
lekwapa (makwapa) (n), scale (eg
  on a snake).
lekwati (makwati) (n), bark.
lekwete (makwete) (n), clod.
lela (v), weep; whimper; cry.
lela-la-sebi (mala-a-dibi) (n),
  rectum.
lelana (malana) (n), appendix
  (anat).
lelapa (malapa) (n), home; family.
lelata (malata) (n), servant.
lelatsi (malatsi) (n), day.

lelea (rel), empty.
lelefatsa (v), elongate; extend.
leleka (v), banish; chase; pursue;
  dismiss; expel.
lelekisa (v), chase.
lelela (v), mourn.
lelelakoma (malelakoma) (n),
  drone.
leleme (maleme) (n), tongue;
  language.
lelemela (v), slide.
lelengana (malengana) (n), ear-
  ring.
lelengwana (malengwana) (n),
  uvula.
lelese (n), hunger.
lelobu (malobu) (n), chameleon.
lema (v), cultivate; plough.
lemao (mamao) (n), injection.
lemapo (mamapo) (n), peg; nail.
lemedi (mamedi) (n), germ.
lemena (mamena) (n), ditch.
lemenemene (rel), cunning.
lemenemene (mamenemene) (n),
  brigand.
lemeno (mameno) (n), hem.
lemepe (mamepe) (n), honeycomb.
lemina (mamina) (n), mucus.
lemoga (v), understand; discover;
  observe; recognise.
lemorago (mamorago) (n),
  background.
lemosa (v), warn.
lemphorwana (mamphorwana) (n),
  fledgling.
lemponempone
  (mamponempone) (n), pygmy;
  dwarf.
lemponyemponye
  (mamponyemponye) (n), dwarf.
lenaga (n), rural area.
lenaka (manaka) (n), horn.
lenakana (manakana) (n),
  antennae.
lenala (manala) (n), claw.
lenanathuto (mananathuto) (n),

syllabus.
lenane (manane) (n), list;
   programme.
lenaneo (mananeo) (n),
   programme.
lenanetema (mananetema) (n),
   agenda.
lenanetiro (mananetiro) (n),
   timetable.
lenathwana (manathwana) (n),
   piece.
leng? (intr), when?
lenga (manga) (n), crack.
lengami (mangami) (n), groin.
lengamu (mangamu) (n), groin.
lengenana (mangenana) (n), ankle.
lengole (mangole) (n), knee.
lengona (mangona) (n), crease.
lengope (mangope) (n), donga.
lengote (mangote) (n), clod.
lengothe (mangothe) (n), lump.
lenko (n), fragrance.
lenong (manong) (n), vulture.
lenono (manono) (n), leaf stalk.
lenta (n), typhus.
lentle (mantle) (n), faeces.
lentshwatshwa (mantshwatshwa)
   (n), nose cartilage.
lentswe (mantswe) (n), mountain;
   voice; rock; stone.
lentswe la taka (n), limestone.
lenyalo (manyalo) (n), marriage;
   wedding.
lenyatso (n), insubordination;
   contempt; scorn.
lenyena (manyena) (n), ear-ring.
lenyora (n), thirst.
leobo (maobo) (n), lair; shelter.
leobu (maobu) (n), chameleon.
leokwane (n), oil.
leotlana (maotlana) (n), policeman.
leotlo (maotlo) (n), crease.
leoto (maoto) (n), leg.
leotwana (maotwana) (n), wheel.
lepa (v), watch.
lepae (mapae) (n), blanket.

lepatata (mapatata) (n), bugle.
lepelela (v), droop.
lepeletsa (v), hang.
lepera (n), leprosy.
lephaka (rel), empty.
lephata (maphata) (n), branch;
   section.
lephatana (maphatana) (n),
   subdepartment.
lephodisa (maphodisa) (n),
   policeman.
lephoi (maphoi) (n), dove; pigeon.
lephoko (maphoko) (n), froth.
lephorophoro (maphorophoro) (n),
   waterfall.
lephotophoto (maphotophoto) (n),
   waterfall.
lephutshe (maphutshe) (n),
   pumpkin.
lepodisa (mapodisa) (n), constable.
lepono (rel), nude; naked.
lera (mara) (n), membrane.
leradu (maradu) (n), milk cow.
leraga (maraga) (n), sediment.
lerago (marago) (n), posterior;
   buttock.
lerako (marako) (n), stone-wall.
lerala (n), iron ore.
leralalo (maralalo) (n), disaster.
lerama (marama) (n), cheek.
lerang (marang) (n), sunbeam.
lerang la ultra-violet (n), ultraviolet
   ray.
lerapo (marapo) (n), bone.
lerapo la noka (marapo a noka) (n),
   hip-bone.
leraraane (mararaane) (n),
   problem.
leratadi (n), air; sky.
leratla (maratla) (n), noise.
lerinini (marinini) (n), gum.
lerito (n), dirt.
lerobananko (marobananko) (n),
   nostril.
leroborobo (maroborobo) (n),
   pestilence; plague; epidemic.

lerole (marole) (n), dust.
lerontho (marontho) (n), dot; spot.
leroo (maroo) (n), paw; spoor.
lerophi (marophi) (n), blister.
lerothodi (marothodi) (n), drop.
lerothodi la pula (marothodi a pula)
  (n), raindrop.
lerothwane (rel), dim.
lerotse (marotse) (n), pumpkin.
leru (maru) (n), cloud.
leruarua (maruarua) (n), whale.
lerubisi (marubisi) (n), owl.
lerudi (marudi) (n), biceps.
lerumo (marumo) (n), assegai;
  lead; spear; bullet.
leruri: la leruri (n), everlasting.
leruru (n), moth.
lešaba (mašaba) (n), sandstone.
lesaka (masaka) (n), kraal.
lesaka la dikgomo (masaka a
  dikgomo) (n), cattle kraal.
lesala (masala) (n), gravel.
lesalela (masalela) (n), remainder.
lesama (masama) (n), cheek.
lesapo (masapo) (n), bone.
lesapo-la-mogatla (masapo-a-
  mogatla) (n), coccyx.
Lesarwa (Masarwa) (n), Bushman.
lešawa (mašawa) (n), sandstone.
lese (dilese) (n), bootlast.
lesea (masea) (n), child; baby;
  infant.
lesedi (masedi) (n), light.
lesedi la letsatsi (n), sunlight.
lesego (rel), lucky; fortunate.
lesego (masego) (n), happiness;
  fortune; luck.
leseka (maseka) (n), anklet; armlet;
  bangle.
lešekere (n), drought; famine.
lesela (masela) (n), cloth.
lesela la tafole (masela a tafole) (n),
  table-cloth.
lesepa (masepa) (n), excreta.
Lesetedi (Masetedi) (n), Griqua.
lesiela (masiela) (n), orphan.

lesika (masika) (n), sinew; vein;
  kin; nerve.
lesilo (masilo) (n), fool.
lesira (masira) (n), veil.
lesire (masire) (n), veil.
leso (maso) (n), death; spoon.
lesoba (masoba) (n), gap.
lesokolela (n), heartburn.
lesole (masole) (n), warrior;
  soldier.
lesome (n), ten.
lesomo (masomo) (n), group.
lesophi (masophi) (n), blister.
lesoso (masoso) (n), crease.
lesupatsela (masupatsela) (n),
  scout.
lesuthu (rel), dense.
leswafe (maswafe) (n), albino.
leswe (rel), dirty.
leswe (maswe) (n), dirt.
leta (v), await; wait.
letadi (matadi) (n), malaria.
letafatsa (v), soften.
letagwa (matagwa) (n), drunkard.
letamo (matamo) (n), dam.
letampana (matampana) (n),
  tampan.
leteng (n), interior.
letha (matha) (n), membrane.
lethe (mathe) (n), spittle.
letheka (matheka) (n), loin; waist.
lethompo (mathompo) (n), hose.
lethopo (mathopo) (n), hose.
letla (v), permit; allow; admit;
  consent; authorise.
letlalo (matlalo) (n), leather; hide;
  skin.
letlalo la tlhogo (matlalo a tlhogo)
  (n), scalp.
letlanya (v), arbitrate; restore.
letlapa (matlapa) (n), stone.
letlapa la lebitla (matlapa a
  mabitla) (n), tombstone.
letlase (n), bottom.
letlelela (v), allow; let.
letlepu (matlepu) (n), opulence.

letlere (matlere) (n), hernia.
letlha (n), date.
letlhaa (matlhaa) (n), jaw.
letlhabaphefo (matlhabaphefo) (n), window.
letlhabego (matlhabego) (n), yeast.
letlhafula (n), autumn.
letlhaka (matlhaka) (n), reed.
letlhakore (matlhakore) (n), side.
letlhaku (n), hail.
letlhalela (matlhalela) (n), wrist.
letlhalosi (matlhalosi) (n), adverb.
letlhaodi (matlhaodi) (n), adjective.
letlhapelwa (matlhapelwa) (n), drunkard.
letlharapa (rel), slender.
letlharapana (matlharapana) (n), twig.
letlhare (matlhare) (n), leaf.
letlharethunya (matlharethunya) (n), petal.
letlhasedi (matlhasedi) (n), sunbeam.
letlhogela (matlhogela) (n), sapling; shoot.
letlhogonolo (matlhogonolo) (n), prosperity; luck; fortune.
letlhokwa (matlhokwa) (n), stalk.
letlhole (matlhole) (n), lump; clot (of blood).
letlhoo (n), hatred; animosity.
letlhotlho (matlhotlho) (n), skeleton.
letlhotlhora (matlhotlhora) (n), crumb.
letlhwa (n), snow.
letlhwai (matlhwai) (n), spy.
letlole (matlole) (n), box; safe.
letlopo (matlopo) (n), comb (cock).
letlotlo (matlotlo) (n), fortune; affluence.
letobo (rel), dim.
letsa (v), ring; play.
letsa (radio) (v), switch on (radio).
letsa molodi (v), whistle.
letsae (matsae) (n), egg.

letsapa (matsapa) (n), weariness; fatigue.
letsatsa (matsatsa) (n), pit.
letsatsi (matsatsi) (n), sun; day.
letsatsi la botsalo/matsalo (n), birthday.
letsatsi lengwe le lengwe (adv), daily.
letseka (matseka) (n), detective.
letsele (matsele) (n), breast; teat.
letseta (matseta) (n), cotton.
letsetse (matsetse) (n), flea; jigger-flea.
letsha (matsha) (n), pan; dam; lake.
letshanatswai (matshanatswai) (n), lagoon.
letshipi (matshipi) (n), hardware.
letshitshi (matshitshi) (n), shore; edge; eyebrow.
letshogo (matshogo) (n), anguish; fear; panic; terror.
letshololo (n), diarrhoea; dysentery.
letshoo (matshoo) (n), paw.
letshophetshophe (matshophetshophe) (n), curl.
letshoroma (matshoroma) (n), malaria; influenza; ague; fever.
letshoroma la mala (n), typhoid.
letshwao (matshwao) (n), mark; sign.
letshwao la karolo (n), divide (sign).
letshwao la katiso (x) (n), multiply (sign) (x).
letshwao la potso (n), question mark.
letshwao la tekano (=) (n), equal (sign) (=).
letshwao la tlhakanyo (+) (n), plus (sign) (+).
letshwao la tloso (-) (n), minus (sign) (-).
letshwenyo (matshwenyo) (n), bother; nuisance; annoyance.
letsiababa (matsiababa) (n), mousebird.

letsibogo (n), ford.
letsogo (matsogo) (n), assistant; sleeve; arm; deputy.
letsomane (matsomane) (n), flock.
letsutsuba (matsutsuba) (n), wrinkle.
letswai (matswai) (n), salt.
letswalo (matswalo) (n), conscience; diaphragm.
letswela (matswela) (n), bud.
letswele (matswele) (n), fist.
leuba (mauba) (n), famine; drought.
leungo (maungo) (n), fruit.
lewalala (mawalala) (n), skeleton.
lewatle (mawatle) (n), ocean; sea.
lewelana (mawelana) (n), twin.
lifiti (dilifiti) (n), elevator; lift.
llapa (v), patch.
llapa (dillapa) (n), patch; piece of cloth.
llere (dillere) (n), step-ladder; ladder.
llono (dillono) (n), lawn.
llopo (dillopo) (n), barrel (of a rifle).
llopo ya tlhobolo (dillopo tsa ditlhobolo) (n), muzzle.
lloto (n), lead.
llute (dillute) (n), lute.
loa (v), bewitch.
loapi (n), sky; firmament.
loba (v), withhold (truth, etc).
lobadi (dipadi) (n), scar.
lobaka (dipaka) (n), chance.
lobebe (n), cream.
lobelo (rel), fast.
lobelo (mabelo) (n), race.
lobone (dipone) (n), lamp.
lobopo (dipopo) (n), universe.
lobota (dipota) (n), wall.
lofafa (n), quill.
lofeelo (dipheelo) (n), broom.
lofo (dilofo) (n), loaf.
lofofa (diphofa) (n), feather; quill.
lofuka (diphuka) (n), wing.
loga (v), knit; plait; weave.

logaga (dikgaga) (n), cave.
logata (dikgata) (n), skull.
logong (dikgong) (n), firewood; wood.
logopo (dikgopo) (n), rib.
logora (dikgora) (n), hedge; fence.
logwadi (rel), stubborn.
lohuba (n), tuberculosis.
lohumo (dikhumo) (n), wealth; riches.
lokologana (v), dislocate.
lokolola (v), analyse; absolve; free.
lokwalo (dikwalo) (n), letter; pamphlet.
lolamisa (v), arbitrate.
lolea (rel), empty.
loleme (diteme) (n), dialect; tongue; language.
lolengwana (malengwana) (n), uvula.
lolese (n), hunger.
loma (v), bite; sting; corrode.
lomaganya (v), connect; join.
lomao (dimao) (n), injection.
lomapo (dimapo) (n), peg.
lomolola (v), dislocate.
lonaka (dinaka) (n), horn.
lonala (dinala) (n), finger-nail.
lonao (dinao) (n), foot.
lonyatso (n), contempt; scorn.
lootsa (v), hone; sharpen.
lopa (v), demand; ask; request; beg.
lora (v), dream.
lorato (rel), affectionate.
lorato (n), charity; love.
lore (dinthe) (n), stick; staff (walking).
lori (dilori) (n), truck.
lorole (dithole) (n), dust.
losi (dintshi) (n), shore; brow; eyelid; eyebrow; edge.
losi lwa lewatle (dintshi tsa mawatle) (n), beach; coast-line.
losika (ditshika) (n), vein; kin; family.

loso (dintsho) (n), death.
losotlo (ditshotlo) (n), ridicule; scorn.
loswana (ditshwana) (n), spoon.
lotheka (ditheka) (n), waist.
lotlatlana (n), twilight; dusk.
lotlela (v), lock.
lotlhaa (matlhaa) (n), cheek-bone.

lotlhaka (ditlhaka) (n), reed.
lotlhana le (v), contend.
lotseno (n), income.
lwa (v), fight.
lwala (v), be ill; be sick.
lwantsha (v), resist; oppose.
Lwetse (n), September.

M

maabane (adv), yesterday.
maabanyane (n), evening; dusk.
maaka (n), untruths; lies; falsehood; precipice.
maano (leano) (n), plans.
maapeelo (boapeelo) (n), kitchens.
maatla (rel), strong.
maatla (n), power; strength; energy.
mabadi (lebadi) (n), scars.
mabaka (lebaka) (n), causes; reasons; bakeries; facts.
mabala (lebala) (n), open areas.
mabalakotamelo (lebalakotamelo) (n), runways.
mabanta (lebanta) (n), belts.
mabapi (rel), adjacent.
mabati (lebati) (n), doors.
mabatsana (lebatsana) (n), planks; shelves.
mabela (rel), proud; conceited.
mabele (lebele) (n), sorghum; teats.
mabelo (lebelo) (n), dewlaps.
mabelo (lebelo) (rel), fast.
mabelo (lobelo) (n), races.
mabenkele (lebenkele) (n), shops; stores.
mabentlele (lebentlele) (n), shops.
mabenya (lebenya) (n), jewels.
mabete (lebete) (n), spleens.
mabitla (lebitla) (n), tombs; cemetery; graves.

maboa (leboa) (n), mushrooms.
maboanyana (rel), fluffy.
mabodi (lebodi) (n), cane-rats.
mabodu (lebodu) (n), chameleons.
mabogo (lebogo) (n), arms; sleeves; deputies.
maboi (leboi) (n), cowards.
maboko (boboko) (n), brains.
maboko (leboko) (n), poems.
mabokoso (lebokoso) (n), boxes.
mabolai (lebolai) (n), fangs; canines.
mabole (lebole) (n), fists.
mabolela (lebolela) (n), stings.
mabolobolo (lebolobolo) (n), nightadders.
mabone (lebone) (n), lights; lamps.
mabopo (lebopo) (n), banks; walls (of a river).
mabota (lebota) (n), walls (of a house).
mabote (lebote) (n), worries; complaints.
mabotlolo (lebotlolo) (n), bottles.
mabowa (bobowa) (n), hair.
mabu (lebu) (n), earth.
mabuka (n), library.
Maburu (Leburu) (n), Boers.
madi (n), blood; money.
madi (ledi) (n), coins; money.
madi a diisamadi (n), arterial blood.
madi a poso (n), postage.
madibogo (ledibogo) (n), fords.

madimabe (n), misfortune.
madimabe (rel), unlucky.
madimo (ledimo) (n), cannibals;
gales; storms; hurricanes.
madiopo (n), dizziness.
madiri (lediri) (n), verbs.
madulo (bodulo) (n), residences.
maduo (n), marks.
mae (lee) (n), eggs.
mae a tlhapi (n), spawn.
maeba (leeba) (n), doves; pigeons.
maekorosekopo
(dimaekorosekopo) (n),
microscope.
maele (leele) (n), idioms; sayings.
maemakepe (boemakepe) (n),
harbours.
maemedi (leemedi) (n), pronouns.
maemo (boemo) (n), condition(s)
(state); standards.
Maesemane (Leesemane) (n),
Britons; Englishmen.
maeto (leeto) (n), journeys.
mafafa (n), nervousness.
mafafa (lefafa) (n), fins.
mafapha (lefapha) (n), sides.
mafatla (rel), bald.
mafatlha (n), tuberculosis; chest.
mafatlha (lefatlha) (n), twins.
mafatshe (lefatshe) (n), lands;
worlds; countries.
mafeelo (lefeelo) (n), brooms.
mafega (n), rashness.
mafega (rel), rude.
mafela (lefela) (n), zeros.
mafele (lefele) (n), cockroaches.
mafelelo (n), outcome.
mafelo (lefelo, felo) (n), locations;
places; scenes.
mafika (lefika) (n), boulders; rocks;
stones.
mafofa (lefofa) (n), feathers;
plumage.
mafofonyane (n), hysterics.
mafofora (lefofora) (n), crumbs.
mafoko (lefoko) (n), words.

mafolofolo (rel), industrious.
mafolofolo (n), enthusiasm; zeal.
mafosi (rel), inaccurate.
mafulo (n), scum; froth; pastures.
mafunelo (lefunelo) (n), knots.
mafura (n), fuel; grease; fat.
mafura a kolobe (n), lard.
magadi (bogadi) (n), marriage-
cattle.
magadima (legadima) (n), strokes
of lightning.
magae (legae) (n), homes;
dwellings.
magaga (legaga) (n), caves.
magagana (n), battle-axe.
magago (legago) (n), tears.
magakabe (legakabe) (n), ravens;
crows.
magala (legala) (n), embers.
magalapa (n), palate.
magale (bogale) (n), blades.
magammana (legammana) (n),
virgins.
maganse (leganse) (n), geese.
magapa (legapa) (n), shells.
magapu (legapu) (n), water-
melons.
magare (legare) (n), razors; blades.
magareng (adv), between.
magari (legari) (n), slices.
magata (legata) (n), skulls.
magatlapa (legatlapa) (n),
cowards; deserters.
magatwe (n), hearsay.
magatwegatwe (n), rumour(s).
magawegawe (n), uproar.
magetla (legetla) (n), shoulders;
scapulas.
magiseterata (bomagiseterata) (n),
landdrost; magistrate.
magobe (bogobe) (n), porridge;
different types of porridge.
magodimo (legodimo) (n), tops;
skies.
magodu (legodu) (n), robbers;
thieves; burglars.

magofi (legofi) (n), palms (of hands).

magogo (bogogo, legogo) (n), crusts; mats.

magogorwane (bomagogorwane) (n), beginner; amateur.

magogoŝa (rel), hoarse.

magololelo (bogololelo) (n), outspan(s).

magope (legope) (n), shoulder blades.

magora (legora) (n), hedges; fences; barriers.

magorogoro (n), dregs.

magosi (n), kings.

magotlo (legotlo) (n), rats.

magotsane (rel), rough.

magwafa (legwafa) (n), armpits.

magwagwa (rel), gruff.

magwagwa (n), whiskers.

magwaragwara (legwaragwara) (n), scoundrels.

magwata (rel), rough.

magwejana (legwejana) (n), ankle joints.

magweregwere (n), dregs.

magweregwere (rel), hoarse.

mahalahala (rel), spacious.

mahihiri (lehihiri) (n), cartilage.

mahube (n), dawn; daybreak.

mahumo (lehumo) (n), wealth; riches.

mahuto (lehuto) (n), knots.

mahutsana (n), sorrow.

maibi (n), fainting-fit; delirium.

maikaelelo (n), ideal(s); intention(s); aim(s); determination.

maikano (n), oath(s).

maikano a maaka (n), perjury.

maikatlapelo (rel), vigorous.

maikatlapelo (n), energy; diligence.

maikemisetso (boikemisetso) (n), intentions; determination.

maikhutso (boikhutso) (n),

vacations; holidays; rest.

maikotlhao (boikotlhao) (n), penitence.

maina (leina) (n), names; nouns.

maina a mareto (leina la mareto) (n), praise-names.

mainane (leinane) (n), fables.

maipelo (boipelo) (n), pride.

maiso (leiso) (n), hearths; fireplaces.

maitapoloso (boitapoloso) (n), rest.

maitatolo (boitatolo) (n), renunciation.

maiteko (boiteko) (n), efforts.

maithomelo (boithomelo) (n), toilets; lavatories; closets.

maitibolo (leitibolo) (n), firstborns.

maitlhomo (boitlhomo) (n), motive(s); thoughts.

maitseboa (n), evening.

maitseo (rel), polite.

maitseo (n), etiquette; behaviour.

maitshetlego (n), background (eg of child).

maitsiboa (n), evening.

majalwa (n), beer (types of beer).

majang (bojang) (n), grass.

makadiba (lekadiba) (n), pools.

makakaba (lekakaba) (n), flakes.

makakaie (lekakaie) (n), crabs.

makakauwe (lekakauwe) (n), crabs.

makala (v), become amazed.

makase (lekase) (n), boxes.

makase a baswi (lekase la moswi) (n), coffins.

makatsa (v), amaze.

makeke (lekeke) (n), termites.

makekema (lekekema) (n), reefs.

makenete (dimakenete) (n), magnet.

makesimamo (n), maximum.

makete (bokete) (n), difficulties.

maketse (v), aghast.

makgabana (lekgabana) (n), hills; kopjes.

makgabisa (lekgabisa) (n),

decorations.
makgakga (rel), gruff.
makgakga (n), insolence.
makgapha (rel), abominable.
makgarebe (lekgarebe) (n), girls; virgins.
makgasa (rel), ragged; tattered.
makgatlha (n), whey.
makgawekgawe (rel), uneven.
makgetho (lekgetho) (n), taxes; dues.
Makgoa (Lekgoa) (n), Whitemen.
makgoba (lekgoba) (n), slaves.
makgotla (lekgotla) (n), councils; courts; boards.
makgotlho (lekgotlho) (n), cliffs.
makgwafo (lekgwafo) (n), lungs.
makgwamolelo (lekgwamolelo) (n), volcanoes.
makgwaro (n), matches.
Makhalate (Lekhalate) (n), Coloureds (people).
makheneke (bomakheneke) (n), mechanic.
makhubu (lekhubu) (n), waves; dunes.
makhubu a modumo (n), sound waves.
makidiane (n), mumps.
makoa (bokoa) (n), weaknesses.
makoko (lekoko) (n), panels.
makollwane (lekollwane) (n), storks.
makopanelo (n), joint.
makote (lekote) (n), lumps.
makukunya (lekukunya) (n), buds.
makwalo (lekwalo) (n), letters; documents.
makwalotetla (lekwalotetla) (n), licences.
makwapa (lekwapa) (n), scales (eg on a snake).
makwati (lekwati) (n), barks.
makwete (lekwete) (n), clods.
mala (n), entrails; intestine(s).
maladu (boladu) (n), pus.

malamahibidu (n), dysentry.
malana (lelana) (n), appendixes (anat).
malao (bolao) (n), beds.
malapa (lelapa) (n), homes; families.
malaria (n), malaria.
malata (lelata) (n), servants.
malatlha (n), coal.
malatsi (lelatsi) (n), days.
malekeleke (n), chasm; precipice.
malelakoma (lelelakoma) (n), drones.
malele (n), rubbish; refuse.
maleme (leleme) (n), tongues; languages.
malengana (lelengana) (n), ear-rings.
malengwana (lolengwana, lelengwana) (n), uvulas.
maleo (boleo) (n), sins.
malepa (n), puzzle.
malobu (lelobu) (n), chameleons.
maloko (boloko) (n), cattle-dung (wet).
malolololo (rel), emaciated.
malome (bomalome) (n), maternal uncle.
malwetse (bolwetse) (n), diseases; illnesses; ailments.
mamao (lemao) (n), injections.
mamapo (lemapo) (n), nails; pegs.
mamarela (v), adhere.
mamarela(ng) (v), adhesive.
mamaretsa (v), glue.
mamedi (lemedi) (n), germs.
mamena (lemena) (n), ditches.
mamenemene (lemenemene) (n), brigands.
mameno (lemeno) (n), hems.
mamepe (lemepe) (n), honeycombs.
mametlelela (v), affix.
mamina (lemina) (n), mucus.
mamorago (lemorago) (n), backgrounds.

mamphorwana (lemphorwana) (n), fledglings.

mamponempone (lemponempone) (n), pygmies; dwarfs.

manaka (lenaka) (n), horns.

manakana (lenakana) (n), antennae.

manala (lenala) (n), claws.

mananathuto (lenanathuto) (n), syllabuses.

manane (lenane) (n), lists; programmes.

mananeo (lenaneo) (n), programmes.

mananetema (lenanetema) (n), agendas.

mananetiro (lenanetiro) (n), timetables.

manasa (rel), undesirable.

manathwana (lenathwana) (n), pieces.

mang le mang (n), anybody.

mang? (intr), who?

manga (lenga) (n), cracks.

mangami (lengami) (n), groins.

mangamu (lengamu) (n), groins.

manganga (rel), stubborn.

manganga (n), arguments.

mangenana (lengenana) (n), ankles.

mangole (lengole) (n), knees.

mangona (lengona) (n), creases.

mangope (lengope) (n), dongas.

mangote (lengote) (n), clods; lumps.

mankopa (n), hip.

manno (bonno) (n), residences; seats; dwellings.

manong (lenong) (n), vultures.

manono (lenono) (n), leaf stalks.

manontlhotlho (n), diligence.

manontlhotlho (rel), diligent.

mantle (n), prettiness.

mantle (lentle) (n), faeces.

mantshwatshwa (lentshwatshwa)

(n), cartilage.

mantswe (lentswe) (n), rocks; stones; voices.

manyalo (lenyalo) (n), weddings; marriages.

manyatshipi (n), iron ore.

manyena (lenyena) (n), ear-rings.

manyokenyoke (rel), zigzag.

maobo (leobo) (n), shelters; lairs.

maobu (leobu) (n), chameleons.

maokelo (bookelo) (n), hospitals.

maotlana (leotlana) (n), policemen.

maotlo (leotlo) (n), creases.

maoto (leoto) (n), legs.

maotwana (leotwana) (n), wheels.

mapae (lepae) (n), blankets.

mapalamo (bopalamo) (n), perches.

mapatata (lepatata) (n), bugles.

maphaka (rel), empty.

maphara (rel), shallow.

maphata (lephata) (n), sections; branches.

maphatana (lephatana) (n), subdepartments.

maphodisa (lephodisa) (n), police(men).

maphoi (lephoi) (n), pigeons; doves.

maphoko (lephoko) (n), froth.

maphorophoro (lephorophoro) (n), waterfalls.

maphotophoto (lephotophoto) (n), waterfalls.

maphutshe (lephutshe) (n), pumpkins.

mapodisa (lepodisa) (n), constables.

mara (v), slander.

mara (lera) (n), membranes.

marabe (n), chaff.

maradu (leradu) (n), milk cows.

maraga (leraga) (n), sediments.

marago (lerago) (n), posteriors; buttocks.

marakanamantsi (n), pancreas.

marako (lerako) (n), stone-walls.
maralalo (leralalo) (n), disasters.
marama (lerama) (n), cheeks.
marang (lerang) (n), sunbeams.
marapo (lerapo) (n), bones.
marapo a noka (lerapo la noka) (n), hip-bones.
mararaane (leraraane) (n), problems.
maratagolejwa (n), beautiful (eg girl).
maratla (leratla) (n), noises.
mareetsane (n), echo.
mariga (n), winter.
marinini (lerinini) (n), gums.
mariri (n), mane.
marobana a sekonkonyane (n), pockmark.
marobananko (lerobananko) (n), nostrils.
maroborobo (leroborobo) (n), epidemics; pestilences; plagues.
maroka (rel), accurate.
marokgwe (borokgwe) (n), trousers.
marole (lerole) (n), dust.
marontho (lerontho) (n), spots; dots.
maronthotho (rel), spotted.
maroo (leroo) (n), paws; spoors.
marophi (lerophi) (n), blisters.
marotho (borotho) (n), breads.
marothodi (lerothodi) (n), drops.
marothodi a pula (lerothodi la pula) (n), raindrops.
marotse (lerotse) (n), pumpkins.
maru (rel), overcast.
maru (leru) (n), clouds.
maruarua (leruarua) (n), whales.
marubisi (lerubisi) (n), owls.
marudi (lerudi) (n), bicepses.
marukhu (borukhu) (n), trousers.
marukhwi (rel), hairy.
marulelo (borulelo) (n), roofs.
marumo (lerumo) (n), bullets; spears; lead; assegais.

maruru (n), chill.
maruruso (n), bruise(s).
masa (bosa) (n), dawn; sunrise.
mašaba (lešaba) (n), sandstone.
masaitseweng (bosaitseweng) (n), mysteries; secrecy.
masaka (lesaka) (n), kraals.
masaka a dikgomo (lesaka la dikgomo) (n), cattle kraals.
masakana () (n), brackets (sign) ().
masala (lesala) (n), gravel.
masaledi (n), residue.
masalela (lesalela) (n), remainders; residue.
masama (lesama) (n), cheeks.
masapo (lesapo) (n), bones.
Masarwa (Lesarwa) (n), Bushmen.
mašawa (lešawa) (n), sandstone.
masea (lesea) (n), children; babies; infants.
masedi (lesedi) (n), lights.
masego (lesego) (n), strokes of luck; fortunes.
maseka (leseka) (n), armlets; anklets; bangles.
masela (lesela) (n), cloths.
masela a tafole (lesela la tafole) (n), table-cloths.
masepa (lesepa) (n), excreta.
masetatšhe (dimasetatšhe) (n), moustache.
Masetedi (Lesetedi) (n), Griquas (people).
masetlapelo (n), tragedy; tragedies.
masiela (lesiela) (n), orphans.
masigo (bosigo) (n), night.
masika (lesika) (n), veins; nerves; sinews.
masilo (lesilo) (n), fools.
masira (lesira) (n), veils.
masire (lesire) (n), veils.
maso (leso) (n), deaths; spoons.
masoba (lesoba) (n), gaps.
masole (n), army; soldiers; warriors.

masomo (lesomo) (n), groups.
masophi (lesophi) (n), blisters.
masoso (lesoso) (n), creases.
masupatsela (lesupatsela) (n), scouts.
maswabi: ka maswabi (adv), unfortunately.
maswafe (leswafe) (n), albinos.
maswe (rel), ugly; nasty; bad.
maswe (leswe) (n), grime; dirt.
mašwi (n), latex; milk.
matadi (letadi) (n), malaria.
matagwa (letagwa) (n), drunkards.
matamo (letamo) (n), dams.
matampana (letampana) (n), tampans.
mateng (n), bowels; entrails; intestine(s).
matepe (n), impertinence.
materase (dimaterase) (n), mattress.
mateteo (n, bruise(es).
matha (letha) (n), membranes.
mathaithai (n), trick(s).
mathale (bothale) (n), wires.
mathata (bothata) (n), difficulties; adversities; problems; hardship(s); troubles.
mathe (lethe) (n), spittle; saliva.
matheka (letheka) (n), loins; waists.
mathibelelo (n), camp.
mathompo (lethompo) (n), hoses.
mathopo (lethopo) (n), hoses.
matla (v), starve.
matlakala (n), refuse; rubbish; nonsense.
matlalo (letlalo) (n), skins; hides.
matlalo a tlhogo (letlalo la tlhogo) (n), scalps.
matlapa (letlapa) (n), stones.
matlapa a mabitla (letlapa la lebitla) (n), tombstones.
matlepetlepe (n), bog(s).
matlepu (letlepu) (n), opulence.
matlere (letlere) (n), hernias.

matlhaa (lotlhaa) (n), cheek-bones; jaws.
matlhabanelo (botlhabanelo) (n), arenas; battlefields.
matlhabaphefo (letlhabaphefo) (n), windows.
matlhabego (letlhabego) (n), yeast.
matlhabisaditlhong (n), scandal.
matlhabisaditlhong (rel), shameful.
matlhagatlhaga (rel), diligent; active.
matlhaka (letlhaka) (n), reeds.
matlhakore (letlhakore) (n), sides.
matlhale (botlhale) (n), wisdom.
matlhalela (letlhalela) (n), wrists.
matlhalosi (letlhalosi) (n), adverbs.
matlhaodi (letlhaodi) (n), adjectives.
matlhapelwa (letlhapelwa) (n), drunkards.
matlharapana (letlharapana) (n), twigs.
matlhare (letlhare) (n), leaves.
matlharethunya (letlharethunya) (n), petals.
matlhasedi (letlhasedi) (n), sunbeams.
Matlhatso (n), Saturday.
matlho (leitlho) (n), eyes.
matlhogela (letlhogela) (n), shoots; saplings.
matlhogole (rel), unsuccessful.
matlhogonolo (letlhogonolo) (n), strokes of luck; fortunes; prosperity.
matlhoko (botlhoko) (n), diseases; pains; hardship(s).
matlhokwa (letlhokwa) (n), stalks; matches.
matlhole (letlhole) (n), lumps; clots.
matlhomola (n), tragedy; tragedies.
matlhomolapelo (n), tragedy; tragedies.

matlhotlhapelo (n), disaster(s).
matlhotlho (letlhotlho) (n), skeletons.
matlhotlhora (letlhotlhora) (n), crumbs.
matlhwai (letlhwai) (n), spies.
matlo (ntlo) (n), houses.
matlole (letlole) (n), safes.
matlopo (letlopo) (n), combs (of cocks).
matlotlo (letlotlo) (n), fortunes; affluence.
matonkomane (n), monkey-nuts.
matsabane (n), syphilis.
matsae (letsae) (n), eggs.
matsale (n), mother-in-law.
matsapa (letsapa) (n), fatigue; efforts.
matsatsa (letsatsa) (n), pits.
matsatsi (letsatsi) (n), suns; days.
matseka (letseka) (n), detectives.
matsele (letsele) (n), breasts; teats.
matseta (letseta) (n), cotton.
matsetse (letsetse) (n), fleas; jigger-fleas.
matsetseleko (n), skill.
matsha (letsha) (n), lakes; pans; dams.
matshanatswai (letshanatswai) (n), lagoons.
Matšhe (n), March.
matšhinkelane (bomatšhinkelane) (n), night-watchman.
matshipi (letshipi) (n), hardware.
matshiri (n), mohair.
matshitshi (letshitshi) (n), edges; eyebrows; shores.
matshogo (letshogo) (n), anguish; fears.
matshoo (letshoo) (n), paws.
matshophetshophe (letshophetshophe) (n), curls.
matshoroma (letshoroma) (n), ague; malaria.
matshwao (letshwao) (n), marks; signs.

matshwenyego (n), worries; discomfort.
matshwenyo (letshwenyo) (n), nuisances; annoyances; difficulties.
matshwititshwiti (n), crowd.
matsiababa (letsiababa) (n), mousebirds.
matsogo (letsogo) (n), sleeves; arms; deputies; assistants.
matsomane (letsomane) (n), flocks.
matsopotsopo (n), mud; bog.
matsutsuba (letsutsuba) (n), wrinkles.
matswai (letswai) (n), salt(s).
matswalo (letswalo) (n), conscience; diaphragms.
matswela (letswela) (n), buds.
matswele (letswele) (n), fists.
matute (n), sap.
matute a mogodu (n), gastric juice.
mauba (leuba) (n), droughts.
maungo (leungo) (n), fruit(s).
mauwe (n), mumps.
mawalala (lewalala) (n), skeletons.
mawatle (lewatle) (n), oceans; seas.
mawelana (lewelana) (n), twins.
me (pron), mine.
meago (moago) (n), buildings.
mebala (mmala) (n), colours.
mebaraka (mmaraka) (n), markets.
mebele (mmele) (n), physiques; bodies.
mebila (mmila) (n), streets; ways; paths; roads.
mebitlwa (rel), thorny; barbed.
mebitlwa (mmitlwa) (n), thorns.
mebopa (mmopa) (n), clay.
meborogo (mmorogo) (n), morgens.
mebotoro(kara) (mmotoro(kara)) (n), cars.
mebotu (mmotu) (n), bee-bread.
mebu (mmu) (n), soil; earth.
mebuso (mmuso) (n),

governments.
mebutla (mmutla) (n), hares.
mebutshwana (mmutshwana) (n),
  coffee (black).
medi (modi) (n), roots.
mediko (modiko) (n), perimeters.
medimo (modimo) (n), gods.
medinyana (modinyana) (n),
  radicles.
mediro (modiro) (n), work(s);
  ceremonies; feasts.
medumo (modumo) (n), noises;
  thunder; sounds.
medutela (modutela) (n),
  tributaries.
meduto (moduto) (n), calabashes.
meela (moela) (n), streams.
meento (moento) (n), inoculations.
meepo (moepo) (n), mines.
mefapha (mfapha, mhapha) (n),
  hillsides.
mefeie (mofeie) (n), figs (trees).
meferefere (moferefere) (n), riots.
mefero (mofero) (n), weeds.
mefinyana (mofinyana) (n),
  handles.
mefiri (mofiri) (n), bangles.
mefu (mofu) (n), wasps.
mefufutso (mofufutso) (n), sweat;
  perspiration.
mefuta (mofuta) (n), types;
  varieties.
megaga (mogaga) (n), arum lilies;
  lilies.
megagaru (rel), greedy.
megagolwane (mogagolwane) (n),
  shawls.
megala (mogala) (n), ropes; wires;
  cords; telephones; telegrams.
megare (mogare) (n), germs.
megaro (mogaro) (n), curls.
megatla (mogatla) (n), tails.
megodu (mogodu) (n), stomachs.
megogoro (mogogoro) (n),
  tunnels.
megojwana (mogojwana) (n),

ponds.
megokare (mogokare) (n), willows.
megokgo (mogokgo) (n),
  principals.
megokonyane (mogokonyane) (n),
  army worms.
megolodi (mogolodi) (n), locust
  birds; herons.
megoma (mogoma) (n), ploughs;
  hoes.
megoo (mogoo) (n), outcries.
megopolo (mogopolo) (n), mind;
  thoughts; opinions.
megorogoro (mogorogoro) (n),
  kloofs.
megotomoduane
  (mogotomoduane) (n),
  bagworms.
megwele (mogwele) (n), bush-
  babies.
mehubu (mohubu) (n), navels.
mehuta (mohuta) (n), types.
Mei (n), May.
meikgatlho (moikgatlho) (n), belts;
  girdles.
meithari (moithari) (n), creepers.
meiyare (bomeiyare) (n), mayor.
mekete (mokete) (n), celebrations;
  festivals; feasts.
mekgala (mokgala) (n), aloes.
mekgantsutswane
  (mokgantsutswane) (n), lizards.
mekgarane (n), scrub cattle.
mekgatitswane (mokgatitswane)
  (n), lizards.
mekgatlho (mokgatlho) (n), clubs;
  institutes.
mekgatsha (mokgatsha) (n), vleis;
  valleys.
mekgobe (mokgobe) (n), bundles.
mekgobo (mokgobo) (n), piles.
mekgobu (mokgobu) (n), heaps.
mekgono (mokgono) (n), limbs;
  forearms.
mekgopha (mokgopha) (n), aloes.
mekgosi (mokgosi) (n), outcries;

alarms.

mekgothi ya mafeelo (mokgothi wa lefeelo) (n), broomsticks.

mekgwa (mokgwa) (n), customs; habits; character; behaviour; methods.

mekgweleo (mokgweleo) (n), loads; burdens.

mekhukhu (mokhukhu) (n), hovels.

mekhuri (n), mercury.

meko (moko) (n), chaff; marrow(s).

mekobe (mokobe) (n), heels.

mekobo (mokobo) (n), mould; mildew.

mekoko (mokoko) (n), cocks.

mekokotlo (mokokotlo) (n), ridges; backbones; spines; vertebrae.

mekolela (mokolela) (n), spinal cord(s).

mekolonyane (mokolonyane) (n), black-jacks (plants).

mekone (mokone) (n), chrysalises; cocoons.

mekopelo (mokopelo) (n), claspknives.

mekoro (mokoro) (n), canoes; mangers; gutters.

mekotla (mokotla) (n), bags; handbags.

mekutu (mokutu) (n), coccyxes.

mekwalo (mokwalo) (n), writing; handwritings.

mekwara (mokwara) (n), water-holes.

mekwatla (mokwatla) (n), backs.

mela (v), grow; sprout.

mela (mola) (n), lines; rows.

mela e e tsepameng (n), vertical lines.

mela: go mela (n), germination.

melaetsa (molaetsa) (n), messages.

melala (molala) (n), necks.

melao (molao) (n), acts; decrees; laws; statutes; commandments; rules; beds.

melapo (molapo) (n), rivers; streams; weariness.

melatelo (molatelo) (n), rectums.

melato (molato) (n), faults; guilt; debts; troubles.

melatswana (molatswana) (n), ravines; brooks.

melawana (molawana) (n), regulations.

melebo (molebo) (n), tendrils.

melelo (molelo) (n), fires.

melelwana (molelwana) (n), witchweeds.

melelwane (molelwane) (n), borders; boundaries.

melemo (molemo) (n), advantages; medicines; favours.

melepo (molepo) (n), handles.

meletlo (moletlo) (n), festivals; feasts; parties; celebrations; ceremonies.

melodi (molodi) (n), melodies; whistling.

melokololo (molokololo) (n), analysis.

melomo (molomo) (n), mouths; beaks; apertures.

melora (molora) (n), soap; cinders; ashes.

mema (v), invite.

memeno (momeno) (n), hems.

memetso (mometso) (n), oesophaguses; gullets; throats.

mena (v), fold.

menang (monang) (n), mosquitos.

menape (monape) (n), tendons.

mengetsane (mongetsane) (n), spinal cord(s).

menkgo (monkgo) (n), reeks; smells.

menkgopho (monkgopho) (n), euphorbias.

menko (monko) (n), reeks; odours; perfumes; fragrances.

menku (dimenku) (n), mango.

mennyennye (monnyennye) (n), smallest fingers.

meno (leino) (n), teeth.
meno (mono) (n), toes; fingers.
meno a motlhagare (leino la motlhagare) (n), molars.
menola (v), overthrow.
menontsha (monontsha) (n), fertilisers.
menopi (monopi) (n), earthworms.
menoto (monoto) (n), claws.
mentsana (montsana) (n), mosquitos.
menwana (monwana) (n), toes; handwritings; fingers.
menyonyo (monyonyo) (n), worms (round).
meoka (mooka) (n), thorn-trees; acacias.
meokana (mookana) (n), mimosas.
meomo (moomo) (n), shin-bones.
meonyane (moonyane) (n), black-jacks (plants).
mephato (mophato) (n), regiments.
meputso (moputso) (n), rewards; prizes.
merafe (morafe) (n), nations.
merafo (morafo) (n), mines.
meraga (moraga) (n), swamps.
merara (morara) (n), grapes; creepers.
meratho (moratho) (n), bridges; rafts.
merathothoko (morathothoko) (n), margins.
mere (more) (n), poison(s).
merero (morero) (n), schemes; affairs; themes.
meriri (moriri) (n), hair.
meriti (moriti) (n), shades; shadows.
meritshana (moritshana) (n), lids.
meroba (moroba) (n), pullets; heifers.
meroko (moroko) (n), seams; bran.
meropa (moropa) (n), drums.
merubisi (morubisi) (n), owls.
merumo (morumo) (n), rhyme.

meruthwane (moruthwane) (n), hornets; wasps.
merwalela (morwalela) (n), floods.
merwalo (rel), pregnant.
merwalo (morwalo) (n), loads; packs; burdens.
mesaeno (mosaeno) (n), signatures.
mesako (mosako) (n), circles.
mesamo (mosamo) (n), pillows.
mešate (mošate) (n), palaces; headquarters.
meseka (moseka) (n), tambookie grass.
meselakatane (moselakatane) (n), wagtails.
mesele (mosele) (n), trenches; drainpipes; gutters; furrows; ditches.
meseme (moseme) (n), mats.
mesepele (mosepele) (n), journeys.
mesese (mosese) (n), skirts; dresses.
mesetlho (mosetlho) (n), grooves.
meseto (moseto) (n), cuttings; grooves.
mesi (mosi) (n), smoke.
mesifa (mosifa) (n), sinews; ligaments; tendons; muscles.
mesima (mosima) (n), holes.
mesitlhaphala (mositlhaphala) (n), centipedes.
mesitsane (mositsane) (n), wattles.
meso (moso) (n), morrows; mornings.
mesola (mosola) (n), worth; advantages; value.
mesutlhwane (mosutlhwane) (n), samp.
mešwe (mošwe) (n), meercats.
metale (n), metal.
metamofose (n), metamorphosis.
methaladi (mothaladi) (n), lines.
methale (mothale) (n), varieties.
methama (mothama) (n), mouthfuls; volumes; capasities.

methapo (mothapo) (n), nerves.
methubiso (mothubiso) (n), purgatives; laxatives.
methudimetsi (mothudimetsi) (n), watersheds.
methulama (mothulama) (n), slopes.
methulego (mothulego) (n), enemas.
methuthuntshwane (mothuthuntshwane) (n), fungi.
metlaagana (motlaagana) (n), shelters.
metlae (motlae) (n), jokes; comedy.
metlakase (motlakase) (n), electricity.
metlele (dimetlele) (n), medal.
metlha: ka metlha (adv), ever; usually.
metlhaba (motlhaba) (n), sand.
metlhagare (motlhagare) (n), jaws.
metlhala (motlhala) (n), examples; trails; spoors.
metlhana (motlhana) (n), afterbirths.
metlhape (motlhape) (n), herds; flocks.
metlhapo (motlhapo) (n), urine.
metlhatlha (motlhatlha) (n), bullrush.
metlhatlhana (motlhatlhana) (n), hovels.
metlhatsiso (motlhatsiso) (n), emetics.
metlhogo (motlhogo) (n), syringes.
metlholo (motlholo) (n), wonders; miracles.
metlhotlho (motlhotlho) (n), sieves; filters; beer-strainers.
metlhwa (motlhwa) (n), termites; white ants.
metlotlo (motlotlo) (n), tales; conversations.
metokwane (motokwane) (n), dagga.
metsa (v), devour; swallow.

metse (motse) (n), cities; towns; villages; homesteads.
metsegadi (motsegadi) (n), cities.
metseto (motseto) (n), loin-cloths.
metshameko (motshameko) (n), plays; games; sports.
metshelakgabo (motshelakgabo) (n), bridges.
metšhini (motšhini) (n), machines.
metshitshi (motshitshi) (n), swarms.
metshotelo (motshotelo) (n), fertilisers.
metshwarakgano (motshwarakgano) (n), nettles.
metsi (rel), wet.
metsi (n), water.
metsi a a emeng (n), stagnant water.
metsitlana (motsitlana) (n), swamps; marshes.
metso (motso) (n), units.
metsoko (motsoko) (n), tobacco; snuff.
metsotso (motsotso) (n), minutes.
metsotsoropa (rel), slim.
metsotswana (motsotswana) (n), seconds.
metsu (motsu) (n), arrows; sharp points.
metswako (motswako) (n), mixtures; compounds.
metswana (motswana) (n), radicles.
metswateng (motswateng) (n), foetuses.
metswedi (motswedi) (n), fountains; sources.
meuta (mouta) (n), mould; mildew.
meuwane (mouwane) (n), fog; mist; haze.
mewa (mowa) (n), souls; air; breath.
mfapha (mefapha) (n), hillside.
mhapa (mefapa) (n), hillside.
mileone (dimileone) (n), million.

minimamo (n), minimum.
minya (v), filter.
miseterese (bomiseterese) (n), schoolmistress.
mitlwa (mutlwa) (n), thorns.
mma (bomma) (n), lady.
mmaba (baba) (n), adversary; foe; enemy.
mmaele (dimmaele) (n), mile.
mmala (mebala) (n), colour.
mmalapa (bommalapa) (n), housewife.
mmalethekana (bommalethekana) (n), skirt.
mmalwa (rel), few.
mmamagwai (bommamagwai) (n), rasp.
mmamala (bommamala) (n), mammal.
mmamanthane (bommamanthane) (n), bat.
mmamasiloanoka (bommamasiloanoka) (n), hamerkop.
mmamogolo (bommamogolo) (n), aunt (maternal).
mmamoso: ka mmamoso (adv), tomorrow.
mmamotinti (bommamotinti) (n), sorcerer.
mmampodi (bommampodi) (n), champion.
mmangwane (bommangwane) (n), aunt (maternal).
mmankarapa (bommankarapa) (n), crab.
Mmantaga (n), Monday.
mmapa (dimmapa) (n), map.
mmaraka (mebaraka) (n), market.
mmatota (adv), undoubtedly.
mme (bomme) (n), mother.
mmegakgang (babegakgang) (n), reporter.
mmegi (babegi) (n), reporter; informer.
mmelaelwa (babelaelwa) (n), suspect.
mmele (mebele) (n), physique; body.
mmelegi (babelegi) (n), nursemaid.
mmelegisi (babelegisi) (n), midwife.
mmeodi (babeodi) (n), barber.
mmeolo (n), haircut.
mmereki (babereki) (n), employee; worker.
mmeri (dimmeri) (n), mare.
mmese (n), mess; dining hall.
mmetli (babetli) (n), carpenter; sculptor.
mmidi (n), maize.
mmila (mebila) (n), street; way; path; road.
mmitlwa (mebitlwa) (n), thorn; acacia.
mmitsi (babitsi) (n), caller.
mmobodi (babobodi) (n), patient.
mmogedi (babogedi) (n), spectator.
mmogo (adv), together.
mmoki (baboki) (n), bard.
mmoko (n), measles.
mmokwana (n), measles.
mmolai (babolai) (n), murderer.
Mmoloki (n), Saviour.
mmoni (baboni) (n), eye-witness.
mmopa (mebopa) (n), clay.
Mmopi (n), Creator.
mmopi (babopi) (n), potter; creator.
mmopo (n), maize.
mmorogo (meborogo) (n), morgen.
mmoto (dimmoto) (n), moth.
mmotoro(kara) (mebotoro(kara)) (n), car.
mmotu (mebotu) (n), bee-bread.
mmoulo (dimmoulo) (n), mule.
mmu (mebu) (n), ground; soil; earth.
mmudula (n), pollen.
mmueledi (babueledi) (n), lawyer; barrister; advocate; attorney.
mmusakarolo (babusakarolo) (n), provincial administrator.

mmusisi (babusisi) (n), administrator.

mmuso (mebuso) (n), kingdom; government.

mmutla (mebutla) (n), hare.

mmutlwa (rel), thorny.

mmutshwana (mebutshwana) (n), coffee (black).

mo gare (adv), internal.

mo teng (adv), inside.

mo; ka (prep), in.

moabadijo (baabadijo) (n), waiter.

Moaferikanere (Baaferikanere) (n), Afrikaner.

moagi (baagi) (n), builder; citizen; civilian.

moagisani (baagisani) (n), neighbour.

moagiteke (baagiteke) (n), architect.

Moagi wa Intia (n), Indian.

moago (meago) (n), building.

moaki (baaki) (n), liar.

moalafi (baalafi) (n), doctor.

moambasatara (baambasatara) (n), ambassador.

moaposetolo (baaposetolo) (n), apostle.

moari (baari) (n), surgeon.

moatefokate (baatefokate) (n), advocate.

moatlhodi (baatlhodi) (n), judge; adjudicator.

moatlhodisi (baatlhodisi) (n), assessor.

modi (medi) (n), root.

modidi (badidi) (n), pagan; pauper.

modiko (mediko) (n), circumference; perimeter.

modikologo (n), giddiness.

Modimo (n), God.

modimo (medimo) (n), god.

modingwana (n), idol.

modinyana (medinyana) (n), radicle.

modipa (badipa) (n), champion,

stubborn person.

modiraboemong (badiraboemong) (n), agent.

modirawatleng (badirawatleng) (n), seaman.

modiredi (badiredi) (n), servant; employee.

modirelwa (badirelwa) (n), client.

modiri (badiri) (n), labourer; worker.

modiro (mediro) (n), work; feast; ceremony.

modisa (badisa) (n), herd-boy; shepherd; guard.

modisabagolegwa (badisabagolegwa) (n), warden.

modisi (badisi) (n), escort.

moduedi (baduedi) (n), payer.

moduelwa (baduelwa) (n), payee.

modula (n), pollen.

modulasetulo (badulasetulo) (n), chairman.

modumedi (badumedi) (n), believer.

Modumedi (Badumedi) (n), Christian.

modumo (medumo) (n), noise; sound; thunder.

modutela (medutela) (n), tributary.

moduto (meduto) (n), calabash.

moefanggele (baefanggele) (n), evangelist.

moeki (baeki) (n), traitor.

moela (meela) (n), stream.

moemanokeng (baemanokeng) (n), patron.

moemedi (baemedi) (n), delegate; agent; ambassador.

moemisi (baemisi) (n), bridesmaid.

moeng (baeng) (n), visitor; guest.

moenggele (baenggele) (n), angel.

moento (meento) (n), inoculation.

moepo (meepo) (n), mine.

Moesemane (Baesemane) (n), Briton; Englishman.

moeteledipele (baeteledipele) (n),

head; leader.
moeti (baeti) (n), visitor; guest;
traveller.
moetsana (baetsana) (n), assistant;
bridesmaid.
moetse (n), mane.
moetsi (baetsi) (n), actor; imitator.
mofantisi (bafantisi) (n),
auctioneer.
mofeie (mefeie) (n), fig (tree).
moferefere (meferefere) (n), riot.
mofero (mefero) (n), weed.
mofinyana (mefinyana) (n), handle.
mofiri (mefiri) (n), bangle.
mofitlhwane (n), flu; influenza.
mofu (mefu) (n), wasp.
mofufutso (mefufutso) (n),
perspiration; sweat.
mofuta (mefuta) (n), variety; type.
mogaga (megaga) (n), arum lily;
lily.
mogagolwane (megagolwane) (n),
shawl.
mogaka (bagaka) (n), hero.
mogakatsi (bagakatsi) (n),
aggressor.
mogakolodi (bagakolodi) (n),
adviser.
mogala (megala) (n), rope; wire;
cord; telephone; telegram.
mogale (bagale) (n), hero.
moganetsi (baganetsi) (n),
adversary.
mogarafatshe (n), equator.
mogare (megare) (n), germ.
mogaro (megaro) (n), curl.
mogatla (megatla) (n), tail.
mogatsa (bomogatsa) (n),
husband; wife; spouse.
mogege (rel), sour.
mogobadi (bagobadi) (n), casualty.
mogodi (bagodi) (n), adult.
mogodu (megodu) (n), stomach.
mogogoro (megogoro) (n), tunnel.
mogojwana (megojwana) (n),
pond.

mogokagadi (bagokagadi) (n),
adulterer.
mogokare (megokare) (n), willow.
mogokgo (megokgo) (n), principal.
mogokonyane (megokonyane) (n),
army worm.
mogolagani (bagolagani) (n),
accomplice.
mogolegwa (bagolegwa) (n),
prisoner; convict; captive.
mogolo (bagolo) (n), adult.
mogolo: yo mogolo (a), eldest.
mogolodi (megolodi) (n), locust
bird; heron.
mogologolo (bagologolo) (n),
ancestor.
mogoma (megoma) (n), plough;
hoe.
mogoo (megoo) (n), outcry.
mogopolo (megopolo) (n), mind;
thought; opinion.
mogorogoro (megorogoro) (n),
kloof.
mogošane (n), indigestion.
mogote (n), heat; fever.
mogotomoduane
(megotomoduane) (n),
bagworm.
mogwagadi (n), mother-in-law.
mogwe (bagwe) (n), son-in-law;
brother-in-law.
mogwegadi (n), mother-in-law.
mogwele (megwele) (n), bush-
baby.
moheitene (baheitene) (n),
heathen.
mohiri (bahiri) (n), tenant;
employer.
mohubu (mehubu) (n), navel.
mohumagadi (bahumagadi) (n),
wife; queen; lady.
mohumanegi (bahumanegi) (n),
pauper.
mohuta (mehuta) (n), type.
moidi (baidi) (n), antagonist;
abstainer; teetotaller.

moikanisi (baikanisi) (n), commissioner of oaths.

moikgatlho (meikgatlho) (n), girdle; belt.

moikuedi (baikuedi) (n), plaintiff.

Mointia (Baintia) (n), Indian.

moiphemedi (baiphemedi) (n), defendant.

moipobodi (baipobodi) (n), confessor.

moiteki (baiteki) (n), undertaker.

moithaopi (baithaopi) (n), volunteer.

moithari (meithari) (n), creeper.

moithebodi (baithebodi) (n), volunteer.

moitimokanyi (baitimokanyi) (n), hypocrite.

moitlami (baitlami) (n), nun.

moitseanape (baitseanape) (n), authority; expert.

moitsemotlakase (baitsemotlakase) (n), electrician.

moitshepi (baitshepi) (n), saint.

moja (adv), right.

mojaboswa (bajaboswa) (n), heir.

mojanala (bajanala) (n), visitor.

mokabagangwe (adv), seldom.

mokaralalo (n), epilepsy.

mokaro (n), buttermilk.

mokaulengwe (bakaulengwe) (n), friend.

Mokeresete (Bakeresete) (n), Christian.

mokete (mekete) (n), celebration; festival; feast.

mokgala (mekgala) (n), aloe.

mokganatiro (bakganatiro) (n), antagonist.

mokgantsutswane (mekgantsutswane) (n), lizard.

mokgatitswane (mekgatitswane) (n), lizard.

mokgatlho (mekgatlho) (n), club; institute.

mokgatsha (mekgatsha) (n), vlei; valley.

mokgobe (mekgobe) (n), bundle.

mokgobo (mekgobo) (n), pile.

mokgobu (mekgobu) (n), heap.

mokgono (mekgono) (n), limb; forearm.

mokgopha (mekgopha) (n), aloe.

mokgosi (mekgosi) (n), outcry; alarm.

mokgothi wa lefeelo (mekgothi ya mafeelo) (n), broomstick.

Mokgothu (Bakgothu) (n), Hottentot.

mokgotlhwane (n), flu.

mokgwa (mekgwa) (n), custom; habit; character; behaviour; method.

mokgweetsi (bakgweetsi) (n), driver.

mokgweleo (mekgweleo) (n), load; burden.

mokhansele (bakhansele) (n), councillor.

mokhukhu (mekhukhu) (n), hovel.

mokidii (bakidii) (n), vagrant.

moko (meko) (n), chaff; marrow.

mokobe (mekobe) (n), heel.

mokobo (mekobo) (n), mould; mildew.

mokoko (mekoko) (n), cock.

mokokotlo (mekokotlo) (n), backbone; ridge; spine; vertebra.

mokolela (mekolela) (n), spinal cord.

mokolonyane (mekolonyane) (n), black-jack (plant).

mokone (mekone) (n), chrysalis; cocoon.

mokopaborobalo (bakopaborobalo) (n), lodger.

mokopatiro (bakopatiro) (n), applicant.

mokopelo (mekopelo) (n), clasp-knife.

mokopi (bakopi) (n), beggar;

applicant.

mokoro (mekoro) (n), canoe;
manger; gutter.

mokotla (mekotla) (n), handbag;
bag.

mokutu (mekutu) (n), coccyx.

mokwadi (bakwadi) (n), author;
writer.

mokwaledi (bakwaledi) (n),
secretary.

mokwalo (mekwalo) (n), writing;
handwriting.

mokwalo o mokima (n), bold print.

mokwara (mekwara) (n), water-
hole.

mokwatla (mekwatla) (n), back.

mokweretsepa (rel), slender.

mola (mela) (n), row; line.

mola o o tsepameng (n), vertical
line.

mola wa godimo (n), rainbow.

molaedi (balaedi) (n), captain;
instructor.

molaetsa (melaetsa) (n), message.

molala (melala) (n), neck.

molalediwa (balalediwa) (n), guest.

molao (melao) (n), act; decree;
law; statute; commandment;
rule; bed.

molaodi (balaodi) (n), captain;
commander; manager.

molaong (adv), legally.

molapo (melapo) (n), stream; river;
weariness.

molatedi (balatedi) (n), follower;
disciple.

molatelo (melatelo) (n), rectum.

molato (melato) (n), fault; guilty
(found); guilt; debt; trouble.

molatofadiwa (balatofadiwa) (n),
accused.

molatswana (melatswana) (n),
brook; ravine.

molawana (melawana) (n),
regulation.

molebeledi (balebeledi) (n), guard;

bystander; warden; caretaker;
supervisor.

molebo (melebo) (n), tendril.

molefi (balefi) (n), payer.

molekane (balekane) (n),
companion.

molekanyalefatshe
(balekanyalefatshe) (n), surveyor.

molekanyetsi (balekanyetsi) (n),
assessor.

molekgotla (balekgotla) (n),
councillor.

moleko (meleko) (n), affliction
(supernatural).

molelo (rel), warm.

molelo (melelo) (n), fire.

molelo wa nageng (n), veld fire.

molelwana (melelwana) (n),
witchweed.

molelwane (melelwane) (n),
boundary; border.

molema (adv), badly; improper;
left.

molemi (balemi) (n), agriculturist;
farmer.

molemirui (balemirui) (n), farmer.

molemo (rel), kind; best; good.

molemo (melemo) (n), advantage;
kindness; medicine; favour.

moleofi (baleofi) (n), sinner.

molepera (balepera) (n), leper.

molepo (melepo) (n), handle.

molešwa (balešwa) (n), payee.

moletamotse (baletamotse) (n),
vigilante.

moletlo (meletlo) (n), festival;
feast; party; ceremony;
celebration.

molodi (rel), pointed.

molodi (melodi) (n), melody;
whistle.

molokololo (melokololo) (n),
analysis.

molomatsebe (balomatsebe) (n),
informer.

molomo (melomo) (n), beak;

mouth; aperture.

molora (melora) (n), soap; ash; cinder.

molotsana (balotsana) (n), ruffian; villain.

molwantshi (balwantshi) (n), antagonist.

molwetse (balwetse) (n), patient.

momaganya (v), join; mount (machinery).

momela (n), malt.

momeno (memeno) (n), hem.

mometso (memetso) (n), gullet; oesophagus; throat.

mometsomosweu (n), diphtheria.

mompati (bampati) (n), traveller.

mona (v), absorb.

monang (menang) (n), mosquito.

monape (menape) (n), tendon.

monate (rel), sweet; nice.

monate (n), pleasure.

monela (v), absorb.

mong (beng) (n), master; owner.

mongetsane (mengetsane) (n), spinal cord.

mong-gae (beng-gae) (n), host.

mongongoregi (bangongoregi) (n), plaintiff; complainant.

mongwegi (bangwegi) (n), deserter.

monkane (bankane) (n), companion.

monkgo (menkgo) (n), scent; reek; smell.

monkgopho (menkgopho) (n), euphorbia.

monko (menko) (n), reek; odour; perfume; fragrance.

monna (banna) (n), man; male.

monni (banni) (n), citizen; inhabitant.

monnyennye (mennyennye) (n), smallest finger.

mono (meno) (n), toe; finger.

monona (banona) (n), man.

monono (n), abundance.

monontsha (menontsha) (n), compost; fertiliser.

monopi (menopi) (n), earthworm.

monoto (menoto) (n), claw.

monteo (n), buttermilk.

montsana (mentsana) (n), mosquito.

monwana (menwana) (n), toe; handwriting; finger.

monyadi (banyadi) (n), bridegroom.

monyadiwa (banyadiwa) (n), bride.

monyalwa (banyalwa) (n), bride.

monyela (v), absorb.

monyo (n), dew.

monyonyo (menyonyo) (n), worm; round worm.

moo: ka moo (conj), therefore.

mooka (meoka) (n), thorn-tree; acacia.

mookamedi (baokamedi) (n), chief; overseer.

mookana (meokana) (n), mimosa.

mooki (baoki) (n), nurse.

moomo (meomo) (n), shin-bone.

moono (n), attitude (literary).

moonyane (meonyane) (n), black-jack (plant).

moopa (rel), barren.

moopedi (baopedi) (n), singer.

moopedisi (baopedisi) (n), conductor.

Mopapa (n), Pope.

moperesiti (baperesiti) (n), priest.

mophato (mephato) (n), regiment.

mophegisani (baphegisani) (n), rival.

Mopholosi (n), Saviour.

Mopitlwe (n), March.

mopolitiki (bapolitiki) (n), politician.

mopomamoriri (n), barber.

mopomo (n), haircut.

moporofiti (baporofiti) (n), prophet.

moputso (meputso) (n), reward; prize.

morafe (merafe) (n), nation.
morafo (merafo) (n), mine.
moraga (meraga) (n), swamp.
morago (n), rear.
morago (ga) (adv), afterwards; after.
morago ga foo (adv), hereafter.
morago ga nako (adv), late.
Moranang (n), April.
morara (merara) (n), creeper; grape.
moratho (meratho) (n), bridge; raft.
morathothoko (merathothoko) (n), margin.
morati (barati) (n), lover.
more (mere) (n), poison.
moreki (bareki) (n), buyer.
morena (barena) (n), chief; master; sir.
morero (merero) (n), scheme; affair; theme.
moriri (meriri) (n), hair.
moriti (meriti) (n), shadow; shade.
moritshana (meritshana) (n), lid.
moro (n), gravy.
moroba (meroba) (n), heifer; pullet.
moroko (meroko) (n), seam; bran.
morongwa (barongwa) (n), missionary; messenger; angel.
moropa (meropa) (n), drum.
morubisi (merubisi) (n), owl.
morui (barui) (n), farmer.
morukutlhi (barukutlhi) (n), rebel; agitator.
morulaganyi (barulaganyi) (n), editor.
morumo (merumo) (n), rhyme.
moruni (baruni) (n), auditor.
morutabana (barutabana) (n), schoolmaster; teacher; schoolmistress.
moruthwane (meruthwane) (n), hornet; wasp.
moruti (baruti) (n), clergyman; minister; missionary.
morutiwa (barutiwa) (n), disciple.

morutwana (barutwana) (n), pupil.
morwa (barwa) (n), son.
Morwa (Barwa) (n), Bushman.
morwadi (barwadi) (n), daughter.
morwadiakgosi (barwadiakgosi) (n), princess.
morwakgosi (barwakgosi) (n), prince.
morwalela (merwalela) (n), flood.
morwalo (merwalo) (n), load; pack; burden.
morwarra (bomorwarra) (n), brother.
morweetsana (barweetsana) (n), maiden; girl.
mosadi (basadi) (n), wife; woman; female.
mosadi-wa-dikgora (basadi-ba-dikgora) (n), prostitute.
mosaeno (mesaeno) (n), signature.
mosako (mesako) (n), circle.
mosamo (mesamo) (n), pillow.
Mosarwa (Basarwa) (n), Bushman.
mošate (mešate) (n), headquarters; palace.
mošawa (n), sand.
mosegi (basegi) (n), tailor.
moseja (adv), overseas.
moseka (meseka) (n), tambookie grass.
moseki (baseki) (n), complainant.
mosekisi (basekisi) (n), prosecutor; judge; complainant.
mosekisiwa (basekisiwa) (n), defendant; accused.
moselakatane (meselakatane) (n), wagtail.
Moselamose (Bomoselamose) (n), Moslem.
mosele (basele) (n), stranger.
mosele (mesele) (n), trench; drainpipe; gutter; ditch; furrow.
moseme (meseme) (n), mat.
mosenate (basenate) (n), senator.
mosenatoro (basenatoro) (n), senator.

mosenyammogo
(basenyammogo) (n),
accomplice.
mosenyi (basenyi) (n), culprit.
mosepele (mesepele) (n), journey.
mosese (mesese) (n), skirt; dress.
moseti (baseti) (n), sculptor.
mosetlho (mesetlho) (n), groove.
moseto (meseto) (n), groove;
cutting.
mosetsana (basetsana) (n), girl.
mosi (mesi) (n), smoke.
mosidi wa tlhobolo (n),
gunpowder.
mosifa (mesifa) (n), sinew;
ligament; tendon; muscle.
mosima (mesima) (n), hole.
mosimane (basimane) (n), boy.
mosireletsi (basireletsi) (n), patron.
mositlhaphala (mesitlhaphala) (n),
centipede.
mositsane (mesitsane) (n), wattle.
moso (meso) (n), morrow;
morning.
moso: ka moso (adv), tomorrow.
mosokologi (basokologi) (n),
convert.
mosola (rel), beneficial; useful.
mosola (mesola) (n), worth;
advantage; value.
mosu (n), late (deceised person).
mosupi (basupi) (n), witness.
Mosupologo (n), Monday.
mosusu (basusu) (n), deaf (person).
mosutele (n), dung; manure.
mosutlhwane (mesutlhwane) (n),
samp.
moswagadi (baswagadi) (n),
widower.
mošwe (mešwe) (n), meercat.
Mosweu (Basweu) (n), Whiteman.
moswi (baswi) (n), deceased.
motagwa (batagwa) (n), alcoholic;
drunk.
motala (batala) (n), barbarian.
motalala (n), skimmed milk.

mothaladi (methaladi) (n), line.
mothale (methale) (n), variety.
mothama (methama) (n),
mouthful; volume; capacity.
mothapi (bathapi) (n), employer;
master.
mothapiwa (bathapiwa) (n),
employee.
mothapo (methapo) (n), nerve.
mothati (bathati) (n), master.
Mothatiyotlhe (n), Almighty.
motho (batho) (n), human; person.
mothubi (bathubi) (n),
housebreaker; burglar.
mothubiso (methubiso) (n),
laxative; purgative.
mothudi (bathudi) (n), mechanic;
blacksmith.
mothudimetsi (methudimetsi) (n),
watershed.
mothulama (methulama) (n),
slope.
mothulego (methulego) (n),
enema.
mothumi (bathumi) (n), swimmer.
mothusi (bathusi) (n), deputy;
assistant.
mothuthuntshwane
(methuthuntshwane) (n), fungus.
motimone (n), demon.
motlaagana (metlaagana) (n),
shelter.
motlaalapile (n), stillborn.
motlae (metlae) (n), joke.
motlakase (metlakase) (n),
electricity.
motlamedi (batlamedi) (n),
guardian.
motlatsamodulasetulo
(batlatsamodulasetulo) (n), vice-
chairman.
motlatsi (batlatsi) (n), deputy.
motlha (rel), lukewarm.
motlha (n), date.
motlhaba (metlhaba) (n), sand.
motlhabani (batlhabani) (n),

soldier; warrior.

motlhagare (metlhagare) (n), jaw.

motlhala (metlhala) (n), example; trail; spoor.

motlhami (batlhami) (n), composer.

motlhamongwe (adv), maybe; perhaps.

motlhana (metlhana) (n), afterbirth.

motlhanka (batlhanka) (n), servant.

motlhape (metlhape) (n), herd; flock.

motlhapo (metlhapo) (n), urine.

motlhatlha (metlhatlha) (n), bullrush.

motlhatlhana (metlhatlhana) (n), hovel.

motlhatlhobi (batlhatlhobi) (n), inspector.

motlhatsiso (metlhatsiso) (n), emetic.

Motlhodi (n), Creator.

motlhogo (metlhogo) (n), syringe.

motlhoki (batlhoki) (n), pauper.

motlhokomedi (batlhokomedi) (n), guardian.

motlholagadi (batlholagadi) (n), widow.

motlholo (metlholo) (n), wonder; miracle.

motlhotlheletsi (batlhotlheletsi) (n), agitator.

motlhotlho (metlhotlho) (n), sieve; beer-strainer; filter.

motlhwa (metlhwa) (n), termite; white ant.

motlhwatlhwaetsi (batlhwatlhwaetsi) (n), escort.

motlotlo (metlotlo) (n), tale; conversation.

motloutlo (rel), tall.

motobatobi (batobatobi) (n), culprit.

motokwane (metokwane) (n), dagga.

motoloki (batoloki) (n), interpreter.

motonna (batonna) (n), adult.

mototwane (n), epilepsy.

motoutwane (n), fishmoth.

motsadi (batsadi) (n), parent.

motsalwapele (batsalwapele) (n), first-born.

motsamai (batsamai) (n), traveller.

motsamayakadinao (batsamayakadinao) (n), pedestrian.

motse (metse) (n), city; town; village; homestead.

motsegadi (metsegadi) (n), city.

motseleganyi (batseleganyi) (n), editor.

motseletsele wa dikidikidi (n), vertebral column.

motsereganyi (batsereganyi) (n), arbiter; adjudicator.

motseta (batseta) (n), ambassador.

motseto (metseto) (n), loin-cloth.

motshameki (batshameki) (n), actor.

motshameko (metshameko) (n), game; play; sport.

motshediswamelelwane (batshediswamelelwane) (n), exile.

Motsheganong (n), May.

motshegare (n), daytime; midday; noon.

motshelakgabo (metshelakgabo) (n), bridge.

motshewabadimo (n), rainbow.

motšhini (metšhini) (n), machine.

motshitshi (metshitshi) (n), swarm.

motsholalaesense (batsholalaesense) (n), licensee.

motšhomolodi (batšhomolodi) (n), interpreter.

motshotelo (n), fertiliser; compost; manure.

motshwarakgano (metshwarakgano) (n), nettle.

motshwarateu (batshwarateu) (n), leader.

motshwari (batshwari) (n), bridesmaid.

motshwarwa (batshwarwa) (n), captive.

motsitlana (metsitlana) (n), marsh; swamp.

motso (metso) (n), unit.

motsoko (metsoko) (n), snuff; tobacco.

motsomi (batsomi) (n), hunter.

motsotso (metsotso) (n), minute.

motsotsoropa (rel), slim.

motsotswana (metsotswana) (n), second.

motsu (metsu) (n), arrow; sharp point.

motsuolodi (batsuolodi) (n), revolutionary.

motswako (metswako) (n), mixture; compound.

motswana (metswana) (n), radicle.

motswateng (metswateng) (n), foetus.

motswedi (metswedi) (n), fountain; source.

motwane (n), tibia.

mouta (meuta) (n), mould; mildew.

mouwane (meuwane) (n), haze; mist; fog.

mowa (mewa) (n), air; soul; breath.

mowafala (v), evaporate.

mpa (dimpa) (n), abdomen; belly; stomach.

mpaananeng (adv), openly.

mphatlalatsane (n), morning star.

mphe (dimphe) (n), tapeworm.

mpheetlane (rel), shallow.

mpho (dimpho) (n), gift; talent.

mutlwa (mitlwa) (n), thorn.

N

na (v), rain.

na le (v), own.

naane (dinaane) (n), fable.

naga (dinaga) (n), veld; country.

nagadimo (n), highveld.

nagagare (n), inland.

nagana (v), consider; presume; ponder; think.

Nagatlase (n), Lowveld.

nageng (adv), rural; in the veld.

naka (dinaka) (n), bugle.

nakana (n), nagana.

nakana (dinakana) (n), antennae; whistle.

nakela (v), appreciate.

nako (dinako) (n), time; tide.

nakopotlela (n), tide (low).

nakwana (dinakwana) (n), moment.

nala (dinala) (n), nail; toe-nail.

naledi (dinaledi) (n), star.

nama (dinama) (n), meat; flesh.

-namagadi (a), female.

namane (dinamane) (n), calf; interest (finance).

namatsha (v), console.

namela (v), ascend; climb (up).

nametso (n), solace.

namola (v), rescue.

namune (dinamune) (n), orange.

-nana (a), young; tender.

nanabela (v), creep.

nanganela (v), penetrate.

nanoga (v), arise.

nare (dinare) (n), buffalo.

nariki (dinariki) (n), naartjie.

nata (dinata) (n), bunion.

Natala (n), Natal.

natefela (v), acceptable.

nawa (dinawa) (n), bean.

naya (v), present; give.

-ne (a), four.

neeletsa (v), pass (a ball).
neng? (intr), when?.
neo (dineo) (n), gift; talent.
nepa (v), aim.
nepagalo (n), accuracy.
nepagetse (v), right; correct.
nepagetse(ng) (v), correct.
nepagetseng (adj), accurate.
nepo (n), accuracy.
nesa pula (v), acclaim.
netefatsa (v), assert; ascertain.
ngaba (v), inhale.
ngadile (v), angry.
ngaka (dingaka) (n), herbalist;
doctor.
ngaka (dingaka) (ya/tsa setso) (n),
witch-doctor, herbalist.
ngaloga (v), desert.
ngami (dingami) (n), sponge.
nganga (v), argue; strike (refuse to
work).
ngangabolola (v), expand.
ngapa (v), scratch.
ngaparela (v), cling.
ngaparetsa (v), paste.
ngapo (n), abrasion.
ngata (dingata) (n), bunch; sheaf;
bundle.
ngeba (v), smile.
ngena (v), gnaw.
ngodile (v), moist.
ngodisa (v), moisten; dampen.
ngoka (v), entice; attract.
ngomaetse(ng) (v), sullen.
ngongorega (v), complain;
grumble.
ngongorego (dingongorego) (n),
objection; complaint; grievance.
ngotla (v), reduce; decrease.
ngunanguna (v), grumble.
ngwaga (dingwaga) (n), year.
ngwaga le ngwaga (adv), yearly.
ngwagamoleele (n), year (leap).
ngwaga-ngwaga (n), perennial.
ngwana (bana) (n), child.
Ngwanatsele (n), November.

ngwang (n), weed.
ngwanyana (banyana) (n), girl;
infant.
ngwao (rel), traditional.
ngwao (dingwao) (n), ceremony;
custom.
ngwaya (v), scratch.
-ngwe (enum), another; one.
ngwedi (n), moon.
ngwega (v), abscond; elope;
desert.
ngwetsi (betsi) (n), daughter-in-
law.
nitamisa (v), stabilise.
nkga (v), stink.
nko (rel), nasal.
nko (dinko) (n), nose.
nku (dinku) (n), sheep.
nkwe (dinkwe) (n), leopard.
nna (v), sit; live.
nna (pron), me; myself.
nna le seabe (v), participate.
nna: ka nna (v), probable.
nnake (n), younger brother.
nnana (bonnana) (n), baby.
nne (a), four.
nnelete (dinnelete) (n), needle.
nnerefe (dinnerefe) (n), epidermis.
nnete (n), truth; fact.
nnete (rel), true; actual.
nnete: ka nnete (adv), really.
nngwe (enum), one.
nngwe le nngwe (prn), each.
nngwenneng (n), quarter.
nno (dino) (n), liquor; drink.
nnoto (n), zero.
-nnye (a), young, little, minute, few.
-nnye (a), less.
Nofemere (n), November.
noga (dinoga) (n), adder; snake.
nogametsana (dinogametsana) (n),
earthworm.
noka (dinoka) (n), hip; river.
noko (dinoko) (n), inch; knuckle;
syllable; porcupine.
nomoro (dinomoro) (n), number.

nompolosa (v), elevate.
nona (v), sprinkle; damp.
nong (dinong) (n), bird.
nonne(ng) (v), fertile; fat.
nonofile(ng) (v), healthy; able;
  qualified; fully able.
nonofo (n), quality.
nonofo: ka nonofo (adv), ably.
nonotsha(ng) (v), wholesome.
nontsha (v), enrich; fertilise.
nontsho (dinontsho) (n),
  fertilisation.
nonyane (dinonyane) (n), bird.
nopola (v), quote.
nosa (v), water.
nosetsa (v), water; irrigate.
nota (v), pinch.
noto (dinoto) (n), hammer.
notshe (dinotshe) (n), bee.
nta (dinta) (n), louse.
ntate (bontate) (n), father;
  gentleman.
ntatemogolo (bontatemogolo) (n),
  grandfather.
ntha (rel), tough.
ntha (dintha) (n), tendon; ligament.
ntho (dintho) (n), injury; wound;
  sore.
-ntle (a), pretty, agreeable,
  handsome, beautiful, good,
  attractive.
ntle (adv), out; outside.
ntle le/ga (adv), without.
ntletsentletse (n), abundance.
ntlha (adv), first.
ntlha (dintlha) (n), event; item;
  apex; fact; tip; point.
ntlha: ka ntlha ya (conj), because.
ntlha: ka ntlha ya eng? (intr), why?
ntlo (dintlo, matlo) (n), house;
  dwelling.
ntlolehalahala (dintlolehalahala)
  (n), hall.
ntlophemelo (dintlophemelo) (n),
  fort.
ntlosedi (dintlosedi) (n),

  lighthouse.
ntlwana (dintlwana) (n), toilet;
  lavatory; closet.
ntse (v), enough.
ntsha (v), expel; withdraw.
ntsha mowa (v), breathe.
ntsha ntho (v), wound.
ntshi (dintshi) (n), eyelash.
-ntsho (a), black.
ntšhwe (dintšhwe) (n), sugar-cane;
  ostrich.
-ntsi (a), many, plentiful.
ntsi (dintsi) (n), fly.
ntsi e tala (n), bluebottle.
ntsifatsa (v), multiply.
ntsu (dintsu) (n), eagle.
ntšwa (dintšwa) (n), dog.
ntšwanyana (dintšwanyana) (n),
  pup.
ntswi (dintswi) (n), eagle.
ntwa (dintwa) (n), battle; fight; war.
nwa (v), drink.
nwela (v), drown.
nwelela (v), percolate.
nwetsa (v), submerge; immerse.
nya (v), ooze; exude.
nyadisa (v), wed.
nyala (v), wed; marry.
nyalanya (v), match.
nyalo (dinyalo) (n), wedding;
  marriage.
nyatsa (v), jeer; condemn; despise;
  defy; humiliate; blame.
nyatsi (dinyatsi) (n), paramour.
nyedima (v), flicker.
nyefola (v), belittle.
nyele (v), exude.
nyelela (v), vanish; disappear;
  perish.
nyelela(ng) (v), perishable.
nyeletsa (v), obliterate;
  exterminate; annihilate.
nyemisa (v), discourage.
nyenya (v), belittle.
nyenyefatsa (v), diminish;
  disparage.

nyerolosa (v), smelt.
nyoba (dinyoba) (n), sugar-cane.
nyonya (v), smile.

nyorelwa (v), long.
nyorolola (v), quench thirst.
nyumonia (n), pneumonia.

O

oba (v), bend.
obama (v), stoop; bow.
obamela (v), listen; abide (by rules etc); worship.
obola (v), peel.
obolola (v), beat (to beat out).
ofisi (diofisi) (n), office.
okama (v), loop.
okaoka (v), hesitate.
okeletsa (v), add; increase.
okene (diokene) (n), organ.
oketsa (v), add; increase; enlarge; extend.
oketsega (v), increase.
okisa (v), lure; entice.
okobala (v), alleviate.
okobala (v), calm.
okobatsa (v), relieve.
okobetse (v), calm.
okomela (v), peep; glance.
okosijene (n), oxygen.
Oktobere (n), October.
ole (diole) (n), oil.
oli (dioli) (n), oil.
oma (v), feint.
omanya (v), scold.
omelela (v), (become) arid.

omeletse(ng) (v), arid.
omile(ng) (v), dry.
ona (v), groan; moan.
onoroko (dionoroko) (n), petticoat.
onse (dionse) (n), ounce.
onto (dionto) (n), oven.
ontshe (diontshe) (n), ounce.
opa (v), ache, throb.
opafatsa (v), sterilise.
opafetse(ng) (v), sterile.
opaopa (v), pat; ache, throb.
ope (n), nobody.
opedisa (v), conduct (choir).
opela (v), sing.
opiwa ke tlhogo (n), headache.
opogafa (n), poll-tax.
opotsa (v), seek.
ora (v), bask; tan.
orolosi (diorolosi) (n), watch.
othuma (v), doze.
otla (v), beat; feed (animals); ruminate.
otlhaya (v), punish; fine.
otobala (v), wilt.
otsela (v), drowse; doze.
outshe (n), oats.

P

pabalelo (n), custody of children.
paente (dipaente) (n), pint.
pagama (v), ride; climb; copulate; mount (horse).
pagolola (v), unload.
paka (v), pack; testify; certify.

pakapheto (n), past tense.
paki (dipaki) (n), eye-witness; witness.
pala (dipala) (n), post.
palama (v), ascend; copulate; ride; climb.

palamente (dipalamente) (n), parliament.

palamonwana (dipalamonwana) (n), ring.

palang (dipalang) (n), eel.

palela(ng) (v), unable.

palelwa (v), fail.

palelwa: go palelwa (n), failure.

paletswe(ng) (v), unable.

palo (dipalo) (n), number.

palobatho (dipalobatho) (n), census.

palodisi (dipalodisi) (n), essence (flavouring).

palophatlo (n), fraction (arith).

palotlase (n), minimum.

pamfolete (dipamfolete) (n), pamphlet.

pampiri (dipampiri) (n), paper.

pana (v), harness; inspan.

panana (dipanana) (n), banana.

pane (dipane) (n), pan (utensil).

panele (dipanele) (n), panel.

panka (dipanka) (n), bench.

pankerisi (dipankerisi) (n), pancreas.

panya (v), wink; blink.

panyeletsa (v), compress.

papadi (dipapadi) (n), acquisition.

papana (v), economise.

papatso (dipapatso) (n), advertisement.

papetla (rel), flat.

papetla (dipapetla) (n), wafer; chart; card; cardboard.

papetlana (dipapetlana) (n), coin.

papisi (dipapisi) (n), worm (round).

parafene (n), paraffin.

paraganya (v), gambol.

paralala (v), astride (to stand astride).

pasa (dipasa) (n), pass.

pata (v), accompany.

pata (dipata) (n), pass.

patadikgagane (dipatadikgagane) (n), fern.

pataganya (v), attach.

patelelo (dipatelelo) (n), compulsion.

pateletsa (v), enforce; compel; accuse falsely.

pateletsego (dipateletsego) (n), obligation.

pateletso (dipateletso) (n), compulsion.

paterone (dipaterone) (n), pattern.

patintsho (dipatintsho) (n), blackboard.

patlelo (dipatlelo) (n), arena; field (eg for soccer).

patologanya (v), detach.

-pe (enum), nothing.

peba (dipeba) (n), mouse.

pedi (a), two.

peeletso (dipeeletso) (n), deposit.

pega (v), hang; load.

pego (dipego) (n), report.

peinapole (dipeinapole) (n), pineapple.

peisi (dipeisi) (n), pimple.

peiso (dipeiso) (n), race.

peke (dipeke) (n), pick.

pelaelo (dipelaelo) (n), doubt; suspicion.

pele (n), first; anterior; front.

pele (adv), ahead; onward; forward; before.

pele: ka pele (adv), apace.

pelegi (dipelegi) (n), childbirth.

peleta (v), spell.

pelo (rel), generous.

pelo (dipelo) (n), heart; pith.

peloethata (rel), unkind.

pelokgale (rel), courageous; bold; brave.

pelompe (rel), cruel.

pelonomi (rel), kind.

pelontle (rel), kind.

pelophepa (rel), sincere.

pelotelele (rel), patient.

ka pelothata (adv), harshly.

pelotshetlha (rel), selfish; greedy;

jealous.
pelotshweu (rel), unselfish; generous.
pelwana (dipelwana) (n), embryo.
pemakenate ya potase (n), permanganate of potash.
pene (dipene) (n), pen.
peni (dipeni) (n), penny.
peniselene (n), penicillin.
penologa (v), overflow.
penta (v), paint.
pente (dipente) (n), paint.
peo (dipeo) (n), seed; coronation.
peolwane (dipeolwane) (n), swallow.
pepeneneng (adv), clear; obvious.
pepetletsa(ng) (v), over-protective.
perekisi (diperekisi) (n), peach.
peretshitswana (diperetshitswana) (n), bicycle.
perimeta (diperimeta) (n), perimeter.
pesaleme (dipesaleme) (n), psalm.
petale (dipetale) (n), petal.
peterolo (n), petrol.
petlwana (dipetlwana) (n), hoe.
peto (n), asphyxia.
petsana (dipetsana) (n), foal.
phadisana (v), compete.
phadisano (diphadisano) (n), competition.
phaephe (diphaephe) (n), pipe (water).
phafana (diphafana) (n), calabash.
phaka (v), park.
phaka (diphaka) (n), park.
phakalane (diphakalane) (n), hawk.
phakela (n), morning.
phakwe (diphakwe) (n), hawk.
phala (v), excel; win; surpass.
phala (diphala) (n), trumpet; flute; horn; bugle; impala.
phalana (diphalana) (n), whistle.
phaletšhe (diphaletšhe) (n), porridge.
phamola (v), abduct; kidnap;

snatch; grasp.
phanyega (v), erupt; burst.
phapaano (diphapaano) (n), difference.
phaphalala (v), glide.
phaphama (v), awake.
phaphamala (v), glide.
phaphasela: go phaphasela (n), flutter.
-phaphathi (a), wide, flat, broad.
phaposana (diphaposana) (n), cell.
phaposi (diphaposi) (n), room.
phaposiborobalo (diphaposiborobalo) (n), bedroom.
pharatlhatlhanya (v), gallop.
phare (diphare) (n), cucumber (wild melon).
pharo (dipharo) (n), slice.
pharologano (dipharologano) (n), difference.
pharologantsho (dipharologantsho) (n), characteristic.
pharuma (v), leap; hop.
phasalatsa (v), advertise.
phasalatso (diphasalatso) (n), publication; advertisement.
phasele (diphasele) (n), parcel.
phathi (diphathi) (n), political party.
phatla (diphatla) (n), forehead.
phatlalala (v), disperse; scatter.
phatlalatsa (v), disperse; scatter.
phatlalatsa (adv), public; in public.
phatlha (diphatlha) (n), hole; gap; aperture.
phatlhatiro (diphatlhatiro) (n), vacancy.
phatloga (v), erupt; burst.
phatsa (v), incise.
phatsa (diphatsa) (n), chip.
phatsima (v), glow; glitter; shine (object); gleam.
phatsimang (v), bright (blink).
Phatwe (n), August.
phefo (diphefo) (n), wind.

pheke (bopheke) (n), stallion.
phela (v), live.
phelefu (diphelefu) (n), ram.
pheletso (n), consequence.
phemelo (n), defence.
phensele (diphensele) (n), pencil.
phenšene (diphenšene) (n),
  pension.
phenyo (diphenyo) (n), victory;
  triumph.
phepa (rel), neat; clean.
phepafatsa (v), purify; refine.
phepafetse(ng) (v), clean.
phepheng (diphepheng) (n),
  scorpion.
phera (v), fester.
pherefere (dipherefere) (n), pepper.
pheretlho (dipheretlho) (n), affray.
phesente (%) (n), percent (%).
phesodi (diphesodi) (n), derrick;
  elevator; lift.
phešwana (diphešwana) (n),
  breeze.
phešwana ya lewatle (diphešwana
  tsa lewatle) (n), sea breeze.
phetaphetogo (n), metamorphosis.
phetogo (diphetogo) (n), change.
phetolo (diphetolo) (n), change;
  alteration; conversion; answer;
  reply.
phetso (diphetso) (n), decision;
  conclusion.
-phifadu (a), brown.
phifalo (n), eclipse.
philo (diphilo) (n), kidney.
phimola (v), erase; delete; wipe;
  efface; obliterate.
phiri (diphiri) (n), hyaena.
phirimo ya letsatsi (n), sunset;
  sundown.
phisego (n), enthusiasm.
phitlhelo (n), achievement.
phitlho (diphitlho) (n), funeral;
  burial.
phitlholo (n), breakfast.
phitsa (v), sprain; pinch; squash.

phofu (diphofu) (n), eland.
phogo-ya-morago (diphogo-tsa-
  morago) (n), occiput.
phogwana (diphogwana) (n),
  dysentry; fern.
phoka (n), dew.
phoka (v), sip.
phokelelo (diphokelelo) (n),
  influence.
phokojwe (bophokojwe) (n), jackal.
phokoletso (n), discount.
phokolo (diphokolo) (n), weakness;
  ailment.
phokotsasegalo (rel), mute.
phokotsasegalo
  (diphokotsasegalo) (n), mute.
pholetha (v), fumble.
pholo (rel), wholesome.
pholo (dipholo) (n), ox; recovery.
pholodiso (n), abortion.
phologolo (diphologolo) (n),
  animal; antelope; buck; beast.
pholosa (v), save (soul).
phontšhi (diphontšhi) (n), bulldog.
phoopho (diphoopho) (n),
  pawpaw.
phophoma (v), froth.
phophotha (v), pat.
phophothela (v), lull.
phorogotlho (diphorogotlho) (n),
  whether.
phoso (rel), wrong; incorrect.
phoso (diphoso) (n), error;
  mistake; fault.
photha (v), thresh.
photi (diphoti) (n), duiker.
photla (diphotla) (n), husk.
photsa (v), abort (human being).
phudufudu (diphudufudu) (n),
  steenbok.
phufudi (diphufudi) (n), steam;
  vapour.
phukutsa (v), purge.
Phukwi (n), July.
phulo (diphulo) (n), pasture.
phulobotshe (diphulobotshe) (n),

sweet veld.

phulodila (diphulodila) (n), sour veld.

phunya (v), puncture; pierce.

phunya marobana (v), perforate.

phunyo (diphunyo) (n), awl.

phuphu (diphuphu) (n), grave.

phuranya meno (v), gnash.

phurrwane (diphurrwane) (n), quail.

phutha (v), amass; assemble (bring together); collect.

phuthega (v), congregate.

phuthego (diphuthego) (n), assembly; congregation (church); gathering.

phuthela (v), cover; wrap.

phuthologa (v), unfold.

phutholola (v), unfold; elucidate.

piano (dipiano) (n), piano.

pidi (dipidi) (n), cob (maize).

pila (rel), beautiful.

piletsatshekong (dipiletsatshekong) (n), subpoena; summons.

pilisi (dipilisi) (n), pill.

pipelo (n), discomfort; indigestion; constipation.

pitika (v), roll.

pitikologa (v), capsize; wallow.

pitlaganya (v), jeopardise.

pitsa (dipitsa) (n), pot.

pitse (dipitse) (n), horse.

pitse e tshegadi (dipitse tse ditshegadi) (n), mare.

pitse ya lebelo (dipitse tsa lebelo) (n), race-horse.

pitse ya naga (dipitse tsa naga) (n), zebra.

pitso (dipitso) (n), congress.

pobe (dipobe) (n), dimple.

podi (dipodi) (n), ringworm; goat (domestic).

podilenkgwana (bopodilenkgwana) (n), ladybird.

poelo (dipoelo) (n), gain; profit.

poelo le tatlhegelo (n), profit and loss.

pogisego (dipogisego) (n), affliction.

poifo (dipoifo) (n), terror; dread; awe; fear.

polane (dipolane) (n), plan.

polanka (dipolanka) (n), plank.

polantasi (dipolantasi) (n), plantation.

polao (dipolao) (n), murder.

polasa (dipolasa) (n), farm.

poleiti (dipoleiti) (n), plate.

polelelopele (dipolelelopele) (n), prophecy.

polelo (dipolelo) (n), sentence (grammatical -); statement.

poletša (v), polish.

polo (dipolo) (n), penis.

polokego (n), safety.

polokelo (dipolokelo) (n), bank (money); safe.

polokelo ya dijo (dipolokelo tsa dijo) (n), pantry.

polokesego (n), safety.

poloko (dipoloko) (n), burial; funeral; salvation.

poloto (dipoloto) (n), plot (literary).

poma (v), cut; shear.

pompa (v), pump; inflate.

pompo (dipompo) (n), pump.

ponagalo (diponagalo) (n), phenomenon.

ponalo (diponalo) (n), appearance.

pong: ka pong/ponyo ya leitlho (adv), instantly.

ponkela (v), doze.

pono (dipono) (n), sight; acquisition.

ponto (diponto) (n), pound.

pontsho (dipontsho) (n), show; exhibition.

poo (dipoo) (n), bull.

popego (n), shape.

popelo (dipopelo) (n), ovary; uterus; womb.

popo (dipopo) (n), universe.
popoma (dipopoma) (n), dune;
  bulge.
popota (rel), tough; hard.
popotlo (dipopotlo) (n), wrinkle.
populiri (dipopuliri) (n), poplar.
poraemasetofo (diporaemasetofo)
  (n), primus stove.
poreisi (diporeisi) (n), price.
poresitente (boporesitente) (n),
  president.
poropo (diporopo) (n), cork.
porosa (n), prose.
porotla (v), leak profusely.
poseotore (diposeotore) (n), postal
  order.
poso (diposo) (n), post; mail;
  post-office.
posofofane (n), air-mail.
posong (diposong) (n), post-office.
potata (dipotata) (n), sweet-potato.
poti (dipoti) (n), putty.
potla (dipotla) (n), pocket (in
  garments).
potlaka (v), hurry; hasten.
potlakile(ng) (v), hasty.
potlako (n), rush.
potloloto (dipotloloto) (n), pencil.
potokela (v), gallop.
-potokwe (a), round.

potongwane (dipotongwane) (n),
  biceps.
potsana (dipotsana) (n), smallest
  finger.
potsane (dipotsane) (n), kid.
potso (dipotso) (n), inquiry;
  question.
poummutla (dipoummutla) (n),
  harelip.
pounama (dipounama) (n), lip.
powana (dipowana) (n), bullock.
pudula (dipudula) (n), bubble.
pudulogo (dipudulogo) (n), bulge.
pudusetso ya letsatsi (n), daybreak.
puisano (dipuisano) (n),
  discussion.
pula (dipula) (n), rain.
puo (dipuo) (n), dialect; language.
puo ya segae (dipuo tsa segae) (n),
  vernacular.
puotlaopo (dipuotlaopo) (n), slang.
pupu (dipupu) (n), eyebrow.
puseletso ya ditshwanelo tsa
  lenyalo (n), restitution of
  conjugal rights.
puso (dipuso) (n), government.
puso ya kgaolo (n), regional
  authority.
pusokarolo (n), regional authority.
pusoloso (n), vengeance.

R

rabara (dirabara) (n), rubber.
raborolo (diraborolo) (n), revolver.
radietara (diradietara) (n), radiator.
radio (diradio) (n), wireless; radio.
radise (diradise) (n), radish.
raditlama (boraditlama) (n),
  herbalist.
raela (v), tempt.
raga (v), kick.
raka (diraka) (n), shelf; cupboard.
rakalala (v), glide.

rakgadi (borakgadi) (n), aunt
  (paternal).
rala (v), draw.
ralebaka (boralebaka) (n), baker.
ralebeikhari (boralebeikhari) (n),
  baker.
Ralotseno (n), Receiver (of
  revenue).
ramaanokago (boramaanokago)
  (n), architect.
ramakwalo (boramakwalo) (n),

postman.
ramatiki (n), rheumatism.
ramatlotlo (boramatlotlo) (n),
treasurer.
rameno (borameno) (n), dentist.
ramenwana (boramenwana) (n),
pickpocket.
rammeselane (borammeselane)
(n), mason.
rammino (borrammino) (n),
musician.
ramolangwana (boramolangwana)
(n), secretary bird.
ramolao (boramolao) (n), attorney.
ramošwe (boramošwe) (n),
meercat.
ramotlakase (boramotlakase) (n),
electrician.
ramotse (boramotse) (n), mayor.
rangwane (borangwane) (n), uncle
(father's younger brother).
ranka (diranka) (n), tendril.
ranola (v), explain; define.
ranta (diranta) (n), rand.
rapa (dirapa) (n), turnip.
rapalala (v), across.
rapama (v), recline.
rapela (v), pray; beg; ask; plead.
rapolasa (borapolasa) (n), farmer.
rapolitiki (borapolitiki) (n),
politician.
raporoto (diraporoto) (n), report.
raposo (boraposo) (n), postmaster.
rarabolola (a matter) (v), unravel;
solve.
rasegai (borasegai) (n), assegai.
raselaga (boraselaga) (n), butcher.
raseletswana (boraseletswana) (n),
mantis.
rasenkisi (dirasenkisi) (n), raisin.
rasiti (dirasiti) (n), receipt.
rata (v), approve (to like); wish;
prefer; want; love; like.
rata go nna (v), aspire to become.
rata thata (v), adore.
ratega (v), beloved.

ratega(ng) (v), loveable; likeable.
ratela (v), approach stealthily.
ratha (v), chop; box.
rathabolola (v), distribute.
ratshekiso (boratshekiso) (n),
attorney-general.
ratsuru (boratsuru) (n), lemon.
rats(w)ale (borats(w)ale) (n),
father-in-law.
ratwang (v), beloved.
raya (v), mean; tell; say.
re (pron), we.
re (v), say.
reba (v), pacify.
reba bogale (v), appease.
rebola (v), allow; approve.
reetsa (v), heed; hark; listen; hear.
referentamo (direferentamo) (n),
referendum.
refosana (v), alternate.
reisara (direisara) (n), razor.
reisi (direisi) (n), rice.
rejisetara (direjisetara) (n), register.
reka (v), bribe; buy; purchase;
shop.
rekere (direkere) (n), rubber;
elastic.
reketla (v), shake.
rekisa (v), sell.
rekisega (v), anxious.
rekolola (v), redeem.
rema (v), chop; curdle.
rena (v), reign.
rente (n), rent.
rentisa (v), rent.
repetlana: go repetlana ditokololo
(n), paralysis.
repisa (v), loosen.
rera (v), conspire; preach.
rerisana (v), discuss; consult.
reta (v), carve.
retela(ng) (v), unfeasible.
retelelwa (v), fail.
retetse(ng) (v), unfeasible.
rethefatsa (v), smoothen.
rethefetse(ng) (v), smooth.

retologa (v), turn.
ribete (diribete) (n), rivet.
ribolola (v), discover; invent.
rifi (dirifi) (n), reef.
rileng (v), distinct.
ripa (v), cut.
ripitla (v), massacre.
ritibala (v), calm.
ritibatsa (v), pacify; daze.
ritibetse (v), calm.
roba (v), harvest; break (to break something).
robala (v), sleep.
robedi (borobedi) (num), eight.
robega (v), fracture; break (to become broken).
robegile(ng) (v), broken.
robetse (v), sleep.
robongwe (num), nine.
roga (v), insult; swear; curse.
rogaka (v), revile.
roganang (v), obscene.
roka (v), sew.
rokaganya (v), join (clothing).
roko (diroko) (n), dress.
-rokwa (a), brown.
rola marapo (v), retire.
rola tiro (v), retire.
roma (v), send.
romela (v), send.
romelela (v), order.
romo (diromo) (n), cream.
rona (pron), our; ourselves; us.
rona(ng) (v), unbecoming.

ronne(ng) (v), unbecoming.
ronopese (n), rinderpest.
rora (v), roar; snore.
roroma (v), shudder; quake; shiver; tremble.
rotha (v), drip.
rothomala (v), bulge.
rotloetsa (v), applaud; urge; console; encourage.
roula (v), mourn.
rra (borra) (n), gentleman; father.
rramogolo (borramogolo) (n), uncle (father's elder brother).
rremogolo (borremogolo) (n), grandfather; uncle.
rua (v), keep; own.
rukutlha (v), rebel; agitate.
rula (dirula) (n), ruler.
rulaganya (v), edit; organise; tabulate; arrange.
rulaganya sešwa (v), rearrange.
rulara (dirulara) (n), ruler.
rulela (v), thatch.
rumola (v), tease; provoke; vex.
rumu (dirumu) (n), room.
rupisa (v), circumcise.
ruri (adv), ever.
ruruga (v), bulge; swell.
rusa (v), rust.
rusa(ng) (v), rusty.
ruta (v), train; teach; educate.
rwala (v), bear (carry); wear.
rwalelela (v), overflow.

S

sa (v), dawn.
sabole (disabole) (n), sword.
saena (v), sign.
saese (disaese) (n), size.
saetlopedia (disaetlopedia) (n), encyclopaedia.
šafo (dišafo) (n), shaft (mining).

saga (disaga) (n), saw.
šaga (dišaga) (n), saw.
sajene (disajene) (n), sergeant.
sakatuku (disakatuku) (n), handkerchief.
šakgatsha (v), infuriate.
sala (v), remain.

sala morago (v), follow.
sala sentle, good bye.
sale (disale) (n), saddle.
salela (v), lag.
samente (disamente) (n), cement.
sampoko (disampoko) (n),
sjambok.
sampole (disampole) (n), sample.
santlhoko (n), bile; gall bladder;
gall.
šapa (v), lash; swim.
sasanka (v), loiter.
šašanyega (v), fizz.
satane (n), demon; devil.
Satene (n), Satan.
šawara (dišawara) (n), shower.
se kae (v), few.
Seaferikanse (n), Afrikaans.
seaka (diaka) (n), harlot; adulterer.
seamusi (diamusi) (n), mammal.
seane (diane) (n), proverb; saying.
seaparo (diaparo) (n), outfit;
clothes.
searolo (diarolo) (n), result.
seatla (diatla) (n), hand.
seatla sa moja (diatla tsa moja) (n),
right hand.
seatla sa molema (diatla tsa
molema) (n), left hand.
seba (v), gossip; whisper; backbite.
sebabole (n), sulphur.
sebaga (dibaga) (n), necklace;
bead.
sebaka (dibaka) (n), space;
opportunity.
sebakana (dibakana) (n), gap in
time.
sebala (dibala) (n), stain.
sebalabadi (rel), talkative.
sebare (bosebare) (n), brother-
inlaw.
sebata (dibata) (n), patch; beast
(animal of prey).
sebatana (dibatana) (n), cub.
sebe (dibe) (n), sin.
sebeko (dibeko) (n), handkerchief.

sebele (n), self.
sebele (rel), actual.
sebenya (dibenya) (n), gem.
sebeso (dibeso) (n), altar; fireplace.
sebete (dibete) (n), liver.
sebetlela (dibetlela) (n), shaving
(wood).
sebetsa (dibetsa) (n), arm; weapon.
sebi (dibi) (n), cattle-dung (dry).
seboba (diboba) (n), gadfly.
sebodu (rel), lazy.
sebodu (dibodu) (n), bad smell;
stench; stink.
sebofo (dibofo) (n), bandage.
seboko (diboko) (n), caterpillar;
larva; worm; maggot.
sebokokgetse (dibokokgetse) (n),
bagworm.
sebokophetlhi (dibokophetlhi) (n),
stalk-borer.
sebolai (dibolai) (n), ulcer; boil;
canine.
sebolayaditwatsi
(dibolayaditwatsi) (n),
disinfectant.
sebopego (dibopego) (n), form;
shape.
sebopelo (dibopelo) (n), womb.
sebopiwa (dibopiwa) (n), creature.
sebošwa (dibošwa) (n), convict;
captive.
sebudula (dibudula) (n), balloon.
sediba (didiba) (n), well; fountain.
sedidi (n), dizziness; giddiness.
sedifatsa (v), illuminate; clarify.
sedikadikwe (didikadikwe) (n),
million.
sedikiso (n), circumference.
sediko (didiko) (n), circle.
sedimente (n), sediment.
sedimo (didimo) (n), ghost.
Sedimonthole (n), December.
sedimosa (v), enlighten.
sediriso (didiriso) (n), apparatus.
sediriswa (didiriswa) (n),
apparatus; tool; utensil.

seduditsipa (diduditsipa) (n), sniper.

sedulo (didulo) (n), chair.

sedumaedi (didumaedi) (n), shooting star.

sedumedi (didumedi) (n), belief.

seebana (n), epilepsy.

seedi (diedi) (n), liquid; fluid.

seela (diela) (n), liquid; fluid.

seelele (rel), stupid.

seelele (dielele) (n), fool.

seelo (dielo) (n), unit.

seemera (rel), incurable.

Seesemane (n), English.

Seetebosigo (n), June.

sefa (v), sift, sieve.

sefako (difako) (n), hailstone; hail.

sefala (difala) (n), granary.

sefane (difane) (n), surname.

sefapaano (difapaano) (n), cross.

sefaphi (difaphi) (n), dressing (wound).

sefapi (difapi) (n), bandage.

sefapo (difapo) (n), bandage.

sefatlhego (difatlhego) (n), face.

sefefe (difefe) (n), adulterer.

sefefo (difefo) (n), storm; whirlwind.

sefefo sa sefako (difefo tsa sefako) (n), hailstorm.

sefela (difela) (n), anthem; hymn.

sefikantswe (difikantswe) (n), statue; cairn; monument.

sefitlholo (difitlholo) (n), breakfast.

sefo (disefo) (n), sieve.

sefofane (difofane) (n), aircraft; aeroplane.

sefofu (rel), blind.

sefofu (difofu) (n), blind (person).

sefokabolea (n), snow.

seforateng (diforateng) (n), ulna.

sega (v), lacerate; cut; harvest.

segae (rel), rural.

segagabi (digagabi) (n), reptile.

segagane (n), frost.

segakolodi (n), conscience.

seganka (rel), valiant.

seganka (diganka) (n), hero.

segateledi (n), nightmare.

segatsetsa (n), rheumatism.

segatsufatsi (n), narcotic.

sego (rel), lucky; fortunate.

sego (digo) (n), calabash.

segodi (digodi) (n), hawk.

segogedi (digogedi) (n), magnet.

segogwane (digogwane) (n), frog.

segokgo (digokgo) (n), spider.

segole (rel), lame; disabled.

segole (digole) (n), cripple; invalid; noose; snare.

segologolo (rel), primitive.

segopa (digopa) (n), swarm.

segopotso (digopotso) (n), memorial; statue; monument.

segotlo (digotlo) (n), yard; garden.

segwagwa (digwagwa) (n), toad; frog.

segwapa (digwapa) (n), biltong.

segwere (digwere) (n), bulb (plant).

segwete (digwete) (n), carrot.

sehibitsi (n), haemoglobin.

sehuba (dihuba) (n), chest; thorax; phlegm; donation; breast.

sehuti (n), hollow.

sei (n), silk.

seidi (n), delirium.

seikgatlho (diikgatlho) (n), girdle.

seikokotlelo (diikokotlelo) (n), crutch.

seile (diseile) (n), sail; tarpaulin; canvas.

seinodi (diinodi) (n), kingfisher.

seipato (diipato) (n), excuse.

seipone (diipone) (n), mirror.

seisamadi (diisamadi) (n), artery.

sejabana (dijabana) (n), elbow.

sejana (dijana) (n), plate; dish.

sejanaga (dijanaga) (n), motor; car.

sejaro (adv), aside.

sejo (dijo) (n), dish; food.

sekaelo (dikaelo) (n), pattern.

sekai (dikai) (n), sign; example.

sekai se se laolang isagwe (n), omen.
sekaka (dikaka) (n), desert.
sekaku (dikaku) (n), abscess.
sekale (dikale) (n), scale (instrument).
sekama (v), lean; slant.
sekaniri (dikaniri) (n), hinge.
sekao (dikao) (n), example.
sekapolelo (dikapolelo) (n), phrase.
sekaseka (v), examine; scrutinize; consider; discuss.
sekasetlhake (n), peninsula.
sekebekwa (dikebekwa) (n), villain.
sekele (disekele) (n), sickle.
sekelefere (dikelefere) (n), dandruff.
sekepe (dikepe) (n), ship.
sekere (dikere) (n), scissors; shears.
sekerete (disekerete) (n), cigarette.
sekete (dikete) (n), thousand.
seketswana (diketswana) (n), boat.
sekgakgarua (dikgakgarua) (n), rag.
sekgala (dikgala) (n), interval; distance.
sekgamatha (dikgamatha) (n), dandruff.
sekgamma (n), smallpox.
sekgele (dikgele) (n), prize.
sekgomaretsi (dikgomaretsi) (n), glue.
sekgoni (dikgoni) (n), adept.
sekgono (dikgono) (n), elbow.
sekgopi (dikgopi) (n), offence.
sekgoreletsi (dikgoreletsi) (n), obstacle.
sekgoropa (dikgoropa) (n), carcass.
sekgwa (dikgwa) (n), bush; wood; forest; jungle.
sekgwage (dikgwage) (n), hook.
sekgwakgwa (dikgwakgwa) (n), scab.
sekgwama (dikgwama) (n), purse.
sekgwamana (dikgwamana) (n), petty cash.

sekgwana (dikgwana) (n), grove (of trees).
sekgwaripane (n), smallpox.
sekhukhu (dikhukhu) (n), umbrella.
sekhurumelo (dikhurumelo) (n), lid.
sekhutlo (dikhutlo) (n), angle; corner.
sekisa (v), adjudge; prosecute.
sekoa (n), invalid.
sekokwalala (dikokwalala) (n), cicada.
sekolo (dikolo) (n), school.
sekoloto (dikoloto) (n), debt.
sekonkonyane (n), smallpox.
sekontiri (n), tar (road); coal-tar.
sekopo (dikopo) (n), shovel.
sekotlele (dikotlele) (n), basin.
sekoto (dikoto) (n), bootlast.
sekurufu (dikurufu) (n), screw; stud (of scissors).
sekwere (dikwere) (n), square.
sela (v), pick.
selaga (n), butchery.
Selalelo (n), Communion (holy).
selalelo (dilalelo) (n), supper.
-sele (enum), other; strange; different.
sele (disele) (n), cell (biol).
seledu (diledu) (n), chin.
selefera (n), silver.
selegae (rel), traditional; internal.
selei (dilei) (n), sledge.
seleka (v), annoy.
seleka(ng) (v), naughty.
selekanyapula (dilekanyapula) (n), rain-gauge.
selekanyo (dilekanyo) (n), measure.
selelo se se tlhabang (n), shrill shout.
selemo (n), summer.
selepapula (dilepapula) (n), rain-gauge.
selepe (dilepe) (n), axe.
selo (dilo) (n), thing; article (something).

seloki (diloki) (n), spice.
selomo (n), precipice.
selopo (dilopo) (n), pillow-case.
seloto (diloto) (n), padlock.
selotokaledi (dilotokaledi) (n),
  padlock.
semagamaga (n), epidemic.
semathana (n), snow.
sematla (rel), insane; flat; stupid.
sematla (dimatla) (n), birthmark.
semaumau (dimaumau) (n), idiot;
  imbecile.
seme (dime) (n), whip.
semela (dimela) (n), plant.
semikana (dimikana) (n), slice.
semolao (adv), lawfully.
semonamonane, dimonamonane
  (rel), sweet.
semphato (dimphato) (n), uniform.
semphete-ke-go-fete (rel),
  crowded.
semumu (dimumu) (n), dumb
  (person).
sena (adv), after.
šena meno (v), grin.
šenama (v), smirk.
senate (n), senate.
senatetshi (dinatetshi) (n), spice.
senatla (rel), industrious.
senatla (dinatla) (n), tumour.
sengwana (rel), naive.
sengwe (n), anything.
senka (v), seek; want; search.
senkgwe (dinkgwe) (n), bread.
senno (dinno) (n), stool; seat;
  bench.
senoga (v), expose.
senokwane (dinokwane) (n),
  brigand.
senola (v), disclose; expose;
  reveal.
senonnori (dinonnori) (n), bear.
senotlolo (dinotlolo) (n), key.
sensase (disensase) (n), census.
sente (disente) (n), scent; cent.
sentlhaga (sa nonyane) (dintlhaga)

(n), bird's nest.
sentshamosi (dintshamosi) (n),
  chimney.
senya (v), harm; squander; waste;
  destroy.
senya (dinya) (n), bladder.
senya(ng) (v), harmful.
senya: go senya mpa (n), abortion.
senyae (dinyae) (n), vagrant.
senyega (v), decay; perish.
senyega(ng) (v), corrupt; perish-
  able.
senyetsa (v), destroy.
senyetse (dinyetse) (n), cricket.
seola (v), lash.
seolo (diolo) (n), ant-heap.
seope (diope) (n), loin-cloth.
seoposengwe (v), unity.
seotli (diotli) (n), ruminant.
seotswa (diotswa) (n), harlot.
sepale (disepale) (n), sepal.
sepannere (dipannere) (n),
  spanner.
sepati (dipati) (n), tweezer.
sepe (n), nothing.
sepeiti (dipeiti) (n), syringe.
sepeke (n), bacon.
sepekere (dipekere) (n), nail.
sepela (v), walk.
sepelete (dipelete) (n), pin.
sepelo (rel), heart-shaped.
sepetlele (dipetlele) (n), hospital.
sephara (rel), wide; broad.
sephatlo (diphatlo) (n), half.
sephetho (diphetho) (n), result.
sephimodi (diphimodi) (n), duster.
sephiri (diphiri) (n), secret.
sephiri: ka sephiri (adv), privately.
sephotlwa (diphotlwa) (n), pod.
sephunyi (diphunyi) (n), punch (in-
  strument).
sephuthelwana (diphuthelwana)
  (n), parcel.
sepodisi (dipodisi) (n), burweed.
sepoko (dipoko) (n), ghost.
sepolitiki (adv), politically.

sepontšhe (dipontšhe) (n), sponge.
seporeng (diporeng) (n), spring.
seporo (diporo) (n), railway.
sera (dira) (n), enemy.
sera(ng) sebete (v), annoying.
serai (dirai) (n), snare; trap.
serama (n), serum.
serame (n), frost.
seraopo (diraopo) (n), imports.
serapo (dirapo) (n), oar.
seratadiba (diratadiba) (n), pool.
seratwa (diratwa) (n), favourite.
sere (dire) (n), matter (material).
šere (dišere) (n), share (JSE).
serekhu (n), serum.
sereledi (n), butter.
serepodi (direpodi) (n), steps;
  terrace.
serethe (direthe) (n), butter; heel.
seretse (diretse) (n), mud.
serintšhi (dirintšhi) (n), syringe.
seripa (diripa) (n), piece; segment.
seriti (rel), dignified.
seriti (n), dignity.
serolebotlhoko (dirolebotlhoko)
  (n), bushbuck.
serolo (dirolo) (n), bushbuck.
-serolwana (a), yellow.
seromelwantle (diromelwantle)
  (n), exports.
serope (dirope) (n), buttock; thigh.
serori (dirori) (n), carriage.
seroto (diroto) (n), basket.
serunya (dirunya) (n), mole.
serurubele (dirurubele) (n), butter-
  fly; moth.
serwalo (dirwalo) (n), crown.
serwe (dirwe) (n), organ.
sesala (disala) (n), remainder.
sesana (disana) (n), stump; pole.
-sesane (a), thin, flimsy.
sesegi (disegi) (n), cut-worm.
sesenyi (disenyi) (n), ruffian.
sesepa (disepa) (n), soap.
sesepedi (disepedi) (n), abscess.
seseto (diseto) (n), idol.

sesi (bosesi) (n), sister.
sesiratlhako (disiratlhako) (n),
  horseshoe.
sesiro (disiro) (n), curtain; screen.
seso (diso) (n), sore.
sesupo (disupo) (n), sign; proof;
  symptom; sample.
sesuthu (rel), dense.
sesuthu (disuthu) (n), thicket.
sešwa (adv), afresh; newly.
seta (v), carve; engrave (on wood).
setampa (n), samp.
setaologane (ditaologane) (n), elas-
  tic.
setatšhe (n), starch.
seteisele (n), starch.
seteišene (diteišene) (n), station.
Setemere (n), September.
setempe (ditempe) (n), postage
  stamp
setena (ditena) (n), brick.
seterata (diterata) (n), street.
setereke (ditereke) (n), district.
sethakga (rel), neat.
setheo (ditheo) (n), institute.
sethetesekoupo (dithetesekoupo)
  (n), stethoscope.
sethibo (dithibo) (n), cork; stopper.
sethitho (dithitho) (n), sweat.
setho (rel), humane.
sethoboloko (n), midday (12
  o'clock); noon.
sethokgwa (dithokgwa) (n), bush.
Sethosa (n), Xhosa (language).
sethotsela (dithotsela) (n), ghost.
sethunya (dithunya) (n), rifle;
  bloom; flower.
sethwe (dithwe) (n), member.
setifikeiti (ditifikeiti) (n), certificate.
setifikeiti sa bongaka (n), medical
  certificate.
setilo (ditilo) (n), seat; chair.
setimela (ditimela) (n), train.
setimi (n), steam.
setla (v), whip; flog; thresh.
setlabane (ditlabane) (n), milk-pail.

setlaela (ditlaela) (n), imbecile.
setlama (ditlama) (n), herb.
setlamo (ditlamo) (n), resolution.
setlankana (ditlankana) (n), documents.
setlankana-tetlelelo (n), pass.
setlanyi (ditlanyi) (n), typewriter.
setlasu (rel), tasteless.
setlatla (ditlatla) (n), lunatic.
setlela (v), establish.
-setlha (a), yellow.
setlha (v), carve.
setlha (ditlha) (n), season; bladder.
setlhabakolobe (ditlhabakolobe) (n), burweed.
setlhabano (ditlhabano) (n), arm; weapon.
setlhabelo (ditlhabelo) (n), sacrifice; offering.
setlhabi (ditlhabi) (n), pain.
setlhago (ditlhago) (n), instinct.
setlhake (ditlhake) (n), island.
setlhaketlhake (ditlhaketlhake) (n), island.
setlhako (ditlhako) (n), shoe.
setlhana (ditlhana) (n), pelvis.
setlhapelo (ditlhapelo) (n), basin.
setlhare (ditlhare) (n), tree; medicine.
setlhatlha (ditlhatlha) (n), bush (shrub).
setlhatshana (ditlhatshana) (n), herb; shrub.
setlhatswetso (ditlhatswetso) (n), sink.
setlhefetse(ng) (v), pale.
setlhoa (ditlhoa) (n), summit; apex; peak.
setlhodi (ditlhodi) (n), spy; scout.
setlhogo (rel), cruel; terrifying.
setlhogo (ditlhogo) (n), heading; cruelty.
setlhokwa (ditlhokwa) (n), need.
setlhopha (ditlhopha) (n), band; group.
setlhotsa (ditlhotsa) (n), cripple.

setlisamadi (ditlisamadi) (n), vein.
setlisamadi sa molala (n), jugular vein.
setlogolo (n), niece; nephew; grandchild.
setlopo (ditlopo) (n), tuft.
setofo (ditofo) (n), stove.
setolo (ditolo) (n), store.
setopo (ditopo) (n), corpse; body (deceased person).
setori (ditori) (n), story.
setoto (ditoto) (n), corpse; carcass.
setotomana (ditotomana) (n), dune.
setsha (ditsha) (n), plot (piece of land).
setshedi (ditshedi) (n), funnel; creature.
setshegabaeng (ditshegabaeng) (n), dimple.
setshego (ditshego) (n), laughter.
setsholetsi (ditsholetsi) (n), crowbar.
setsholwa (n), dish; food.
setshwantsho (ditshwantsho) (n), photograph; diagram; image; parable; picture.
setshwareledi (ditshwareledi) (n), vice.
setshwari (ditshwari) (n), clamp.
setšhwimodi (ditšhwimodi) (n), duster.
setsiba (ditsiba) (n), patch.
setsibagetla (ditsibagetla) (n), yoke.
setsibosi (ditsibosi) (n), stimulus.
setsidifatsi (ditsidifatsi) (n), refrigerator.
setsidima (ditsidima) (n), bell.
setsimpi (ditsimpi) (n), tourniquet.
setso (rel), traditional.
setsokotsane (ditsokotsane) (n), whirlwind.
setsuatsue (ditsuatsue) (n), whirlwind.
setswalo (ditswalo) (n), gate; door.

setswerere (ditswerere) (n), expert.
setulo (ditulo) (n), stool; chair.
seumakeng (n), bile; gall.
seyalemowa (diyalemowa) (n),
  radio.
seyantle (diyantle) (n), exports.
Sezulu (n), Zulu (language).
-si (quan), alone.
sia (v), elope; flee; escape.
siame(ng) (v), just; valid; nice.
siamisa (v), arrange; adjust.
sidila (v), massage; iron.
sikara (v), carry on the shoulders.
sila (v), grind.
silika (n), silk.
silika ya maitirelo (n), artificial silk.
simela (v), disappear.
simolola (v), bribe; commence;
  begin; start.
sinosa (v), clarify.
sireletsa (v), defend; protect.
sisimosa(ng) (v), abominable.
sitega (v), afraid.
sitswe(ng) (v), ground (grind).
sokasoka (v), persuade.
sokologa (v), decline; repent.
sokolola (v), convert.
sola (v), moult; deprive.
solofela (v), trust; anticipate;
  expect.
solofetsa (v), promise.
solofologa (v), despair.
somaamabedi (num), twenty.
somaamane (num), forty.
somaamararo (num), thirty.
somaamarataro (num), sixty.
somaamatlhano (num), fifty.
somaarobongwe (num), ninety.
somaasupa (num), seventy.
somamabedi (num), twenty.
somamane (num), forty.
somamararo (num), thirty.
somamarataro (num), sixty.
somamatlhano (num), fifty.
somarela (v), conserve (preserve).
somarobedi (num), eighty.

somarobongwe (num), ninety.
somasupa (num), seventy.
some (num), ten.
somenne (num), fourteen.
somenngwe (num), eleven.
somepedi (num), twelve.
somerobedi (num), eighteen.
somerobongwe (num), nineteen.
sometharo (num), thirteen.
somethataro (num), sixteen.
sometlhano (num), fifteen.
sonaga (v), economise.
sonobolomo (disonobolomo) (n),
  sunflower.
Sontaga (n), Sunday.
sontile (v), immune.
sontisa (v), immunise.
sopo (disopo) (n), soup.
sorokisi (disorokisi) (n), circus.
sosobanya sefatlhego (v), frown;
  scowl.
sota (n), soda.
sotla (v), mock.
sotlha (v), jeer.
soutile (v), immune.
soutisa (v), immunise.
sudile(ng) (v), unhappy.
suga (v), tan.
sujwa(ng) (v), hidden.
sukiri (disukiri) (n), sugar.
sukiri ya maswi (n), lactose.
sula(ng) (v), unhappy.
sule bogatsu (v), numb.
sule(ng) (v), dead; deceased.
suma (v), hiss.
sumesupa (num), seventeen.
suna (v), kiss.
supa (num), seven.
supa (v), attest; point;
  demonstrate.
supetsa (v), demonstrate; direct;
  prescribe; show; exhibit.
suru (disuru) (n), lemon.
surutege (disurutege) (n), yeast.
susumoga (v), pout; sulk.
suta (v), move.

sutisa (v), move.
sutlha (v), escape; creep; brush.
-šwa (a), young; new.
šwa (v), burn.
swa (v), die.
swa: go swa mfama (n), palsy.
swa: go swa/repetlana ditokololo (n), paralysis.
swaba (v), shrivel; wilt; wither.

swabisa (v), disappoint; discourage.
swaetsa (v), tighten.
swafetse(ng) (v), stale.
swapodisa (v), unearth.
šwegašwega(ng) (v), inquisitive.
swele (rel), cruel.
swetsa (v), decide.
-sweu (a), white.

T

tabuetsa (v), dip.
taemane (ditaemane) (n), diamond.
taenamaete (ditaenamaete) (n), dynamite.
taerea (n), diarrhoea.
tafole (ditafole) (n), table.
tafoletuku (ditafoletuku) (n), table-cloth.
taga (v), intoxicate.
tagafara (v), summon.
tagafara (ditagafara) (n), subpoena; summons.
tagi (ditagi) (n), alcohol; liquor.
tagilwe (v), drunk.
tagisang (v), alcoholic.
taka (n), lime.
taka (v), paint.
takailo (ditakailo) (n), annihilation.
takata (v), assault.
-tala (a), green, blue; raw.
tala (v), uncouth; uncultured.
talafaletseng ruri (v), evergreen.
talama (ditalama) (n), string; bead; ball; button.
talameite (ditalameite) (n), dynamite.
talente (ditalente) (n), talent.
taletso (ditaletso) (n), invitation.
tamati (ditamati) (n), tomato.
tamo (ditamo) (n), dam.
tamola (v), squeeze.
tampana (ditampana) (n), tampan.

tang (ditang) (n), pliers.
tanka (ditanka) (n), tank.
tantsha (v), dance.
tao (ditao) (n), lair.
taolo (ditaolo) (n), commandment; rule.
taologa (v), stretch.
taolola (v), stretch.
tapisego (ditapisego) (n), fatigue.
tapo (n), fatigue.
tapole (ditapole) (n), potato.
tatelano (ditatelano) (n), sequence.
tatlhegelo (ditatlhegelo) (n), disaster.
tatofatso (n), accusation; charge.
tau (ditau) (n), lion.
tautona (ditautona) (n), president.
taya leina (v), name; christen.
tebateba(ng) (v), undecided; uncertain.
tebatebile(ng) (v), undecided.
tebego (ditebego) (n), appearance.
tebelelo (ditebelelo) (n), care.
tebile(ng) (v), deep.
tebo (ditebo) (n), purpose; sight.
tebogo (ditebogo) (n), gratitude.
tedu (ditedu) (n), moustache.
tee (ditee) (n), tea.
teemane (diteemane) (n), diamond.
tefo (ditefo) (n), wage; payment.
tege (n), dough.
teka (v), set (a table).

tekano (n), uniformity.
tekanyetsomolemo
   (ditekanyetsomolemo) (n), dose.
tekanyo (ditekanyo) (n), measure.
tekeletso (ditekeletso) (n), risk.
teketa (v), assault.
teko (diteko) (n), test.
tekolola (v), clear (table).
teleko (n), dismissal.
temalo (ditemalo) (n), habit.
temalo: ka temalo (adv), habitually.
teme (diteme) (n), dialect.
temo (n), agriculture.
temogo (n), understanding.
temosi (ditemosi) (n), sense.
temoso (ditemoso) (n), warning.
temothuo (n), agriculture.
tena (v), annoy; disgust.
tenega (v), become disgusted.
teng (n), bowels.
teng (rel), internal; available;
   inside.
teng: mo teng (adv), within.
tengwana (ditengwana) (n),
   dialect.
tente (ditente) (n), tent.
terase (diterase) (n), terrace.
terata (diterata) (n), gut; fence;
   wire.
terebe (diterebe) (n), grape.
terena (diterena) (n), train.
teroko (diteroko) (n), truck.
terompeta (diterompeta) (n),
   trumpet.
teronko (diteronko) (n), jail.
teropo (rel), urban.
teropo (diteropo) (n), city; town.
teseke (diteseke) (n), desk.
tetesela (v), shudder; quake;
   shiver; tremble.
tetla (ditetla) (n), permission;
   permit; consent.
tetla: ka ntle le tetla (n),
   unauthorised.
tetlelelo (ditetlelelo) (n),
   permission; permit; consent.

thaba (v), become cheerful.
thaba (dithaba) (n), mountain.
thabana (dithabana) (n), kopje; hill.
thabile (v), glad; happy.
thabisa (v), please; delight.
thabo (dithabo) (n), pleasure.
thabura (dithabura) (n), bundle.
thadisa (v), describe.
thadiso (dithadiso) (n), description.
thaelo (dithaelo) (n), temptation.
thaete (dithaete) (n), tide.
thai (dithai) (n), necktie.
thakadu (dithakadu) (n), ant-bear.
thala (v), draw a line.
thamalakane (dithamalakane) (n),
   riddle.
thamme (n), gooseberry.
thamo (dithamo) (n), neck.
thamogelwa (v), convalesce.
thankgola (v), jerk.
thanolo (dithanolo) (n),
   explanation.
thantse(ng) (v), alert.
thantsha (v), awaken.
thapa (v), hire; employ.
thapama (n), noon.
thapelo (dithapelo) (n), prayer.
thapo (dithapo) (n), cord; line;
   rope; string; pip.
thari (adv), late.
tharo (a), three.
thata (rel), strong; difficult; hard.
thata (dithata) (n), force; energy;
   authority; power; strength.
thataro (num), six.
thathaula (v), lash.
thathologa (v), uncoil.
thatholosa (v), uncoil.
thato (dithato) (n), will.
thebe (dithebe) (n), shield.
thebolo (dithebolo) (n), approval.
thedimoga (v), ski; slide.
thefosano ya jalo (n), crop rotation.
thekeletsa (v), encircle; enclose.
thekethe (dithekethe) (n), ticket.
thekisi (dithekisi) (n), taxi.

thekiso (dithekiso) (n), sale.
thekogodimo (rel), costly.
thekololo (n), ransom money.
theledi (ditheledi) (n), kneecap.
thelefono (dithelefono) (n),
telephone.
thelekerama (dithelekerama) (n),
telegram.
thelelo (rel), fluent.
thelesekopo (dithelesekopo) (n),
telescope.
thenipi (dithenipi) (n), turnip.
theo (ditheo) (n), principle.
theoso (n), discount.
thepe (dithepe) (n), tap (for water).
therisano (ditherisano) (n),
discussion.
thero (dithero) (n), conspiracy;
sermon.
thetha (v), brag.
thethebatsa (v), soothe.
thetheekela (v), stagger.
thiba (v), detain; curb; plug; avert;
deter.
thibamo (dithibamo) (n), solar
plexus.
thibane(ng) ditsebe (v), naughty.
thibedi (dithibedi) (n), barrier.
thibela (v), deter; debar; prevent.
thibelo (dithibelo) (n), block.
thibelokimo (n), contraception.
thibii (n), tuberculosis.
thibolola (v), unblock.
thibosa (v), remove.
thimotsa (v), sprinkle.
thinya (v), adjourn.
thinyega (v), sprain.
thipa (dithipa) (n), knife.
thito (dithito) (n), stem.
thitokgang (dithitokgang) (n),
theme.
thoba (v), elope; foment.
thobane (dithobane) (n), stick.
thobega (dithobega) (n), chillies.
thobo (dithobo) (n), crop.
thobolola (v), begin.

thobunyetsa (v), submerge.
thogano (rel), obscene.
thogo (dithogo) (n), curse.
thoka (v), serve.
thokgamo (n), integrity.
thoko (dithoko) (n), awl.
tholo (ditholo) (n), kudu.
thoma (v), start.
thomeletso (n), delegate.
thomelo (n), delegate.
thonikete (dithonikete) (n),
tourniquet.
thopa (v), conquer; capture.
thoromo ya lefatshe (dithoromo
tsa lefatshe) (n), earthquake.
thosola (n), syphilis.
thotamadi (n), bilharzia.
thotane (dithotane) (n), hunchback.
thothi (dithothi) (n), drop.
thothobolo (dithothobolo) (n),
heap; rubbish-heap; ash-heap.
thoto (dithoto) (n), property;
supply; stock.
thotse (dithotse) (n), pip; seed;
pumpkin pip.
thuba (v), dissolve; demolish;
break; destroy; devastate.
thubega (v), burst.
thubegile(ng) (v), broken.
thufula (v), jerk.
thuga (v), stamp (corn, etc).
thukhutha (v), rob.
thula (v), forge (metal); hit; repair.
thulaganyo (dithulaganyo) (n),
way; scheme.
thulaganyo ya marutwa (n),
curriculum.
thulamela (v), fall asleep.
thulametse (v), asleep.
thulana (v), collide.
thulano (dithulano) (n), collision;
skirmish.
thulelo (dithulelo) (n), roof.
thuma (v), bathe; swim.
thuntsha (v), shoot.
thuntshwane (dithuntshwane) (n),

mushroom.
thunya (v), bloom; explode; fade.
thupa (dithupa) (n), floating rib.
thupiso (n), discipline;
    circumcision.
thurugo (dithurugo) (n), swelling.
thusa (v), relieve; assist; help;
    benefit.
thusa(ng) (v), helpful.
thusego (dithusego) (n),
    assistance.
thuso (dithuso) (n), advantage;
    assistance; aid.
thutapalo (n), arithmetic.
thutapuo (n), grammar.
thuthubudu (n), ash-heap.
thuthusa (v), incubate.
thutiso (dithutiso) (n), exercise.
thutlwa (dithutlwa) (n), giraffe;
    chicken-pox.
thuto (dithuto) (n), lesson;
    education.
thwanyo (dithwanyo) (n), crack.
tiabolose (n), devil.
tidimalo (n), silence.
tidimalo: ka tidimalo (adv), quietly.
tiile(ng) (v), strong.
tiisa (v), certify; emphasize.
tiisa moko (v), console.
tiiso (n), emphasis.
tikologo (ditikologo) (n), district.
tila (v), avoid.
tima (v), extinguish.
timela (v), disappear; astray (to go
    astray); stray.
timpetse(ng) (v), pale.
tinara (ditinara) (n), dinner.
tipa (v), dip (cattle).
tipelo (ditipelo) (n), dipping-tank.
tipi (ditipi) (n), dipping-tank.
tiragalo (ditiragalo) (n), happening;
    event.
tirelo (ditirelo) (n), service.
tirelobosetšhaba (n), welfare.
tirisano (ditirisano) (n),
    cooperation.

tiriso (ditiriso) (n), application
    (use).
tirisobotlhaswa (ditirisobotlhaswa)
    (n), abuse.
tiro (ditiro) (n), trade; job; task;
    labour; duty; work; act; deed.
tiso (n), custody (of children).
titiela (v), brew.
tla (v), come.
tladi (ditladi) (n), lightning.
tlaela (v), joke.
tlaila (v), blunder.
tlailo (ditlailo) (n), discord.
tlakasela (v), shiver; tremble.
tlakisa (v), appease.
tlala (n), famine; hunger.
tlalatlala(ng) (v), abound.
tlalelo (ditlalelo) (n), trouble; panic;
    anxiety; agony; anguish; pain.
tlaletsa (v), confuse.
tlama (v), bind.
tlamano (ditlamano) (n), contract.
tlamego (ditlamego) (n),
    obligation.
tlamelo (n), maintenance.
tlamo (ditlamo) (n), bondage.
tlamparela (v), embrace; grasp
    (physically).
tlanya (v), type.
tlaopa (v), mock; deride; tease.
tlase (n), bottom.
tlase (rel), low.
tlase (adv), beneath.
tlase ga (adv), below.
tlatsa (v), charge; affirm; second;
    fill.
tlaya (v), come.
tlelaemete (ditlelaemete) (n),
    climate.
tlelapa (ditlelapa) (n), club.
tlelempe (ditlelempe) (n), clamp.
tlelereke (ditlelereke) (n), clerk.
tleliniki (ditleliniki) (n), clinic.
tleloko (ditleloko) (n), bell; clock.
tleloso (ditleloso) (n), lavatory;
    closet; toilet.

tleluu (ditleluu) (n), glue.

tletse(ng) (v), laden; full.

tlhaba (v), prick; stab; slaughter; inject; rise (sun); shine; dawn.

tlhaba (ka lemao) (v), inject.

tlhabana (v), fight.

tlhabano ya boitshemo (n), sham fight.

tlhabela (v), immunise.

tlhabisa ditlhong (v), embarrass.

tlhabiwa ke ditlhong (v), ashamed.

tlhabo (ditlhabo) (n), puncture.

tlhabologo (ditlhabologo) (n), civilization.

tlhabolola (v), improve; civilise.

tlhabololo (ditlhabololo) (n), amendment.

tlhaelo (ditlhaelo) (n), fault.

tlhafu (ditlhafu) (n), calf.

tlhafuna (v), chew; masticate.

tlhaga (v), arise; appear; emerge.

tlhaga (rel), wild; alert; active.

tlhaga (ditlhaga) (n), grass.

tlhagafatsa (v), excite.

tlhagafetse(ng) (v), wild.

tlhagala (ditlhagala) (n), ulcer; abscess; boil; tumour.

tlhagisa (v), propose; expose; warn; reveal; introduce; submit; issue;

tlhagiso (ditlhagiso) (n), proposal.

tlhago (n), nature.

tlhago (pos), natural.

tlhagola (v), weed.

tlhaka (ditlhaka) (n), speck; seed; letter.

tlhakalatsa (v), rave.

tlhakanya (v), mix; combine; add.

tlhakanya tlhogo (v), puzzle.

tlhakanyo (ditlhakanyo) (n), mixture; addition.

tlhakapalo (ditlhakapalo) (n), figure.

tlhakatlhakana (v), become bewildered.

tlhakatlhakano (n), mess.

tlhakatlhakanya (v), bewilder.

tlhako (ditlhako) (n), hoof.

Tlhakole (n), February.

tlhakoyapitse (ditlhakotsapitse) (n), horseshoe.

tlhale (ditlhale) (n), thread; sinew; fibre; cotton thread.

tlhalefile(ng) (v), astute; wise; clever; intelligent.

tlhaletsa (v), amuse.

tlhalo (ditlhalo) (n), divorce.

tlhaloganya (v), understand; grasp (mentally).

tlhaloganyo (n), wits; understanding.

tlhalosa (v), interpret; define; qualify; explain; describe.

tlhaloso (ditlhaloso) (n), meaning; description; explanation.

tlhama (v), create; compose (music); invent.

tlhama (n), dough.

tlhamaganya (v), repair.

tlhamalatsa (v), straighten.

tlhamaletse(ng) (v), straight.

tlhamo (ditlhamo) (n), composition (writing).

tlhamolola (v), decompose; dissolve.

tlhangwe (botlhangwe) (n), secretary bird.

-tlhano (a), five.

tlhanya (v), curdle.

tlhaola (v), allocate.

tlhaolesega (v), eligible.

tlhaolo (n), identity.

tlhaologa (v), dissolve.

tlhaolosa (v), smelt.

tlhapa (v), bath; wash; cleanse; insult.

tlhapatsa (v), insult.

tlhapela (v), intoxicate.

tlhapetswe (v), drunk.

tlhaphola (v), dilute.

tlhapi (ditlhapi) (n), fish.

tlhapisa (v), cleanse.

tlhapologa (v), urinate.
tlhaposa (v), dilute.
tlhase (ditlhase) (n), spark.
tlhasela (v), assail; raid; attack;
  invade.
tlhatlhaganya (v), stack.
tlhatlhamano (n), series.
tlhatlhamanometlha (n),
  chronological.
tlhatlhamolola (v), undo.
tlhatlhelela (v), advise.
tlhatlhoba (v), inspect; examine.
tlhatlhobo (ditlhatlhobo) (n),
  examination.
tlhatloga (v), rise; ascend.
tlhatlosa (v), raise; lift; promote.
tlhatlosi (ditlhatlosi) (n), stirrup.
tlhatlositswe(ng) (v), raised.
tlhatloso (ditlhatloso) (n),
  promotion.
tlhatsa (v), vomit.
tlhatsisa (v), nauseate.
tlhatswa (v), wash.
tlhatswadiatla (n), commission
  (money).
-tlhe (quan), all, the whole, every,
  entire.
tlhoa (n), whey.
tlhoa (v), loathe; detest; hate.
tlhoafala (v), long.
tlhoafalo (n), zeal.
tlhoafetse (v), eager; diligent.
tlhobaela (v), awake.
tlhobaelo (ditlhobaelo) (n),
  insomnia; anxiety; worry.
tlhobaetsa (v), annoy.
tlhoboga (v), despair.
tlhobola (v), stamp (corn, etc).
tlhobolo (ditlhobolo) (n), cannon;
  gun; rifle.
tlhodiego (ditlhodiego) (n),
  annoyance.
tlhodisa matlho (v), ignore.
tlhofamadi (n), anaemia.
tlhofega (v), moult.
tlhoga (v), sprout.

tlhoga: go tlhoga (n), germination.
tlhogo (rel), intelligent.
tlhogo (ditlhogo) (n), head;
  principal.
tlhogoethata (rel), stubborn.
tlhogotala (rel), illiterate.
tlhoka (v), lack.
tlhoka boikanyego (v), disloyal.
tlhoka(ng) kitso/thuto (v),
  uneducated.
tlhoka(ng) maitseo (v), uncivil.
tlhoka(ng) mowa (v), breathless.
tlhoka(ng) setho (v), uncultured.
tlhoka(ng) tebogo (v), ungrateful.
tlhoka(ng) tiro (v), unemployed.
tlhokafala (v), die.
tlhokafala(ng) (v), scarce.
tlhokafalo (n), death.
tlhokafetse(ng) (v), deceased.
tlhokang maitseo (v), uncivilised.
tlhokega(ng) (v), important;
  essential; necessary; scarce.
tlhokega: go tlhokega (n), absence.
tlhokego (ditlhokego) (n), need;
  necessity.
tlhoko (ditlhoko) (n), nipple.
tlhokomela (v), watch; guard;
  beware; care.
tlhokomelo (ditlhokomelo) (n),
  care; supervision; maintenance.
tlhokomologa (v), disregard;
  ignore.
tlhokomologo (n), neglect.
tlhola (v), create; spend evening,
  etc.
tlholegileng (mo) (v), indigenous.
tlholego (n), nature.
tlholelo (n), fate.
tlholo (ditlholo) (n), failure.
tlhologelelwa (v), long.
tlholwe (botlholwe) (n), rabbit.
tlhoma (v), erect; establish; plant;
  appoint.
tlhomagana (v), occur.
tlhomame(ng) (v), firm; expedient;
  appropriate.

tlhomamisa (v), ascertain; solemnize (marriage); secure; attest.
tlhomedi (botlhomedi) (n), butcherbird.
tlhomedisa (v), arm.
tlhomela (v), arm oneself.
tlhomeletsa (v), affix.
tlhomeso (ditlhomeso) (n), rafter.
tlhomo (ditlhomo) (n), coronation.
tlhomogelopelo (n), pity.
tlhompha (v), respect.
tlhoname(ng) (v), serious.
tlhong (ditlhong) (n), shame.
tlhopha (v), elect; vote; choose; select; classify.
tlhopho (ditlhopho) (n), choice; vote; election.
tlhora (ditlhora) (n), peak; summit.
tlhorisa (v), torment.
tlhoro (ditlhoro) (n), hat; cap.
tlhorontsha (v), torment.
tlhosetsa (v), set alight.
tlhotlha (v), sift; sieve; filter.
tlhotlheletsa (v), abet; pursuade; urge; encourage.
tlhotlheletso (ditlhotlheletso) (n), influence.
tlhotlholola (v), discriminate; exclude.
tlhotlhololo (ditlhotlhololo) (n), ostracism.
tlhotlhomenyo (ditlhotlhomenyo) (n), flamingo.
tlhotlhomisa (v), explore; investigate.
tlhotlhona (v), itch.
tlhotlhonkga (ditlhotlhonkga) (n), chaff.
tlhotlhoregang (v), deciduous.
tlhotlhwa (ditlhotlhwa) (n), price; value.
tlhotlhwana (rel), cheap.
tlhotlhwatlase (rel), cheap.
tlhotsa (v), limp; hobble.
tlhwaatlhwaega (v), become

impatient.
tlhware (ditlhware) (n), python.
tlhwaya (v), scoop.
tlhwekileng (v), clean.
tlilemate (ditlilemate) (n), climate.
tlisa (v), bring; fetch.
tloba (v), pinch.
tloga (v), leave; depart.
tlogela (v), discontinue; leave; forsake; omit; quit; abandon; exclude.
tlogelo (ditlogelo) (n), omission.
tlola (v), jump; skip; leap; anoint.
tlola molao (v), offend.
tlola taolo (v), disobey.
tlolatlola (v), bounce; hop.
tlolomolao (ditlolomolao) (n), offence.
tlonka (v), sip.
tlontlolola: go tlontlolola (n), disgrace.
tlosa (v), efface; obliterate; eliminate; remove.
tlotla (v), converse; esteem; deliberate; respect.
tlotlego (n), honour.
tlotlo (n), fame; honour; awe (respect).
tlotlomatsa (v), exalt.
tlotsa (v), anoint.
tlou (ditlou) (n), elephant.
tlwaela (v), accustom.
tlwaelega: go sa tlwaelega (v), abnormal.
tlwaelegang: sa tlwaelegang (v), odd.
tlwaelege(ng): sa tlwaelege(ng) (v), peculiar.
tlwaelegile(ng) (v), common; ordinary.
tlwaelo (ditlwaelo) (n), habit; custom.
tlwaelo: ka tlwaelo (adv), commonly; habitually.
tlwaetsa (v), hypnotize.
tlwaetse (v), acquainted.

togwa (ditogwa) (n), fibre.
tokafatsa (v), improve.
tokologano (n), dislocation.
tokologo (n), liberty.
tokololo (ditokololo) (n), limb; bail;
  member.
tolamo (rel), fair (just).
toloka (v), interpret.
tolwane (ditolwane) (n), pelvis.
tomanyi (ditomanyi) (n), cramp.
tomo (ditomo) (n), bridle; rein.
tomola (v), uproot.
tomololo (n), dislocation.
-tona (a), big.
tona (ditona) (n), minister.
-tonanyana (a), male.
tone (ditone) (n), garden.
tonki (ditonki) (n), donkey.
tono (ditono) (n), ton.
tootso (ditootso) (n), soapstone.
topo (ditopo) (n), request.
toro (ditoro) (n), dream;
  pricklypear.
toronko (ditoronko) (n), gaol;
  prison.
toropo (ditoropo) (n), town.
tosene (ditosene) (n), dozen.
tota (rel), actual.
tota (adv), really; actually;
  undoubtedly.
totomela (v), penetrate.
totšhe (ditotšhe) (n), torch.
toulo (ditoulo) (n), towel.
tsabakela (v), flicker.
tsala (ditsala) (n), friend;
  companion.
tšale (ditšale) (n), shawl.
tsalo (ditsalo) (n), birth; interest.
tsamaelana (v), agree.
tsamaile (v), gone.
tsamaisa (v), conduct (choir);
  manage (company).
tsamaiso (ditsamaiso) (n),
  procedure; management.
tsamaya (v), go; depart; walk;
  travel.

tsamaya sentle, farewell; good
  bye.
tsaya (v), seize; obtain; fetch; take;
  marry.
tsaya dikgang (v), converse.
tsaya karolo (v), participate.
tseanya (v), daze.
tsebe (ditsebe) (n), ear; page.
tseela (v), deprive.
tsekedima (v), flash.
tsela (ditsela) (n), method; way;
  path; road.
tseladijo (ditseladijo) (n),
  alimentary (canal).
tselakgolo (ditselakgolo) (n),
  highway.
tselamadi (ditselamadi) (n),
  bloodvessel.
tselanathoko ya dinao
  (ditselanathoko tsa dinao) (n),
  pavement.
tsele le tsele (pron), miscellaneous.
tseleganya (v), edit.
tsena (v), approach; attend; enter.
tsena gare/ganong (v), interrupt.
tsenelela (v), invade; trespass.
tsenelelo (ditsenelelo) (n),
  trespass.
tseno (n), attendance.
tsenwa(ng) (v), mad; crazy.
tsenya (v), enclose; admit (allow to
  enter).
tsenya madi (v), to transfuse blood.
tsenya mo kotsing (v), endanger.
tsenya tshwantsho (v), illustrate.
tsepama(ng) (v), upright.
tsepamo (n), accuracy.
tsereganya (v), arbitrate.
tsetla (ditsetla) (n), phrase.
tsetlela (v), graft.
tsetlelo (ditsetlelo) (n), graft.
tsetse (ditsetse) (n), tsetse fly.
tsetsepetse(ng) (v), firm.
tsewa ke sedidi (v), giddy.
tshaba (v), flee.
tshabega(ng) (v), fierce.

tshabisa (v), scare.
tshaeno (ditshaeno) (n), signature.
tshameka (v), play.
tshasa (v), smear; anoint.
tshedisa melelwane (v), exile;
  banish.
tshedisomelelwane (n), exile;
  banishment.
tšhefu (ditšhefu) (n), poison.
tshega (v), jeer; giggle; laugh.
tshegadi (n), female.
tshegetsa (v), uphold.
tshegisa (v), amuse.
tshegisang (v), comic.
tshegofatsa (v), bless.
tshegofatso (ditshegofatso) (n),
  blessing.
tšheke (ditšheke) (n), cheque.
tshekelele (adv), public; in public.
tshekgenya (v), incise.
tshekiso (ditshekiso) (n), trial.
tsheko (ditsheko) (n), trial;
  courtcase.
tshela (v), fill; pour; live; infect.
tshela lošalaba (v), applaud.
tshelana (v), infect.
tshele (ditshele) (n), grievance;
  grudge; rancour.
tšhelete (n), money.
tshelo (n), infection.
tshelwa(ng) (v), infectious.
tšhemele (ditšhemele) (n),
  chimney.
tshenekegi (ditshenekegi) (n),
  insect.
tshenyegelo (ditshenyegelo) (n),
  abortion; expense; damage.
tshenyo (ditshenyo) (n), damage;
  harm.
tshenyoleina (n), defamation.
tshepa (v), trust.
tshepe: sa tshepe (v), distrust.
tshepega(ng) (v), faithful.
tshepha (v), trust.
tshephe (ditshephe) (n), springbok.
tshepiso (n), confidence.

tshereanya (v), bewitch.
tshesane (a), narrow.
tšhese (ditšhese) (n), flower;
  bloom.
tshetshereganyo
  (ditshetshereganyo) (n),
  analysis.
tshikana (ditshikana) (n), capillary.
tshikanokana (ditshikanokana) (n),
  firefly.
tshikinya (v), shake; propose.
tshikinyego (ditshikinyego) (n),
  commotion.
tshikinyo (ditshikinyo) (n),
  proposal.
tshilwana (ditshilwana) (n),
  constipation.
tshimega (ditshimega) (n),
  champion.
tshimologo (ditshimologo) (n),
  origin; beginning.
tshingwana (ditshingwana) (n),
  garden.
tshipi (ditshipi) (n), week; metal;
  iron; bell.
tšhirimela (v), hiss.
tšhisi (ditšhisi) (n), cheese.
tshitabotlhole (ditshitabotlhole)
  (n), antidote.
tshitatutelo (ditshitatutelo) (n),
  antiseptic.
tshitshiri (ditshitshiri) (n), bedbug;
  bug.
tshobokanyo (ditshobokanyo) (n),
  summary.
tšhobola (v), scold.
tshoganyetso (ditshoganyetso) (n),
  chance.
tshoganyetso: ka tshoganyetso
  (adv), unexpectedly;
  accidentally.
tšhoko (ditšhoko) (n), chalk.
tshokologo (n), afternoon;
  conversion.
tshola (v), accommodate; contain;
  adopt; keep; carry; treat; handle.

tsholeditswe(ng) (v), raised.
tsholela (v), serve (food).
tsholetsa (v), elevate; hoist; lift; raise.
tsholo (n), adoption; treatment.
tsholofelo (ditsholofelo) (n), hope; belief.
tsholofetso (ditsholofetso) (n), assurance; promise.
tshologa (v), abort (animal); overflow; spill.
tsholola (v), spill.
tšhoma (v), slander; backbite.
tshomarelo (n), preservation; thrift.
tšhomolola (v), interpret; translate.
tshono (ditshono) (n), opportunity.
tshosa (v), frighten; scare.
tshosa(ng) (v), ghastly; fiersome.
tshoso (ditshoso) (n), alarm.
tshoswane (ditshoswane) (n), ant.
tshotlego (ditshotlego) (n), misery.
tshotlo (ditshotlo) (n), ridicule; sarcasm.
tshotse (v), contain; carry.
tshuba (v), fire; kindle.
tshuba kgomo (v), brand.
tshuba(ng) (v), alight.
tshubo (n), arson.
tshuko (ditshuko) (n), penis.
tshukudu (ditshukudu) (n), rhinocerous.
tshume (rel), stiff.
tshupa (ditshupa) (n), weevil.
tshupababa (ditshupababa) (n), birthmark.
tshupabaloi (ditshupabaloi) (n), index finger.
tshupakotsi (ditshupakotsi) (n), beacon; warning sign.
tshupamolato (ditshupamolato) (n), account (statement).
tshupanako (ditshupanako) (n), clock; watch.
tshupantlha (ditshupantlha) (n), compass.
tshupatefo (ditshupatefo) (n),

receipt.
tshupatlotlo (ditshupatlotlo) (n), account; statement.
tshupetso (ditshupetso) (n), exhibition.
tshwaiso (n), commission (money).
tshwana (le) (v), resemble.
tshwana(ng) (v), alike; similar; same; uniform.
tshwanalanya (v), match.
tshwanela (v), suit; must.
tshwanelo (ditshwanelo) (n), obligation; merit; duty.
tshwanelo: ka tshwanelo (adv), properly.
tshwanetse(ng) (v), expedient; must.
tshwano (ditshwano) (n), uniformity; analogy; similarity.
tshwantsha (v), illustrate; draw; paint.
tshwantshanya (v), match; compare.
tshwara (v), hold; treat; arrest; captivate; handle; seize; hypnotize.
tshwara ditlhapi (v), catch fish.
tshwara marapo (v), preside.
tshwaragana le (v), abut.
tshwaraganya (v), bind; connect; attach.
tshwaratshwara(ng) (v), mischievous.
tshwarela (v), condone; excuse; forgive.
tshwarelela(ng) (v), lasting.
tshwarelo (ditshwarelo) (n), excuse; apology.
tshwaro (n), treatment; apprehension.
tshwaya (v), mark.
tshweka (v), hinder.
tshwene (ditshwene) (n), baboon.
tshwenya (v), bother; annoy; vex; disturb.
tshwenya(ng) (v), troublesome.

tshwenyega (v), afflict, to worry; fret.
tshwenyega(ng) (v), worried.
tshwenyegile(ng) (v), worried; anxious.
tshwenyego (n), anxiety.
tshwenyo (ditshwenyo) (n), bother.
tšhwetla (v), squash.
tshwetso (ditshwetso) (n), decision; conclusion.
tšhwimola (v), erase.
tsiboga (v), respond; become aroused.
tsibosa (v), exclaim; arouse.
tsididi (rel), cold.
tsidifatso (n), refrigeration.
tsiditsana (rel), cool.
tsie (ditsie) (n), grasshopper; locust.
tsietsa (v), fake; embarrass; baffle; deceive; mislead; betray; astound.
tsietsa(ng) (rel), false.
tsietsega (v), become baffled.
tsietso (ditsietso) (n), falsehood; deceit; fraud.
tsikelela (v), surround.
tsikitla (v), excite.
tsikitsa (v), tickle.
tsipola (v), sprain.
tsirimana (v), jingle.
tsirimanya (ditsirimanya) (n), jingle.
tsirinya (v), ring.
tsofala (v), age.
tsofetse(ng) (v), old; aged.
tsoga (v), arise; wake up; awake.
tsogela (v), revolt.
tsogo (n), outbreak.
tsokela (v), wind (road).
tsokotsa (v), rinse; wag (tail).
tsoma (v), hunt.
tsosa (v), awaken; arouse; wake.
tsoseletsa (v), revive.
tsosolosa (v), revive.
tsuba (v), smoke.

tsukatsukana (v), squabble.
tsuntsunyetsa (v), suck.
tsuolola (v), rebel; upset; revolt.
tsuololo (ditsuololo) (n), sedition.
tsupa (v), sulk.
tsuputsa (v), devour (destroy).
tsurama (v), land.
tsutsubagana (v), shrivel.
tswa (v), emerge; vacate.
tswa madi (v), bleed.
tswa mokola (n), nose bleeding.
tswaisa (v), flavour.
tswaka (v), mix.
tswako (ditswako) (n), compound.
tswala (v), shut; close.
tswapo (n), skimmed milk.
tswapoga (v), fade.
tswatswaila (v), drag.
tswelela (v), continue.
tswelela pele (v), advance; progress; proceed.
tswelela(ng) (v), continuous; perpetual.
tswelelopele (n), advancement; progress.
tswenatswena (v), ooze.
tswesa (v), clothe.
tswetelela (v), insist.
tswina (n), honey.
tswine (n), honey.
tswirinya (v), whistle.
tuelelo (dituelelo) (n), redemption; payment.
tuelo (dituelo) (n), payment; salary; stipend; reward.
tuka(ng) (v), ablaze.
tulo (ditulo) (n), place.
tumaikgati (n), echo.
tumammogo (ditumammogo) (n), consonant.
tumanosi (ditumanosi) (n), vowel.
tumediso (ditumediso) (n), salutation.
tumelano (ditumelano) (n), favour; agreement.
tumelelo (ditumelelo) (n),

approval; admission; permit;
permission; consent.
tumelo (ditumelo) (n),
acquiescence; faith; belief.
tumile(ng) (v), distinguished;
famous.
tumo (n), notoriety; fame.
tumuga (ditumuga) (n), donkey.
tura(ng) (v), expensive.

tutela (v), fester.
tutlo (ditutlo) (n), puncture.
twantshamonkgo
(ditwantshamonkgo) (n),
deodorant.
twantshatwatsi (ditwantshatwatsi)
(n), antitoxin.
twantshi (ditwantshi) (n), antibody.
twatsi (ditwatsi) (n), germ.

U

uba (v), throb.
uba: go uba ga pelo (n), heart-beat.
ulna (n), ulna.
ungwisa (v), fertilise.
upa (v), disinfect.
ura (diura) (n), hour.
usa (v), drop.
utlwa (v), feel; hark; listen; hear.
utlwa (ka loleme) (v), taste.
utlwa(ng) botlhoko (v), sad.
utlwala (v), audible.

utlwana le (v), agree.
utlwatsa (v), pronounce.
utlwela (v), misunderstand.
utlwela botlhoko (v), condole.
utlwelela (v), listen.
utlwisisa (v), understand.
utswa (v), steal; thieve; rob;
burgle.
utswa ka leina (v), forge.
utswetsa (v), rob; burgle.
utulola (v), explore.

V

vaseline (n), vaseline.

W

wa (v), drop.
wa batho (pos), unfortunate.
wa losika (n), kinsman.
waelese (diwaelese) (n), wireless;
radio.
waena (v), wind (clock).

watšhe (diwatšhe) (n), clock;
watch.
wela fatshe (v), fall down.
wena (pron), you.
wiki (diwiki) (n), wig.
wulu (diwulu) (n), wool.

Y

ya (v), go.
ya losika (pos), pure-bred.

ya madi (pos), pure-bred.
ya seteropo (pos), urban.

yo (pron), this.
yo(ng): se yong, absent, not
  present.
yona-yona (pron), particular.

yoo (pron), that.
yunibesiti (diyunibesiti) (n),
  university.

APPENDIX I

SUBJECTIVAL CONCORDS

	Singular		*Plural*
1st Person	ke/*ka		re/*ra
2nd Person	o/*wa		lo/le/*lwa/*la
3rd Person	o/a/*a		ba/*ba
Noun Class 1	o/a/*a	2	ba/*ba
3	o/*wa	4	e/*ya
5	le/*la/*ja	6	a/*a
7	se/*sa	8	di/*tsa
9	e/*ya	10	di/*tsa
11	lo/*lwa	10	di/*tsa
12	-- --	13	-- --
14	bo/*jwa/*ba	6	a/*a
15,16,17,18	go/*ga/*gwa		-- --

* Subjectival concords used in sentences of the so-called "consecutive"-type, i.e. sentences with the meaning of "then, and then".

Examples of use:

Monna   o   dira   sentle.
(The man [concord] works well).

Monna   ga   a   dire   sentle.
(The man does not [concord] work well).

Monna   a   dira   sentle
(The man [concord] then worked well).   (Consecutive).

O   dira   sentle.
(He works well).

APPENDIX II

PRONOUNS

	Singular	*Plural*
1st Person	nna/*me/*ka	rona/*rona
2nd Person	wena/*gago	lona/lena/*lona/*lena
3rd Person	ene/ena/*gagwe	bone/*bone

Noun Class	1	ene/ena/*gagwe	2	bone/*bone
	3	one/wone/*one/*wone	4	yone/*yone
	5	lone/jone/*lone/*jone	6	one/*one
	7	sone/*sone	8	tsone/*tsone
	9	yone/*yone	10	tsone/*tsone
	11	lone/*lone	10	tsone/*tsone
	12	-- --	13	-- --
	14	jone/bone/*jone/*bone	6	one/ona/*one/*ona
15,16,17,18		gone/*gone		

* The forms marked with stars are used in possesive constructions, and therefore carry the meaning of "mine, my, our(s), your(s), their(s), it(s), etc". Also refer to appendix VIII in this regard. The initial forms, i.e. those without the star, mean "I, we, you, he, she, it, they".

APPENDIX III

DEMONSTRATIVE PRONOUNS

1st Position — this, these
2nd Position — that, those
3rd Position — that yonder, those yonder.

		1st Pos.	2nd Pos.	3rd Pos.
Noun Class	1	yo	yoo	yole
	2	ba	bao	bale
	3	o	oo	ole
	4	e	eo	ele
	5	le/je	leo/jeo	lele/jele
	6	a	ao	ale
	7	se	seo	sele
	8	tse	tseo	tsele
	9	e	eo	ele
	10	tse	tseo	tsele
	11	lo	loo	lole
	14	jo/bo	joo/boo	jole/bole
15,16,17,18		fa/mo/kwa	foo/koo/moo	fale/kwale/mole

Examples of use:
Monna yo (This man)   Batho bao (Those people)
Dinku tsele (Those sheep).

APPENDIX IV

QUANTITATIVE CONCORDS

(Used with the stems -si (only, alone), and -tlhe (the whole, all).

		Singular			Plural	
		-si	*-tlhe*		*-si*	*-tlhe*
1st Person		no-	---		ro	ro-
2nd Person		we-	---		lo-	lo-
3rd Person		e-	---		bo-	bo-
Noun Class	1	e-	---	2	bo-	bo-
	3	o-	o-	4	yo-	yo-
	5	lo-/jo-	lo-/jo-	6	o-	o-
	7	so-	so-	8	tso-	tso-
	9	yo-	yo-	10	tso-	tso-
	11	lo-	lo-	10	tso-	tso-
	12	---		13	---	
	14	jo-/bo-	jo-/bo-	6	o-	o-
15,16,17,18		go-	go-			

Examples of use: Monna esi (The man only)
Letsatsi lotlhe (The whole day).

APPENDIX V

ADJECTIVAL CONCORDS

(Used with adjectival stems such as -golo (big), -bedi (two), etc).

		Singular		Plural
Noun Class	1	yo mo-	2	ba ba-
	3	o mo-	4	e me-
	5	le le- / je le-	6	a ma-
	7	se se-	8	tse (di)N-
	9	eN-	10	tse (di)N-
	11	lo lo-	10	tse (di)N-
	12	-- --	13	-- --
	14	jo bo- / bo bo-	6	a ma-
15,16,17,18		mo go- / kwa go- / fa go-		

Examples of use: Monna yo mogolo (The big man)
Dikgomo tse (di)kgolo (The big cattle)
Sefofane se sennye (The small aeroplane).

APPENDIX VI

RELATIVE / QUALIFICATIVE CONCORDS

(Used with verbal stems ending on -ng, and "relative' adjectival stems ("qualificatives").)

	Singular		*Plural*
1st Person	yo ke		ba re
2nd Person	yo o		ba lo / ba le
3rd Person	yo o		ba ba
Noun Class 1	yo o	2	ba ba
3	o o	4	e e
5	le le / je le	6	a a
7	se se	8	tse di
9	e e	10	tse di
11	lo lo	10	tse di
12	-- --	13	-- --
14	jo bo / bo bo	6	a a
15,16,17,18	mo go / kwa go / fa go		

Examples of use: Monna yo o batlang tiro (The man who wants work)
Banna ba ba bogale (The angry men)
Ditsela tse di kgopo (The winding roads).

APPENDIX VII

ENUMERATIVE CONCORDS

(Column A: Concords used only with the stem -ngwe [one, a certain, some].
Column B: Concords used with the stems -fe [which?], -pe [any, some], and -sele [different, strange]).

		Singular		*Plural*	
		A	B		A	B
Noun Class	1	mo-	o-	2	ba-	ba-
	3	mo-	o-	4	me-	e-
	5	le-	le-	6	ma-	a-
	7	se-	se-	8	di-	di-
	9	n- / e-	e-	10	di-	di-
	11	lo-	lo-	10	di-	di-
	12	-- --		13	-- --	

| | 14 | bo- | bo- | 6 | ma- | a- |
| | 15,16,17,18 | go- | go- | | | |

Examples of use: Motho mongwe (One, a certain person)
Batho basele (Strange people)
Dikgomo dife? (Which cattle?).

APPENDIX VIII

POSSESSIVE CONCORDS

(These concords indicate "of" in possessive constructions)

		Singular			*Plural*
Noun Class	1	wa		2	ba
	3	wa		4	ya
	5	la/ja		6	a
	7	sa		8	tsa
	9	ya		10	tsa
	11	lwa		10	tsa
	12	-- --		13	-- --
	14	jwa/ba		6	a
	15,16,17,18	ga			

Examples of use: Mosadi wa monna (The wife of the man)
Seatla sa kgosi (The hand of the king)

Note that these concords may be used together with the pronouns
(starred forms) in appendix II, e.g. —
Leitlho la gago (The eye of yours = Your eye)
Mafoko a gagwe (His words).

APPENDIX IX

OBJECTIVAL CONCORDS

(The equivalent meaning of English "me", "you", "them", "it", e.g. They
see me, you, it, etc.)

	Singular	*Plural*
1st Person	n-/(m)-	re
2nd Person	go	lo/le
3rd Person	mo	ba

Noun Class	1	mo	2	ba
	3	o	4	e
	5	le	6	a
	7	se	8	di
	9	e	10	di
	11	lo	10	di
	12	-- --	13	-- --
	14	bo	6	a
15,16,17,18		go		

Examples of use: Ke go rata mo go maswe
(I [you] like very much = I like you very much)
Batho ba tla a reka
(The people will [it] buy = The people will buy it).

APPENDIX X

A FEW HANDY SETSWANA PHRASES WITH THEIR ENGLISH COUNTERPARTS

O tswa kae?	Where do you come from?
O mang (wena)?	Who are you?
Lo/le bomang (lona/lena)?	Who are you (plural)?
Go na le bothata.	There is a problem.
Tsela ya go ya "Sterland" e kae?	Where is the street that goes to "Sterland"?
Ke nako mang?	What is the time?
Ba batla eng?	What do they want?
O reng?	What do you say?
O nna kae?	Where do you live?
Ke nna kwa Tshwane.	I stay in Pretoria.
Ke tafole.	It is a table.
Ga se tafole.	It is not a table.
Ke banna.	It is men.
Motse o, ke ofe?	Which town/village is this?
Ke Tlokwe.	It is Tlokwe/Potchefstroom.
Nna (fa) fatshe.	Sit down.
Didimala(ng).	Be quiet.
Ema fa.	Stand/wait here.
Tsena!	Come/go in!
Bua Setswana.	Speak Setswana.
Buela kwa godimo.	Speak louder.
Buela kwa tlase.	Speak softer / Hold your voice down.
Boeletsa!	Repeat!
O se ka wa peteketsa.	Don't speak so fast.

Bua ka bonya.	Speak slowly.
Re se ka ra goa.	We must not shout.
Ke tshwanetse go tsamaya.	I must go.
O tshwanetse go thusa Piti.	You must help Pete.
Ke tla reka senkgwe.	I shall buy bread.
Ke a leka.	I am trying.
O robetse.	He/she is asleep.
Ke a dira.	I am working.
Ke dira sentle.	I am working well.
Ga ke dire.	I am not working.
Ke tla bona.	I shall see.
Nka se bone.	I shall not see.
Ke rekile sejanaga.	I bought a motor-car.
Ga ke a reka sejanaga.	I did not not buy a motor-car.
Bana ba kae?	Where are the children?
Dikgomo di kae?	Where are the cattle?
Di kwa nageng.	They are in the veld.
Basadi ba tsamaya leng?	When do the ladies leave?
Ba tsamaya gompieno.	They leave today.
John o tsamaya le mang?	Whom does John go/travel with?
O tsamaya le Hendrik.	He travels with Hendrik.
Lekau le dira ka eng?	With what does the young man work?
Le dira ka diatla.	He works with (his) hands.
Monna o bona eng?	What does the man see?
Monna o bona tonki.	The man sees a donkey.
Kgosi e rata mang?	Whom does the king like?
Kgosi e rata motho yo o dirang.	The king likes a person who works.
O dira jang?	How do you work?
Ke mang?	Who is it?
Ke eng?	What is it?
Ke Joseph.	It is Joseph.
Ke hempe.	It is a shirt.
Ke bokae?	How much is it / how much does it cost?
Batho ba na le madi.	The people have money.
Maria o na le bana ba bane.	Maria has four children.
Leina la gago ke mang?	What is your name?
Sefane sona?	And your surname?
O batla diranta tse kae?	How much (rands) do you want?
Mmitse!	Call him!
A ko o nthuse!	Please help me!
Ga ke itse.	I do not know.
Ga ke batle.	I do not want (to).
A ko o ntlisetse dikofi tse pedi.	Bring me two coffees please.
A ko o tswale lebati.	Please close the door.

Ga go tsenwe.	No entry.
Ga go na tiro.	No vacancies.
Go maruru gompieno.	It is cold today.
Go a fisa kajeno.	It is hot today.
Pula e a na.	It is raining.
Ke a go rapela!	Please!
Ke a leboga!	Thank you!
O dirile phoso.	You made a mistake.
A o lebetse?	Did you forget?
O se ka wa lebala.	You must not forget.
Ke itumetse.	I am happy.
Ke lapile.	I am tired.
Bua nnete!	Speak the truth!
Intshwarele!	Excuse me!
Ke tshwerwe ke tlala.	I am hungry.
Ke tshwerwe ke lenyora.	I am thirsty.
Go siame!	It is fine! / OK!

APPENDIX XI

TWO EASY WAYS OF GREETING PEOPLE IN SETSWANA

METHOD 1

Statement:

Dumela(ng)!
(Good Day!)

Answer:

Agee!
(Yes!)

Question:

Le/lo kae?
(How are you?)

Answer + question:

Ke/re teng.
(I am / we are fine.)
(Lona) lo/le kae?
(How are you?)

Answer:

(Le nna) ke teng / (Le rona) re teng.
([Me too], I am fine / [We too], we are fine.)

Final statement:

Tsamaya(ng) sentle/pila!
(Go well!)

Answer:

Sala(ng) sentle/pila!
(Stay well!)

METHOD 2

Statement:

Dumela(ng)!
(Good Day!)

Answer:

Agee!
(Yes!)

Question:

Le/lo tshela jang?
(How are you doing?)

Answer + question:

Ke/re tshela sentle.
(I am / we are doing fine.)
(Lona) lo/le tshela jang?
(How are you doing?)

Answer:

(Le nna) ke tshela sentle. / (Le rona) re tshela sentle.
([Me too], I am doing fine / [We too], we are doing fine.)

Final statement:

Tsamaya(ng) sentle/pila!
(Go well!)

Answer:

Sala(ng) sentle/pila!
(Stay well!)